JN116717

国民のための憲法改正学への勧め

現行憲法の全条文の解説・問題点

清原淳平編著

善本社

はじめに

この『国民のための憲法改正学への勧め』は、現行『日本国憲法』につき、冒頭にある「公布文」、「前文」、そして第一条から第一〇三条まであるすべての条文について、それぞれ分かりやすく解説するとともに、その問題点を洗い出したものである。

なぜ、「国民のための」と冠したかというと、ヨーロッパにはじまる『憲法』なるものは、本来、国民を保護するために考え出されたものだからである。

特に『日本国憲法』においては、その改正については、その可否を、国民が最終的に決めることになっている。というのは、一般の法律は、国会において、国民から選出されたその代表者たる国会議員の過半数の賛成があれば、法律として成立し、国民の皆さんはその法律に従わなければならない。

ところが、こと憲法の改正となると、それだけでは足らず、衆・参各議院の総議員の三分の二以上の賛成で、憲法改正の案文は決められるが、次に、その案文を国民投票に掛けて、その過半数の賛成投票がなければ、憲法改正が実現できないのである（現行憲法第九十六条）。

つまり、憲法改正が実現できるかどうかは、国民の皆さんの投票の結果にあるわけである。ということは、憲法改正を可能にするかどうかは、国民の皆さんの権利であると同時に、義務でもあるわけだ。

それだけに、国民の皆さんに、憲法について、ぜひ、勉強しておいていただきたい、と考えて、この本を書いた次第である。

憲法学も、その憲法改正学も、法文という学問分野なので、むずかしい言葉も出てくるが、この本では、これまでに法律や憲法の学問をしたことのない人にも、分かりやすく解説し、また、その条文のどこにどういう問題があるのかについても、分かりやすく説明してある。

また、この書は、冒頭から読まなければいけないというものではなく、いわば、『日本国憲法』についての辞書として、調べる必要が生じたときや、気になる事項が出たときに、見ていただけるよう、考えて構成している。

「憲法」というのは、国の基本法であるだけに、各家庭に一冊ずつおいて、必要に応じて、また関心が湧いたときに、見ていただきたい、と思う。

そのように辞書代わりにしていただくために、憲法の各条項の解説について、その根拠説明が同じか類似しているときも、前の何ページに詳しく書いてあるから、そちらを読んで下さいというのではなく、調べたい条文のそれぞれの箇所でも、その論拠の解説を分かりやすく掲げておいた。

そしてまた、私も大学院博士課程では、学者はわかりやすいことでも、あえてむずかしい言葉を使いむずかしい言い回しをすることに慣れたが、その間、英米・独仏の用語では、専門用語は覚えなければならないとしても、言語や言い回しはわかりやすいことを知り、社会に出てからの啓蒙書は、できるだけやさしく書くようにしている。

特に、本書は、憲法について勉強を始める中学生（小学校の高学年）でも、読めるよう配慮し、できるだけ漢字を減らし、特に助詞（てにをは）や副詞（修飾語）は漢字を使わないようにした。また、現行憲法はじめ古い法律は、三〇条、三一条、三二条と書くが、それは字数を極力減らすためとはいえ、授業では縦書きのときは、三十、三十一、三十二と書くよう習うため、現行憲法の書き方は間違っていると思うので、解説の中では後者をとっている。ただ西暦とか日本の元号は、新聞などは一九五〇年とか昭和五〇年と書くので、それはそのままとした。

なお、日本国憲法が、昭和二十二年に制定されて以降、この七十余年間に一度も改正されていないのに対し、このほぼ同じ期間に、欧米先進国、例えば、ドイツは六十二回、イタリアが十五回、最も改正数が少ないアメリカでさえ六回改正している。それはなぜか、戦前に昔の百年は今の十年、などといわれたが、現代は、日進月歩、いや分進秒歩と言われるぐらい、時代の進展が早い。諸外国は、そうした時代の進運に遅れないよう、憲法を改正していることを、国民の皆さんも、どうか御理解をいただきたい。

憲法改正は、その改憲案を発議するまでは、国会（政党、国会議員）の仕事だが、しかし、政党・国会は、過去の因縁、裏の事情、思惑、駆け引き等々が働くので、国会ではなかなか進まないことは、国民の皆さんがこれまで見てきた通りである。また、国会議員は毎日が忙しすぎて、なかなか憲法改正学について、勉強するひまもない。

そこで、上述したように、こと、憲法改正に関しては、それを最終決定し、実現するのは、国民皆さんの仕事であり、権利であると同時に義務でもあるので、いまの憲法のどこにどのような問題があるのか、まずは、本書を読んでいただきたい。

それも、必ずしも、最初からお読みいただかなくとも、御関心の持てる箇所・条文からでもよいので、まずは、国民の皆さまにぜひ参考にしていただきたい、と念じている。

令和三年立春

清原　淳平

目次

序章　「公布文」「前文」の解説・問題点

憲法に限らず重要法律が成立すると、その冒頭に、それを広く国民に知らしめるための期間を置いて、いつから効力が発生するかを明示する「公布文」なる文書が付けられている。

また、「前文」は、憲法はじめ基本法となる法律の本文の前に、その制定の趣旨・目的・基本原則に関する文章が、掲げられることがある。

「前文」は、その本文と一体をなすものとして本文に属するが、「公布文」は、冒頭には付けられているが、その法令の一部を構成するものではない。そのため、小・中・高校では、憲法の授業のとき、「公布文」は教えないこともあるので、知らない人も多いだろう。

ただ、本書では、あえて「公布文」と「前文」を、序章として、解説することにした。なぜかというと、わが国においては、現行「日本国憲法」が制定された当初から、この憲法は、旧来からの「大日本帝国憲法」（いわゆる明治憲法）の趣旨に反するものであるとして、「現行憲法無効・明治憲法復元」論、したがって、「現行憲法は無効なのだから、まずは明治憲法に復元してから改正を考えるべきだ。だから、現行憲法について改正を論ずる必要もない」と主張する人が多く、いまの憲法ができて七十数年も経った今日でも、この考えが世間の根底に根強く残っているのが現状である。

そして、そうした人々がその根拠として主張する中で、この「公布文」、そして「前文」を論拠として挙げる人もいるからである。もし、彼ら「現行憲法無効・明治憲法復元」論者の言う通りであれば、私がこの憲法の第一条から一〇三条すべてにわたって、どこにどういう問題があって、どう改正すべきかを論じた本著『国民のための憲法改正学への勧め』を、書く必要もなくなると言うことになるからである。

こうした問題を明らかにするために、私は、ここに、序章として、「公布文」と「前文」を取り上げることにしたのである。ただ、上述したように、「公布文」と「前文」とは性質が異なるので、この序章の内容を第一款「公布文」、第二款「前文」、第三款　形式改正、「法律用語の誤り」・「仮名遣い」の三つに分けて説明する。

なお、法律や予算などで、内容を整理するための区分として、大きい方から、編―章―節―款―条―項などと分ける場合があることを付言しておく。まず、日本国憲法の公布文を掲げる。

第一款 「公布文」の解説・問題点

日本国憲法

公布 昭和二一・一一・三
施行 昭和二二・ 五・三

朕は、日本国民の総意に基いて、新日本建設の礎が、定まるに至つたことを、深くよろこび、枢密顧問の諮詢及び帝国憲法第七三条による帝国議会の議決を経た帝国憲法の改正を裁可し、ここにこれを公布せしめる。

御名御璽

昭和二一年一一月三日

内閣総理大臣兼
外務大臣 吉田茂
国務大臣 男爵 幣原喜重郎
司法大臣 木村篤太郎
内務大臣 大村清一
文部大臣 田中耕太郎
農林大臣 和田博雄
国務大臣 斎藤隆夫
逓信大臣 一松定吉
商工大臣 星島二郎
厚生大臣 河合良成
国務大臣 植原悦二郎
運輸大臣 平塚常次郎
大蔵大臣 石橋湛山
国務大臣 金森徳次郎
国務大臣 膳桂之助

○問題点の一 法律となる順序。法案の可決―成立―制定―公布―施行

(1) 憲法案はじめ法律案が法律となる順序。

憲法案はじめ法律案は、国会（二院制の日本では、衆議院と参議院）に案文として提出され、審議されて、議決される。議決には可決と否決がある。法律案は国会で可決されると内容が確定・成立し、国会の所定の手続によって制定される。しかし、その現実的な効力は公布文によって公布され、その決められた日から施行される。

(2) 「公布」とはなにか。憲法をはじめ重要な法律については、そうした憲法（法律）ができたことを広く国民に知らしめるための時間が必要となる。一般には、官報や公報などに掲載して行う。もちろん、テレビや新聞などの報道も、その周知に務める。そうした周知期間を経た

その箇所は、まず、前段にある。「朕は、日本国民の総意に基いて、新日本建設の礎が、定まるに至ったことを、深くよろこび、」の箇所である。

「現行憲法無効・明治憲法復元」論者は、この文言は、昭和天皇の御本意ではないはずだ、という。そして、その根拠の一つとして、明治憲法（大日本帝国憲法）の冒頭にある明治天皇の憲法発布の勅語にあるとする。そこには、明治天皇が皇祖皇宗（御先祖代々の天皇）へ対する「告文」（御報告文）という形式をとって、「国家統治ノ大権ハ朕カ之ヲ子孫ニ伝フル所ナリ朕及ヒ朕カ子孫ハ将来此ノ憲法ノ条章ニ循ヒ之ヲ行フコトヲ愆ラサルヘシ」とあり、さらに、「朕カ現在及将来ノ臣民ハ此ノ憲法ニ対シ永遠ニ従順ノ義務ヲ負フヘシ」とあること、また、「朕カ皇宗ニ承クルノ大権ニ依リ現在及将来ノ臣民ニ対シ此ノ不磨ノ大典ヲ宣布ス」ともあることを根拠としている。

(2)

しかし、この明治憲法発布の勅語が付された経緯を記しておくと、御承知のように、徳川将軍の江戸幕府末期に、欧米では、鉄鋼船が発達して大航海時代になり、当時の先進諸国が、喜望峰周りで植民地を求めてアジアへ進出して来て、アジアの大国・中国でさえ彼らに屈し、その沿岸の港に居留地を設ける事態で、やがて先進国イギリス艦隊が鎖国政策を執っていた日本の薩摩や長州の

あと、この憲法（法律）は現実的に効力を発生する。こうした手続を「公布」という。

(3)

日本国憲法については、上掲のように、昭和二一年一一月三日に公布され、半年後の昭和二二年五月三日から、施行（効力を発生）されている。

そして、この公布文は、天皇の直筆で御署名され、国璽（こくじ）を押捺されている。天皇の御名をあえて活字にするのは恐れ多いということで、それを、「御名御璽」と書くのが昔からの慣例になっている。

(4)

御名御璽のあと、当時の吉田茂総理大臣はじめ全閣僚が記名捺印しているが、それは、この天皇の公布行為が、正しいことを証明すべく、当時の総理大臣はじめ全閣僚が署名・捺印している。これを副署（ふくしょ）という。

その根拠は、のちに本文の第七条〔天皇の国事行為〕の条項で述べるが、この第七条には「天皇は、内閣の助言と承認により、国民のために、左の国事に関する行為を行う。」とあり、そのあとに一号から一〇号までの天皇の国事行為が列記されている。そのまず、第一号に「憲法改正、法律、政令及び条約を公布すること。」とあるのが法的根拠である。

○問題点の二　この「公布文」に掲げられている天皇のお言葉につき、異論を唱える人がいる

港にきて開国を迫り、それと戦って完敗した薩摩や長州の志士たちが、世界の趨勢を知るにいたり、立ち上がったが、当初は皇室の意向もあって「尊皇攘夷」、「王政復古」であったが、ペリー提督率いるアメリカの黒船が下田へ来て通商条約の締結を迫り、江戸幕府がそれに対応し切れなかったことから、薩摩や長州の志士たちが、日本も近代国家に生まれ変わる必要があるとして、江戸幕府を倒し日本を一新すべしとする明治維新を起こして、これに成功したという経緯がある。

(3) そうしてできた明治維新政府は、当時の欧米先進諸国は「憲法」という基本法を設けて政治を行っていること、国民一般に対する教育制度があること、蒸気機関をはじめ科学技術を学ぶ必要があること等々から、明治維新の基礎もほぼ固まった一八七一年（明治四年）、首脳を二つに分け、三条実美公爵と西郷隆盛を国内執行責任者とし、欧米先進諸国視察団（岩倉使節団）として、岩倉具視を全権大使、副使として木戸孝允、大久保利通、伊藤博文等で、同年十一月から明治六年九月にかけて、欧米先進諸国の制度を視察して回った（そのうち、大久保利通は国政を心配して約一年で急遽帰国している）。

教育制度、欧米技術などは置くとして、こと憲法に関しては、岩倉使節団は、ヨーロッパ諸国を視察した結果、当時隆盛を極めていた君主国家・プロイセン王国（プロシア王国ともいう――中世からホーエンツォレルン家君主が統治していた。現在のドイツとポーランドにまたがる王国。特に十八世紀後半にフリードリヒ二世が絶対主義体制王国、神聖王国ともいう）の憲法が、これからの日本にとって最も参考になる、と考えたようだ。

そして、一八七三年（明治六年）九月に帰国した岩倉具視をはじめとする視察団は、特に教育改革・科学技術導入に取り組んだ。しかし、憲法制定は、一八八二年（明治十五年）、伊藤博文が憲法研究のため、プロイセン王国に勉強に行き、その帰国後から本格化する。

(4) その憲法案を熟読された明治天皇は、かなり不満を持たれたという。その原案はプロイセン王国憲法にならい、明治天皇を主権者としていたといわれるが、英邁（えいまい）な明治天皇は、ヨーロッパでは、中世の専制君主国家時代から、王権と国民とは対立しており、それを前提として憲法ができたと聞いているが、わが日本では、古代の奈良時代から、天皇と国民が対立したことはなく、天皇は常に国民を慈しみ国民の幸せを念じる立場にあった。その点ヨーロッパの王制とは異なるので、天皇を主権者とすることは賛成できない、との趣旨。

また、この憲法原案には、天皇家の永年の経緯と異なるものがあるとして、不満を持たれたというが、伊藤博文はじめ起案者は、「それでは、先進諸外国から憲法とは認めてもらえませんから、原文をあまりお変えになりませんように」、と申し上げたという。

すると、明治天皇は、本文たる条文にはあまり手を入れられなかったという。しかし、この明治憲法原案に不満の明治天皇は、それでは冒頭に、憲法発布にあたっての勅語という形をとり、そこに（ヨーロッパでは、専制君主と国民とが対立関係にあり、その圧政に苦しんだ国民が、君主に迫り憲法を制定させたという成り立ちであるが）、しかし、古代から日本の天皇制と国民との間は、慈愛と敬意で成り立っており、天皇と国民が対立することはなかったことを、縷々述べられておられるのが、冒頭の憲法発布の勅語である。

明治天皇は、さらに、この本文だけでは、日本の国柄が明らかにならないとして、「大日本帝国憲法」の発布とときを同じくして、「教育勅語」をも作られ発布された、という経緯である。

また、明治天皇は、徳川幕府の最後の将軍・徳川慶喜が、一八六七年（慶応三年）十月、天皇に大政奉還したのを受けて、明治天皇は、翌一八六八年（慶応四年＝明治元年）三月十四日、京都御所の紫宸殿（ししんでん）に、公家・諸侯以下百官を集め、維新の基本方針を天地神明に誓うという形で、『五箇条の御誓文』を発表されたが、明治二十二年二月十一日の『大日本帝国憲法』の発布に当たっても、この『五箇条の御誓文』を改めて表明しておられる。
(5)
教育勅語は、かなり長文なので、ここに掲げないので、検索していただくとして、いま『五箇条の御誓文』については、昭和天皇が、日本の敗戦後、アメリカによって起案された『日本国憲法』は、明治天皇が掲げられた『五箇条の御誓文』に基づいているとして、現行『日本国憲法』の正当性の論拠とされておられるので、次に掲げる。

以下が原文である（仮名遣いも原文のまま）。

一　広く会議を興し万機公論に決すべし
一　上下心を一つにして盛に経綸を行ふべし
一　官武一途庶民に至る迄各其志を遂げ人心をして倦ざらしめんことを要す
一　旧来の陋習を破り天地の公道に基くべし
一　智識を世界に求め大いに皇基を振起すべし
我国未曾有の変革を為んとし
朕躬を以て衆に先じ天地神明に誓ひ
大に斯国是を定め万民保全の道を立んとす
衆亦此旨趣に基き協心努力せよ

年号月日

御諱

すなわち、明治天皇はこの五箇条を国是として決められたわけである。「御諱」（おんいみな）とは、明治天皇御自身の実名、「睦仁」と書かれておられることを、示している。

(6)　以上のことからも、昭和天皇は、現行「日本国憲法」を有効としてお認めになっていると解してよい。しかも、昭和天皇は、最近（令和元年八月二十日）発見された占領下で、田島道治初代宮内庁長官に心境を吐露されたお言葉を、同長官が五カ年にわたり記録した『拝謁記』によっても、天皇は『日本国憲法』を受け入れたことは御真意であるとされ、統帥権を掲げた明治憲法により軍部がそれを根拠に軍国主義を鼓吹（こすい）した時代に戻ることは絶対嫌だ、と述べておられる。

　また、昭和二十六年の「サンフランシスコ講和条約」により、翌昭和二十七年四月二十八日に、日本の独立が許されるに当たっても、「日本国憲法」を是認していることを表明しておられるので、前記昭和二十一年十一月三日の「日本国憲法」公布文は、昭和天皇の御本意であると解すべきであり、それを、国民側が、あえて「昭和天皇の御真意ではない」と決めつけることは、それこそ、不敬の至りである、と言って差し支えないと思う。

〇問題点の三　前記「公布文」の後段により、この公布文は手続的にも有効である

(1)　この公布文につき、「現行憲法無効・明治憲法復元」論者の中には、敗戦前までに唱えられていた「大日本帝国憲法は不磨の大典である」から、改正することは絶対できない、という宗教的信念を持ち、たとえ昭和天皇が否定されたとしても、それは許されないとする考えが、今日でも根強く残っている。それは、宗教的信念なので論理では変えられないことは分かるが、憲法を考えるに当たっては、学問的であるべきで、宗教的信念を振り回すことは止めていただきたい。

(2)　明治憲法について、戦前から「不磨の大典」という言葉が、絶対的に使われてきたが、しかし、前述した明治憲法の冒頭にある明治天皇の勅語の最後に、「将来若此ノ憲法ノ或ル条章ヲ改定スルノ必要ナル時宜ヲ見ルニ至ラハ、朕及ヒ朕カ継続ノ子孫ハ発議ノ権ヲ執リ之ヲ議会ニ付シ議会ハ此ノ憲法ニ定メタル要件ニ依リ之ヲ議決スル外朕カ子孫及臣民ハ敢テ之カ紛更ヲ試ミルコトヲ得サルヘシ」とあり、明治天皇御自身がこの憲法が改正される場合があることを明記されている。大日本帝国憲法第七三条にはこう書いてある。

「①　将来此ノ憲法ノ条項ヲ改正スルノ必要アルトキハ勅命ヲ以テ議案ヲ帝国議会ノ議ニ付スヘシ

② 此ノ場合ニ於テ両議院ハ各々其ノ総員三分ノ二以上出席スルニ非サレハ議事ヲ開クコトヲ得ス出席議員ノ三分ノ二以上ノ多数ヲ得ルニ非サレハ改正ノ議決ヲ為スコトヲ得ス」とある。

そこで、昭和二一年一一月三日に成立した日本国憲法は、右の手続を踏んでいるか、の検討に入る。

(3) そこで、私も、昭和二一年一一月三日公布に当たって、その前の帝国議会の審議議事録を調べてみると、「日本国憲法」の制定に当たっては、当時の帝国議会は、間違いなく、明治憲法第七三条の改正手続条項に従って、制定されていることが分かった。したがって、現行日本国憲法は、手続的にも、明治憲法第七三条の条項に則って制定されており、手続的に合法的に成立していることが分かった。

したがって、「現行憲法無効・明治憲法復元」論者の、手続的に無効であるとする主張は、間違っており、手続的にも有効である、と言わざるを得ない。

また、「現行憲法無効・明治憲法復元」論者の中には、ともかく国会の決議、あるいは内閣の政令で、現行憲法の無効を宣言してもらい、そして一夜にして明治憲法に戻し、その上で明治憲法を改正する形で新憲法を制定する、といった方式を採ることを主張した人もいる。なお現在でも、そのように考える人たちがいる。

しかし、我々「現行憲法有効・合法的合理的憲法改正」論者は、そうした考えは、「革命にほかならず、法律学上、合法的改正とは言えない」と反論してきた。

(4) 明治時代は、欧米先進諸国が鉄鋼業をはじめとする技術開発により、鉄鋼船、蒸気船、軍艦、大砲を整備して、世界の後進地域を制圧して植民地化する時代となり、アジアもその植民地化される中、日本だけが、明治維新をやり遂げ近代的独立国家を造り、積極的に技術を導入して先進諸国に伍するにいたったことは、確かに高く評価されるべきである。

しかし反面、明治二十七~八年の日清戦争に勝利し、明治三十七~八年に世界の強敵ロシアをも破るなどの思わぬ勝利を得たことから、軍部の台頭を生み、大正デモクラシーで民主主義へ移行するかと思われたが、軍人たちの出世欲もあって、昭和に入って、軍部は好んで戦争を仕掛けるようになり、一九三二年（昭和七年）五月十五日に、海軍の青年将校が総理大臣官邸に乱入して犬養毅首相を殺害するなど反乱事件を起こし、さらに、一九三六年（昭和十一年）二月二十六日には、陸軍の青年将校が約一五〇〇名の兵を率いて、政府要人を襲撃、岡田啓介首相は辛うじて難を逃れたが、高橋是清大蔵大臣、斎藤実内大臣、渡辺錠太郎教育総監を殺害する事件を起こした。これらの事件は、昭和天皇の処断により、反乱として処刑されたが、結果として、明治憲法が規定する統帥権の独立を根拠として、日本は軍国主義化し、そして、一九四五年（昭和二〇年）八月十五日、日本は遂に破綻・降伏するにいたったわけである。

そうしたことから、明治憲法に復元することは、時代錯誤というべく、前述のように、昭和天皇も「絶対嫌だ」といわれ、今日の上皇陛下、今上陛下の御意思にも反すると思う。

(5) 明治憲法絶対論は、戦前からあり、当時の東京帝国大学でも、学問的には困った問題であった。例えば、東京帝国大学には、古神道を学問に取り入れた穂積八束、上杉慎吉、筧克彦など皇国史観の有名な学者がおり、まず、講義の初めに、皇大神宮のお札を納めた神棚に柏手を打ってお参りをしてから講義を始める、といった教授がおり、多くの学生がその講義を受けたので、当団体の昭和の時代の自主憲法研究会には、東大出の国会議員が参加すると、他の意見は聞かず、何がなんでも明治憲法絶対、という議員もいた。

つまり、そうした人々は、もはや学問ではなく、宗教的信仰者であった。また、今日でも、法学部出身の学者はまだよいが、政治学部で憲法学を学んだ学者は、法制度の仕組みの勉強をしておらず、いわゆる政治的立法論なので、やたらと、現行憲法無効を叫んだり、自衛隊違憲論を展開するので、困ることが多い。

(6) なお、宗教界でも、戦前からある宗教には、その教祖が、明治憲法絶対で、そのため戦後も現行憲法無効・明治憲法復元をその教義に取り込んでいて、信徒にその考えを強制するので、古くからある宗教団体には、いまだに「現行憲法無効・明治憲法復元」論者が多い。

そして、そうした宗教教団がそうした思想を政治家に要求する。政治家も政治家で、いまでも、宗教団体に取り入れば票が貰えると考えるので、当選したいあまりに、そういう宗教の教えに従って、「現行憲法無効・明治憲法復元」の宣伝をしたりする。

つまり、西欧諸国の憲法は、永年のそうした体験から、「政教分離」を打ち出しているが、日本では、そうした切実な体験がないせいか、憲法に「政教分離」の規定を置いていても、その実効性は少ない。

私は、以前、当団体の理事長を務めた元国会議員から、例えば、同じ神道関係でも、A団体に行ったときは、二礼二拍手だが、B団体に行ったら二礼三拍手であるとか、仏教関係でも、C団体へ行ったときはこの真言を唱えるが、D団体に行ったときは別の真言を唱えるようにする等々、実に細かく使い分けており、そうしなければ票を貰えない、と述懐されてびっくりしたことがある。

したがって、私は、憲法に規定されている「政教分離」

原則をもっと重視して、宗教団体側も、信者の心の悩みを救うことに専念し、政治に関することは信者に強要しないでいただきたいし、また、政治家側も、宗教団体に対して、誰に投票するかは、信者個人の考えに任せ、信者が自由投票するように、と勧めていただきたい、と思っている。

○問題点の四　我々「現行憲法有効・合法的合理的憲法改正」論の論拠

(1)　それでは、ここで、私どもの考え方「現行憲法有効・合法的合理的憲法改正」論の論拠を記しておこう。それには、私が、昭和五十四年二月のはじめに、岸信介元総理から、「自主憲法期成議員同盟」事務局長と「自主憲法制定国民会議」の常務理事兼事務局長の二団体の実務執行を委嘱された際の、岸信介会長とのやりとりをそのまま、記した方が分かりやすいと思う。

　私は、岸信介先生が総理大臣の当時、早稲田大学大学院商学研究科世界経済専攻の修士課程を経て、その博士課程に在学していたが、亡き父親が西武グループ総帥の堤康次郎衆議院議員（元衆議院議長）と交流があったことから、堤康次郎総帥の広尾の自宅に隣接する会長秘書室に勤務していたが、当時、岸信介総理が、日本も復興してきて外国との国際会議場を造る必要があるとして、しかるべき土地を求めているとの情報に接し、堤康次郎総帥は、その地元・近江の琵琶湖が見渡せる「皇子山」（おうじやま）を推薦するべく、総理官邸に岸総理を訪問した際に、「皇子山」の地図を持って同行した折などに、岸総理の謦咳（けいがい）に接する機会があった。

　また、岸内閣で安保騒動が激しくなってきた昭和三十四年秋ごろから、堤康次郎総帥は、日ごろ、吉田茂元総理と岸信介現職総理を大層尊敬していたので、安保騒動対策のために、毎月一回程度ということで、堤が経営するプリンスホテルに二人をお招きして、「清談会」を開催することになった。西武経営のホテルはたくさんあるが、警備の都合上、箱根の「湯の花ホテル」が会場になった。そのときも、堤康次郎総帥の指示で、お伴することがあったので、岸総理に御面識を得る機会があった。

(2)　私は、その後、堤康次郎総帥の仕事が多く、毎日四時間足らずしか眠る機会がなかったことから肋膜炎を発症し、西武を退職し、病を養いながら、哲学書や教育書を執筆したりしていた。その著書が多少評判になり、国会議員に招かれて議員会館で著書の解説などしていたとき、岸内閣時代の閣僚経験者から、岸信介先生が、来年の選挙には出ないので、岸会長で以前から設立してあった「財団法人　協和協会」を本格的に活動させるための実務責任者を捜しておられるので、君を推薦したい、との話があった。

岸内閣当時の閣僚、植竹春彦元郵政大臣、小島徹三元法務大臣に付き添われて、虎ノ門の日本石油本館三階の岸信介事務所にうかがい、お目にかかった折、岸先生が総理のとき、堤康次郎総帥のお伴で何度かお目にかかったことを申し上げると、「あのときは、御苦労さん」と労ってくださり、休眠していた「財団法人　協和協会」を本格活動させたいので、元閣僚の方々が推薦していることでもあり、君に実務を頼みたいと言われる。

私が、「財団法人　協和協会」とは、どういう内容の団体ですかとお訊ねすると、政治経済・各界の指導者クラスに集まってもらって、月例会のほか各種の専門部会を作って、政府宛要請書を作り、時の内閣へ進言することだ、と言われる。

私は驚いて、「それは、私には荷が勝ちすぎます」と辞退したが、岸先生は「私が後盾になる。君を常務理事兼事務局長に任命する」と言われて、お引き受けすることになった。それから、私は、各界の指導者クラスないしその経験者を訊ねて回り、一〇〇名ほどの参加者を得たので御報告し、発会式の御相談をすると、国会の議員会館会議室でよいということで、翌年一月十六日に約八五名が参加して発会式をすることができた。

(3)　ところが、一月下旬にお目にかかった時、岸信介会長は、「私は、憲法改正の実現も、念願している。今年の五月三日にもその国民大会がある。それも君にやってもらいたい」と言われる。私は驚いて、「財団法人　協和協会の発会式が済んだばかりで、これからが大仕事だと考えていますので、申し訳ありませんが、御勘弁下さい」とお願いをしたが、岸信介会長は、「君ならできるよ。私は、衆議院第一議員会館一階にある自民党総合政策研究所の会長もしているが、憲法改正は自民党の党是だから、これからはその部屋を使ってくれ。君を自主憲法期成議員同盟の事務局長、そしてやはり私が会長をしている自主憲法制定国民会議の常務理事兼事務局長にする」と言われ、お断りする隙もなく、お引き受けするほかなかった。

そして、そのあとすぐ、植竹春彦元郵政大臣に伴われて、衆議院第一議員会館一階にある事務局に赴き、執務することになる。そこで、私は、植竹春彦元参議院議員とそこの事務職員にいろいろと聞いてみると、ここ数年は、五月三日（憲法記念日）に、約二〇〇名しか席のない明治神宮参集殿で国民大会を開いている、という。

そこで驚いた私は、昭和五十四年二月六日の「(財)協和協会」月例会のあとであったと思うが、岸信介会長に早速うかがった。「岸先生、私は、約一〇年ほど前に、岸先生が会長で毎年五月三日、自主憲法制定国民大会を武道館に一万人もの人を集め、開催しているという新聞を見ていたので、今も武道館でされていると思っておりましたが、事務職員に聞くと、ここ五～六年は明治神宮の参集殿でわずか二〇〇人足らずで開催されている、と聞いて驚いています。どういう事情があったのでしょうか、教えて下さい」とお願いした。

(4) すると、岸信介会長のお答えは、「君はすでに知っていると思っていたが……それでは話しておこう。実は、昭和四十三年だったか、生長の家の谷口雅春総裁が来て、国会内の自主憲法期成議員同盟の改憲活動を支援するため、民間に自主憲法制定国民会議を作る段取りをした。ついては、岸先生に会長になっていただきたい、と言われるので、私は結構なことだと思い、会長を引き受けた。

ところが、五～六年前に、谷口雅春総裁が会いたいというのでお会いをした。すると、谷口さんは、自主憲法制定国民大会も、昭和四十四年五月三日に開催して四年ほどになりますが、その間、岸会長は大会の毎年の冒頭挨拶で、一度も現行憲法無効・明治憲法復元を言ってくださらない。自分は、生長の家の教義としても、現行憲法無効・明治憲法復元を信念として発言しています。次の国民大会では、岸信介先生にぜひ現行憲法無効・明治憲法復元というご発言をしていただきたい、という話だ。

(5) そこで、私は、答えたのだよ、谷口さんの気持ちもよく分かる。しかし、いまの憲法ができて十年程度であればそれも可能だった。しかし、それから二十五年も経った今日では、現行憲法無効・明治憲法復元は無理だよ、と答えると、谷口さんは、それはどうしてですか、と聞く。

そこで、私は、いまの憲法ができて二十数年も経つと、すでに憲法は定着しているとみなければならない。大体、いまになって現行憲法無効・明治憲法復元となると、あちこちから再審請求を起こされて、世の中は大混乱になるよ、したがって、私は、現行憲法無効・明治憲法復元というわけにはゆかないのだよ、とお話ししたわけだ。

そして、谷口さんもうなずいたので、分かってくれたと思い、そこで、会談はまずは和やかに終わったと思っていた。

(6) ところが、その翌年の五月三日の国民大会には、谷口さんから何の連絡もこなかったので、武道館の会場にも行けなかったのだが、あとで聞くと、その日は、憲法の国民大会ではなく、生長の家の青年集会とかが開かれた、ということだ。

そこで、自主憲法期成議員同盟の同志と検討した結果、谷口さんの現行憲法無効・明治憲法復元論だけが世の中に広まっても困るから、私たちが考える「現行憲法は有効であって、したがって、現行憲法の合法的改正を考える国民大会」を続ける必要があるということで、いろいろな団体、宗教団体にも働きかけたが、なかなか人が集まらず、それから、やむなく、明治神宮社務所内の二〇〇人足らずしか入らない参集殿でやってきているというありさまだ。

(7) つまり、谷口雅春総裁は、私が再審請求といった言葉の意味が分かっていなかったようだ。ところで、君は、再審請求ということがどういうことか知っているかネ、と聞かれる。そこで、私は「それは、法的安定性の原則と再審請求権との絡みの問題ですネ。法的安定性とは、法秩序に対する人々の信頼を保護するための原則で、朝令暮改的な法律づくりや恣意的な裁判をすることは、国民の法制度に対する信頼を失いますし、また、仮に悪法であっても、それが長い年月にわたり適用されていれば、その維持されてきた法秩序は尊重される必要があるという原則です。

したがって、戦後、進駐軍によって創られた現行憲法にかなりの問題があっても、もう二十年以上も現実に執行されてきたわけですから、もし、その現行憲法が無効ということになれば、この二十数年の間に行われてきた、国会が制定した法律、内閣が執行してきた行政、そして裁判所の裁判さえも、その根底となる憲法が無効なのですから、国民の側から、再審請求、つまり、これまでの法律・行政・裁判をやり直してくれ、という訴訟を起こされてもやむを得ません。

岸会長が、谷口総裁に言われたように、いまの憲法ができて十年以内ぐらいであれば、現行憲法無効・明治憲法復元も可能であったかも知れませんが、もはや二十年以上も経ってしまっては、もし強行すれば、国民側から再審請求を起こされ、大混乱に陥ることになり、岸先生の御発言はその通りだと思います。」とお答えした。

すると、岸信介会長は、ニッコリされ、君が、そこまで分かっていてくれれば、私も安心だ。自主憲法の団体は、君に任せる。頑張ってほしい。もう一つ、もし、谷口さんのように「現行憲法無効・明治憲法復元」で行くとなると、戦前の五・一五事件、二・二六事件のような日本転覆の運動を起こす危険もある。戦後の三島由紀夫事件も、手段・方法を誤っている。私のこの自主憲法の団体は、決してそうしたことにならないよう、君に頼む、と言われた。私は、すぐ、「私が生きているかぎり、それは、お誓いいたします。」とお答えした。

(8) 岸信介先生については、東京帝国大学を我妻栄教授と共に、あとにも先にも現れないだろうというほどの成績で卒業されたことは聞き知っていた。また他面、安保騒動の当時、岸信介先生を批判攻撃した本が出回り、現代でも、その当時に書かれた本が種本となって、岸信介という「昭和の妖怪」だとか「悪徳」「悪運」などといった言葉が冠せられ、特に、戦犯として巣鴨にいるときにアメリカが憲法改正に取りかかった話をきいて、憲法改正に反対したのに、今なぜ憲法改正の急先鋒になっているのかで、「両岸」とか「言葉を変える」などと批判されるが、のちに岸信介会長の話を聞くと、巣鴨当時は、アメリカが日本の憲法を改正するとなれば、それは、一九〇七年にオランダのハーグで開催された「陸戦ノ法規慣例ニ関スル国際条約」（のちにアメリカも日本も批准加盟）で、占領下においては、被占領地の法制を変えないとした国際条約に反するではないか、を理由として反対したものであり、今回の「現行憲法無効・明治憲法復元」反対は、現行憲法制定後二〇年以上も経った時点での問題である。

その後も、私は、岸信介会長の回想的御発言を聞いていて、岸先生は、戦前から、その時代に置かれた地位に応じて、常に最善を考えて行動された方であり、私からすれば、岸会長は、本当に「君子豹変」ができた傑出した人物であったと思う。

(9) さて、話を戻して、(7)の後半に記した、革命事件は決して起こしてはならないということは、岸信介会長ばかりではなく、例えば、当時から、吉田茂元総理の側近中の側近で、当自主憲法の団体の副会長として積極参加されていた増田甲子七先生（運輸相、労相、内閣官房長官、建設相、初代北海道開発庁長官、自由党幹事長等を歴任）、木村篤太郎先生（検事総長、第一東京弁護士会会長、法務総裁、初代保安庁長官、全日本剣道連盟会長）、また小島徹三先生（弁護士、元衆議院議員・法務大臣）、そして岸信介会長逝去後に「自主憲法制定国民会議」と「自主憲法期成議員同盟」の会長となった木村睦男先生（運輸大臣、参議院議長）からも、岸信介会長と同様な意向が示されていた。

(10) そうした岸信介精神を体し、私は、昭和五十四年から、毎月「自主憲法研究会」を続け、また同年五月三日の「第一〇回　自主憲法制定国民大会」以降、毎年開催してきて、令和元年には「第五〇回　自主憲法制定国民大会」（＝新しい憲法をつくる国民大会）を開催してきている（令和二年は新型コロナのため、「国民大会に代えて」として、論文発表）。

しかし、日本では、神道をはじめ、戦前からある宗教団体はほとんど「現行憲法無効・明治憲法復元」を秘めており、これに対して、いわゆる新興宗教は、戦前に戻ったら、また戦前・戦中のように厳しく弾圧されるだろうと恐れているので、信仰の自由を明言している現行憲法の方がよいとして、現行憲法を改正しないで今のままでよい、としている。

そうした両極の間にあって、当団体の「現行憲法を有効とし、時代に即応するよう、今の憲法の中のおかしな箇所を、早く改正しよう！」という、当団体の運動もなかなかはかどらないのも現実である。良識者の御協力をいただきたい。

(11) 前の明治憲法は、明治二十三年十一月二十九日に効力を発効してから、連合国に日本国が正式に降伏した昭和二十年九月二日まで、約五十五年間、一度も改正されないできて、遂に敗戦・降伏という悲劇を見て終わった。

私としては、大日本帝国憲法（明治憲法）は、上述したように、今のドイツとポーランドの一部を合わせた地域に、プロイセン国王を皇帝として作られた神聖帝国憲法を手本として創られたものである。このプロイセン帝国憲法は、皇帝には、国政を総攬し、軍隊を統帥し、国家を代表するという、三つの権力があり、しかも、その軍隊を統帥するために統帥権があるとしている。そして大日本帝国憲法もこれにならって、天皇にそうした絶対的な権力を賦与していた。

しかし、その手本としたプロイセン帝国憲法は、ヨーロッパで確かに巨大な権威権力を誇った時代もあったが、外圧や内紛により徐々にその権威権力を失って行き、一九一八年（大正七年）遂に王政が廃止されている。私は、日本の明治憲法の手本であったプロイセン帝国憲法が時代の波で廃止されたのを機会に、明治憲法も検討されるべきであった、と思う。

また、その他のヨーロッパ諸国の王政憲法も、国王が、国政を総攬し、軍隊を統帥し、統帥権を持っていたが、戦争に負けると、国王の責任を問われ、その王政も滅びている。

日本も、昭和二十年八月、敗戦により降伏すると、連合国政府により選出された「極東委員会」は揃って、天皇が責任をとるべきだとして、天皇制廃止を主張したが、占領統治した連合国軍総司令官のマッカーサー元帥が、天皇制を廃止したら、女性や子どもまで立ち上がり、占領政策は成功しないと考えたと思われ、天皇制を存続させ、日本政府も置いていわゆる間接統治政策をとったので、天皇制も存続できたのである。

(12) 戦後の「日本国憲法」は、一九四七年（昭和二十二年）五月三日に施行されてから早や七十有余年、この間、戦前よりも、時代の変化はずっと激しい。そうした中で、憲法を一度も変えないでいることの反動・弊害は、ますます大きくなると思われる。どうか、国民の皆さん、憲法改正を真剣に考えていただきたい。

第二款 「前文」の解説・問題点

○問題点 前文は、条文そのものではなく、本文たる条文の解釈を補う性格のものである

(1) この款の題名として、「前文」と掲げたが、現行日本国憲法には、「前文」との記載はない。しかし、国の憲法や基本法に属する重要法令の条文が始まる前に、置かれた文章を一般に「前文」と呼んでいる。「前文」には、その法令の制定の趣旨、目的、基本原則、あるいは、その国の歴史的経過などが、記される。

(2) ただ、日本語では、「前文」と「全文」とは、同じ発音になるので、その混同を避けるため、学者などはあえて「まえぶん」と読む場合がある。

(3) なお、外国の憲法を見ても、憲法の条項の前に「前文」があるとは限らない。むしろ、「前文」を置いていない国の方が多い。

(4) また、「前文」は憲法の一部であり法規範ではあるが、前文の文言だけを根拠にして裁判を求めることはできない。つまり前文には裁判規範性はない(最高裁判所も同意見)。

(5) では、「日本国憲法」の「前文」の全文を掲げ、その解説に入ることにする。

その枠囲いした線外に記した数字は、説明の便宜のため、そのセンテンス番号である。

日本国憲法

一 日本国民は、正当に選挙された国会における代表者を通じて行動し、われらとわれらの子孫のために、諸国民との協和による成果と、わが国全土にわたって自由のもたらす恵沢を確保し、政府の行為によって再び戦争の惨禍が起ることのないようにすることを決意し、ここに主権が国民に存することを宣言し、この憲法を確定する。

二 そもそも国政は、国民の厳粛な信託によるものであって、その権威は国民に由来し、その権力は国民の代表者がこれを行使し、その福利は国民がこれを享受する。これは人類普遍の原理であり、この憲法は、かかる原理に基くものである。われらは、これに反する一切の憲法、法令及び詔勅を排除する。

三 日本国民は、恒久の平和を念願し、人間相互の関係を支配する崇高な理想を深く自覚するのであって、平和を愛する諸国民の公正と信義に信頼して、われらの安全と生存を保持しようと決意した。われらは、平和を維持し、専制と隷従、圧迫と偏狭を地上から永遠に除去しようと努めている国際社会において、名誉ある地位を占めたいと思う。われらは、

全世界の国民が、ひとしく恐怖と欠乏から免かれ、平和のうちに生存する権利を有することを確認する。

四　われらは、いづれの国家も、自国のことのみに専念して他国を無視してはならないのであって、政治道徳の法則は、普遍的なものであり、この法則に従うことは、自国の主権を維持し、他国と対等関係に立とうとする各国の責務であると信ずる。

五　日本国民は、国家の名誉にかけ、全力をあげてこの崇高な理想と目的を達成することを誓う。

○問題点の一　第一センテンスについて――この原典はアメリカ合衆国の前文である

(1)　十七世紀初頭、大航海時代に発見されたアメリカ大陸には、やがてイギリスなどによる植民地が次々に創られ、十八世紀後半には十三の属国ができたころ、イギリス本国からの課税が厳しいことなどから、植民地住民の不満が高まり、イギリス本国からの軍隊と闘い、勝利を治めた植民地側は独立を宣言し、一七八一年に発効した「連合規約」では、その前文は、独立の歴史的経過などかなり長文のものであったが、一七八七年五月、それら各邦の代表者がフィラデルフィアに集まって、新たな憲法を創ることになり、一七八九年に発効した「アメリカ合衆国憲法」から逐次改正整備された憲法では、その前文は簡潔な表現になっている。その前文の内容は次の通りである。

現行「アメリカ合衆国憲法　前文」

われら合衆国の人民は、より完全な連邦を形成し、正義を樹立し、国内の平穏を保障し、共同の防衛を備え、一般の福祉を増進し、およびわれらとわれらの子孫に自由のもたらす恵沢を確保する目的をもって、この憲法をアメリカ合衆国のために確定する。

(2)　そこで、国民のみなさん、右の「アメリカ合衆国憲法前文」と、前掲の「日本国憲法　前文」とを見比べていただきたい。

すると、「われらとわれらの子孫に……自由のもたらす恵沢を確保し……この憲法を……確定する。」の箇所は、全く同一であり、この「アメリカ合衆国憲法　前文」と「日本国憲法　前文」の趣旨は、ほとんど同じといってよい、ことに気がつかれよう。それを、偶然の一致というには、あまりにも似ていすぎる。

(3)　なぜ、こうなったのか。それは、前述したように、日本を占領・統治したマッカーサー元帥は、占領下日本政府に憲法改正を指示したが、満足なものが得られないので、遂に、連合国軍総司令部（ＧＨＱ）の職員のなかに「起案委員会」を設け、早急に起案せよ、と命じた。

命じられた職員たちは予想外のことに慌てた。そこで、やむなく、戦勝国の憲法を見ることから始めたといわれる。そして、全く同一にしてはあとで問題になるので、その文章の表現は変えたが、その要旨・趣旨は採ったものと思われる。

(4) この問題は、すでに、岸信介内閣のときに明らかになった。憲法改正を念願する岸信介総理は、はじめ、国会の中に憲法調査会を設けようとしたが、保革伯仲時代、野党の反対でできない。そこで、岸総理は、内閣の中に「（内閣）憲法調査会」を設置して、当時の学者にも意見を聞き、審議し研究を重ねさせた。

この岸信介内閣での憲法調査会は、野党にも声を掛けたが参加しないので、いつ野党が参加してもよいように、その席を用意しておいたが、野党は結局参加しなかったので、野党との妥協の産物ということもなく、自民党中心で審議検討したので、その内容は、その後に国会にできた憲法調査会よりも、より優れた内容になっている、と感ずる。

(5) さて、話を戻して、その（内閣）憲法調査会により、日本国憲法の「前文」の根拠につき調査せよと命じられたその事務局は、当時、名のある小林昭三早稲田大学政経学部教授に、その調査を委嘱した。小林昭三教授は、アメリカへ出向き調査した結果、アメリカの『タイム・マガジーン』社が一九四六年（昭和二十一年）三月十八日号の三十三頁以降に、セオドア・Ｈ・マックネリーなる学者が、『日本の憲法改正に対する国内的・国際的影響』と題して、この事実を明らかにしていることを突き止めた。

そこで、（内閣）憲法調査会事務局は、その内容を翻訳し、昭和三十四年四月、（内閣）憲法調査会事務局名にて、『セオドア・Ｈ・マックネリー　日本の憲法改正に対する国内的・国際的影響』との表題を付け、小冊子にして（「憲資・総第三十五号　昭和三十四年四月）発刊している。

(6) 私は、昭和五十四年二月に、（前年に執行を委任された「財団法人　協和協会」に続いて）岸信介元総理から「自主憲法期成議員同盟」事務局長と「自主憲法制定国民会議」の常務理事兼事務局長を委嘱され、当時の憲法改正に志のある学者に集まってもらい、同年秋から「自主憲法研究会」（現在は「新しい憲法をつくる研究会」とも併称する）を設立して、毎月、議員会館会議室にて勉強会を始めたが、その翌年と思うが、その勉強会に出席された小林昭三早稲田大学教授から（資料提供はなかったが）そうした話は聞いていた。

ところが、それから四十年近く経った令和元年九月十九日、昭和五十四年秋以降継続している「自主憲法研究会」（＝新しい憲法をつくる研究会）に数年前から参加されている会員の石塚信雄氏が、大学の図書館の棚にあった前記・（内閣）憲法調査会事務局発行の小冊子を発見し、その全文をコピーして、届けて下さった。これには心から感謝している。当団体の研究会は、こうした志のある方々によって、今日まで成り立ってきている。

○問題点の二　第二センテンス――この原典はリンカーン・アメリカ合衆国大統領発言から

(1)　エイブラハム・リンカーン第十六代大統領（一八〇九年生〜一八六五年暗殺）は、一八六一年に大統領に就任。十九世紀前半のアメリカは、南部は奴隷制大農場を基盤とし、北部は機械産業社会を基盤としていたが、西部の新領土をめぐり奴隷制を採るかどうかで対立。一八六〇年に共和党のリンカーンが大統領に当選すると、奴隷制を採る南部諸州が翌年、合衆国からの独立を宣言し「アメリカ連合（南部連合）」を結成して、北部の「アメリカ合衆国」を攻撃し、南北戦争が始まった。四年にわたる戦闘の末、一八六五年に南軍が降伏して、奴隷解放を主張するリンカーン大統領が勝利した。

　リンカーンの名演説「人民の　人民による　人民のための政治」という文言は、一八六三年十一月、ペンシルベニア州での激戦地ゲティスバーグでの両軍戦没者墓地慰霊のために参列した時のもので、それは、僅か三分間の演説で、アメリカ合衆国は、自由と平等の理念のもとに誕生したことを述べ、続けて、アメリカ合衆国が、南北戦争という試練を乗り越えて、新しい自由を生みだすために必要なこととして、次のように述べたものである。

リンカーンの有名なゲティスバーグ演説

人民の　人民による　人民のための政府は、この地上から滅びないであろう。

(2)　この第二センテンスも、リンカーンがゲティスバーグで発言した表現とそっくり同じではないが、それを、巧妙に言い換えており、その趣旨は全く同じと解される。すなわち、日本国憲法にある「そもそも国政は、国民の厳粛な信託によるものであって、その権威は国民に由来し、その権力は国民の代表者がこれを行使し、その福利は国民がこれを享受する。」は、リンカーンのゲティスバーグ発言を、アメリカ流に分かりやすく解説してくれた、と考えてよい文章である。

(3)　そのために、日本の憲法学者も、この日本国憲法の文言よりも、リンカーンの発言をそのまま訳して、このセンテンスは、「人民の、人民による、人民のための政治」

というように講義で教えており、また小・中・高校で教員が児童生徒に教える場合にも、そうした説明をすることが多い。

そして、その場合、特に、「人民の政治」ないし「人民による政治」について、これは「国民主権主義」を意味している。君たちは主権者なのだと教える。そのために、自分たち国民それぞれは主権者なんだ、一番偉いんだ、天皇よりも偉いんだ、だから好きなようにしてよいんだ、と考える傾向を産んでいる。

この考えは誤りである。なぜならば、英語で「ザ ピィープル」と書いてある、つまりザという定冠詞が付いているように、一個人のことではなく、個人の集合体、したがって、これは、広く一般国民、日本民族、国籍が日本にある人たちを言っているわけなので、一個人に主権がある、などと教えるのは大きな誤りである。なお、国民主権という言葉から、天皇には主権がなくて国民にある、と教えることも誤りであるが、それは、天皇の章で、詳しく解説することとする。

(4) 用語の誤りといえば、「人民の……政府」とあるのを、人民(国民)が政府を所有する、すなわち、だから国民主権主義を規定したものだと教えることも誤りである。

もし、「人民が所有する政府」(国民主権主義)だと解するならば、リンカーンの発言「ガバメント オブ」のガバメントとオブとの間に、カンマが来なければおかしい。

リンカーンの原文にもしカンマがあれば、ガバメントにオブ以下がかかってくる。また「バイ ザ ピィープル」のバイがかかってくる。そして、「フォー ザ ピィープル」のフォーがかかってくる。もし、カンマがあれば、「国民主権主義」と解することもできよう。

ところが、リンカーンの発言の原文には、そのカンマがないのである。となれば、「人民が政府を所有する」と読むべきではなく、「人民にかかわる政府」と読むのが正しい。

この問題は、何も、私たちだけが主張するわけではない。それは、イギリスの法学者・歴史学者・政治家で初代ブライス子爵・ジェームズ・ブライス(一八三八年〜一九二二年)が、その著『近代民主政治』(モダーンデモクラシス 一九二一年刊)の中で、疑問を呈している。

ジェームズ・ブライスは、英文法に厳しい英国人なので、気が付いたのだろうが、アメリカなどでは、「ガバメント オブ」の間にカンマを置いているものもあるが、リンカーンの原文を見た限りではそのカンマがない、とすでに指摘している。カンマがないとすると、それは、国民主権主義ではなく、「民主主義の理念」を訴えたものと解すべきである。

(5) そうした勉強をする前、私たちは、「日本国憲法」の前文(冒頭の一)を見て、何と長いセンテンスなのだろう。こんなに長くては、覚えることも難しい。真ん中辺には、「……この憲法を確定する。」と言っているのだから、それ以下は別の行にしてもよいのではないか、と思った。

しかし、いろいろと勉強して見て、絵解きができた。この前文を創った連合国軍総司令部（GHQ）職員による起案委員はほとんどがアメリカ人なので、アメリカ人としては、前段はアメリカ合衆国憲法から採り、また、後段はアメリカを分断した南北戦争に勝ち、アメリカを再統一したエイブラハム・リンカーン第十六代大統領のゲティスバーグでの有名な演説の中の言葉で、アメリカ人としては、この理念は、二つのものではなく、この双方は一体のものとして考えているので、あえて、センテンスを分けず、長文のセンテンスにした、と思い当たった次第である。

○問題点の三　第三センテンス——「詫び証文」といわれている。なお三つの根拠あり

このセンテンスも長文だが、よく調べると、三つの論拠を組み合わせたものと思われる。

(1) まず、第三センテンスの冒頭「日本国民は、恒久の平和を念願し、人間相互の関係を支配する崇高な理想を深く自覚するのであって、……われらの安全と生存を保持しようと決意した。」の部分について。

日本では、この第三センテンスは詫び証文だとする見解が多いが、たしかにそう読める。しかし、この文章ができた根拠を探ってみたい。思うに、日本側に憲法改正案を求めてみたが、満足な案文が得られなかったマッカーサー元帥は、一九四六年（昭和二十一年）に入ると、もはや、アメリカ側が起案する他ないとほぞを決めたようで、同年一月二十四日当時の幣原喜重郎首相を連合国軍総司令部（GHQ）に招き、正午から二時間半にわたって憲法改正の内容について指示があったという。その内容は、日本側からはいまだ開示されていないが、幣原喜重郎首相は「アメリカ側から戦争放棄を求められた」と、沈鬱（ちんうつ）な表情であったという。

そして、マッカーサーは、同年二月三日、GHQ民政局に対し、日本国憲法草案の作成を指示しているが、それには、三原則、すなわち、①天皇は国家元首（ザ・ヘッド・オブ・ザ・ステイト）とする。②戦争及び軍隊を放棄する。③封建制度を一切廃止する。という三原則に基づくことを命じている。

（注）この点については清原淳平著『憲法改正入門』一九九二年（平成四年）二月、ブレーン出版刊の

一〇七頁以降の憲法に関する年表、特に一一一頁参照。または、清原淳平著『集団的自衛権・安全保障法制』二〇一五年（平成二十七年）十二月、善本社刊の後段に前記年表を再録してあるので、その一四八頁参照。

(2) 推測するに、GHQ民政局の日本国憲法起案委員会としては、「日本国憲法」を起案するに当たり、この前文の中に、日本を占領・統治しているマッカーサー元帥の最も強い意向を取り入れる必要があると考えた、と解するのは合理性がある。

すなわち、日本が降伏した当時の国際情勢を見ると、三国同盟の一つイタリアがすでに一九四三年（昭和十八年）九月、連合国に降伏しており、また、ドイツのヒトラーも、一九四五年（昭和二十年）四月三十日、ベルリンの地下壕の中で自決しており、連合国としては、日本の降伏も時間の問題として、早くも、連合国による新しい戦後世界づくりに入っており、一九四五年（昭和二十年）十月二十四日、国際連合憲章も発効し、国連も本格的に動き出していた。

つまり、一九四五年後半から一九四六年中は、安全保障体制を確立した国際連合が動き出して、もはや、戦争もない時代に入った。軍隊は、戦争に勝った主要連合国が持っていればよいので、その他の国々は軍隊も要らない、といった空気に包まれていた。

(3) したがって、この時点においては、マッカーサーも、これからは、戦争などない平和な時代が到来するのだから、創るべき日本国憲法には、①陸海空軍の不保持、②武力行使の永久放棄、③以前には、国際法上、独立国家には戦争をする（交戦する）権利があるとされたが、もはやその交戦権をも否認してよい、と考えていたように思う。もちろん、そうすれば、自分が日本を占領・統治するに当たっても好都合である、と構想した、と私は考えていた。

このたび、私のこの考えは、裏付けられた。

けだし、前掲した、マッカーサー将軍による日本占領・統治、そして、GHQによって「日本国憲法」が起案されたその経過を研究した当時のセオドア・H・マックネリー著の『日本の憲法改正に対する国内的・国際的影響』の日本語訳〔内閣憲法調査会事務局の昭和三十四年四月刊〕の八十七頁を見ると、そこに、GHQが創った日本国憲法の前文について、セオドア・H・マックネリーが、彼なりに、その根拠と考えた原案を対比しており、そこに、彼は、この当センテンスは、マッカーサー元帥の発言「日本は、その防衛と保護を、いまや世界を動かしつつある崇高な理想に委ねる。」に基づいて、構成したものとしている。

(4) 次に、この第三センテンスの中の二番目の言葉「われらは、平和を維持し、専制と隷従、圧迫と偏狭を地上から永遠に除去しようと努めている国際社会において名誉ある地位を占めたいと思う。」の根拠はなにか？　この一文は、一九四三年（昭和十八年）十一月二十八日〜十二月一日に、連合国の主要国、アメリカのルーズベルト大統領、イギリスのチャーチル首相、ソビエトのスターリン首相の三名が、イタリアが降伏し、ヒトラー軍も押し戻して、連合国の勝利も見えたとして、イランのテヘランで三者会談を持ち、三国が一層協力して戦争を遂行するとともに、戦後社会の在り方について検討した結果、宣言したその文言から採ったと考えている。その箇所を、次に掲げておく。

テヘラン宣言の、「われらは、その国民が、われら三国国民と同じく、専制と隷従、圧迫と偏狭を排除しようとつとめている、大小すべての国家の協力と積極的参加を得ようとつとめる。」から採ったことは、対比すれば、明らかである。

(5)　では、第三センテンスの中の三番目の言葉「われらは、全世界の国民が、ひとしく恐怖と欠乏から免かれ、平和のうちに生存する権利を有することを確認する。」とあるのは、どこから採ってきたものだろうか？

この一文は、おそらく、「大西洋憲章」から採ったとみられる。「大西洋憲章」とは、一九四一年（昭和十六年）八月九日〜十二日、ヨーロッパではイギリスはすでにドイツとの戦争に入っており、そこで、同盟関係にあるアメリカのフランクリン・ルーズベルト大統領とイギリスのチャーチル首相とが、大西洋上で、両国が結束を固めて世界の激動に対処することを約して調印されたものである。該当する箇所を左記に掲げる。

「ナチの暴虐を最終的に破壊した後で、両国は、あらゆる国民に対し、その国境内で安全に居住する手段を与え、かつ、あらゆる国のあらゆる人々が恐怖と欠乏から免れてその生を全うしうるという保障を与える、平和が確立されることを希望する。」

○問題点の四　第四センテンスについて——この原典は、国連憲章の趣旨からと思われる

このセンテンスの文言「われらは、いづれの国家も、自国のことのみに専念して他国を無視してはならないのであって、政治道徳の法則は、普遍的なものであり、この法則に従うことは、自国の主権を維持し、他国と対等関係に立とうとする各国の責務であると信ずる。」

第一次世界大戦の悲劇の結果、再び戦争が起らないようにとして、創られた国際連盟が独・伊・日が国際連盟を脱退して、第二次世界大戦を引き起こしたとして、第二次世界大戦が始まると、いわゆる、アメリカ、イギリス、ソビ

エトなど連合国は、早くも戦争に勝利したあとの戦後処理と再び戦争を起こさないための国際的な仕組みの検討に入った。

そのことは、すでに、問題点の三の⑸で、一九四一年（昭和十六年）八月に、大西洋上で、米英首脳による大西洋憲章。さらに、⑷で、一九四三年（昭和十八年）暮には、米英ソ三カ国によるテヘラン会談の項で述べたが、翌一九四四年（昭和十九年）も後半に入ると、その戦後処理構想は急速に進んで、翌一九四五年（昭和二十年）六月二十六日には、日本はなお懸命に戦っていたが、国際連盟に代わる「国際連合」結成の調印がサンフランシスコにて署名され、日本の敗戦後の一九四五年（昭和二十年）十月二十四日には効力が発効し、活動をはじめていた。

その翌年春、マッカーサー元帥から日本国憲法の草案を起案するよう命ぜられたGHQの起案委員会のメンバーが、起案に当たって、その国連憲章に目を通さないはずはないが、当時の国連は、「自分の国は自分で守る体制を持つ国を、独立主権国家として」加盟を認めていたので、日本国憲法第九条で、①武力行使の永久放棄、②陸海空軍の不保持、③独立国家には認められる交戦権についても否認している日本について、あまり国連憲章のことを書くわけにいかず、そうした日本の立場を考慮して、差し障りないように、第四センテンスにあるような表現で、前文に載せたものと思われる。

○問題点の五　最後の第五センテンスは、アメリカの独立宣言から採ったものと思われる

そこで、両者を対比したものを、次に掲げておく。

日本国憲法の末尾の第五センテンス

日本国民は、国家の名誉にかけ、全力をあげてこの崇高な理想と目的を達成することを誓う。

アメリカの独立宣言

われらは、互いにわれらの生命、財産およびわれらの神聖な名誉にかけ、神の摂理の保護につよく信頼して、この宣言を擁護することを誓う。

⑴　以上、「日本国憲法」の前文を、分析してきた。すると、第一センテンスと第二センテンスは、アメリカ立国の精神であるその憲法の前文と、南北戦争に勝ってアメリカを統一したリンカーン大統領のゲティスバーグ演説から採っている。第三センテンスは、日本を占領・統治していたマッカーサー元帥の発言。米英ソ連三カ国によるテヘラン宣言の内容。そして、米英の大西洋憲章の文言、の三つから成っている。そして、第四センテンスは、国連憲章の中から戦争放棄した日本にふさわしい表現を

選んでいる。第五センテンスは、アメリカの独立宣言から採っている、と考えられる。

これは、何も私の見解だけではなく、占領・統治していたマッカーサー元帥の意向を受けたGHQ職員たちによる起案委員会の創った「日本国憲法」を、その時代の時点で分析したアメリカの学者セオドア・H・マックネリーが、その著『日本の憲法改正に対する国内的・国際的影響』の日本語訳版〔憲法審査会事務局作成〕の八十六頁から八十九頁にも、似たようなことが書かれているのである。なお、マックネリーは同書の中で、「前文は、三月四日〜五日にかけて、連合国軍総司令部で夜を徹して纏められた」と記されている。

(2) 私は、日本国民に問いたい。日本国憲法の冒頭にある前文の内容が、こうして、外国の資料から起案されたものでよいのですか？ と。

中には、すべて外国製でも、良いことが書いてあるからいいんじゃない、というならば、やむをえない。しかし、私は、日本国憲法である以上、日本の地政学的位置、その歴史の成り立ちにも触れ、日本国の政治・経済・社会の在り方を分かりやすく書きたい、と思う。

以下に、清原淳平試案の「前文」を掲げ、国民の皆さまの御参考に供したい。国民の皆さまも、それぞれに書いて見ていただきたい。

清原淳平の改正案

日本国憲法　前文

太平洋上に連なるわが日本列島は、海の幸に恵まれ、水も豊かで果実はじめ農作物に恵まれ、春夏秋冬四季に応じて、風光明媚な平野と森林と山岳を有する。

有史以前の日本は、一万年も前の縄文式時代から環濠集落ごとに、共同生活をし平穏に暮らしていたことが、数々の遺跡の発掘により、明らかになっている。

さらに、弥生式時代になると、稲作が取り入れられ、米を中心とする経済が生まれ、また、集落ごとに物々交換することによる、交流・親睦の風習が生まれた。

その結果、すでに古代から、比較的平穏に、天皇家を中心とする中央集権国家が成立し、天皇は、国民と対立することなく、国民を慈しみ、国民もまた、天皇を尊敬する関係が形成された。これは、世界稀にみる政治体制と言ってよい。

中世からは、政治の執行は関白ないし将軍に移るが、なお、国家代表権と権威とは、天皇が有していた。歴史を繙（ひもど）くと、将軍といえども、悪政があれば、他の武将が天皇の名において討つというケースが見られ、天皇による健全な中央集権制度が機能していたといえる。

長年の将軍政治も、領地を分け与えられた領主が圧政を行えば改易されたことから、領民を慈しむ政治を心掛けた。そのお蔭で、中世は、外国に比べ、平穏な時代となり、したがって、日本特有の優れた技能、芸術、文化が興隆したことを誇りに思う。

近世には、諸外国からの圧力があったが、結局、外国を排斥するよりも、その制度を取り入れることに努め、アジアで稀にみる近代的独立主権国家を形成した。

しかし、欧米化を急ぐあまり、軍国主義に傾き、国家未曾有の敗戦の苦難を負ったが、天皇の聖断と国民の努力により平和を回復し、世界有数の先進国家を実現した。

日本国民は、西欧が、専制君主の圧政に苦しみ、住民が立ち上がり、人間には本来、侵すべからざる基本的人権があり、その人権を確保するためには、専制君主との間で契約（憲法）を締結し、また、それを実効あらしめるために、専制君主が独占していた立法権、行政権、裁判権に、国民側が参加する権利があるとして、永年の苦労の末に獲得した、この分立した三権への国民参加方式を、取り入れることにした。

かくして、わが国は、そうした西欧の基本的人権尊重主義に基づく民主主義・自由主義制度、また、そこから生まれた近代福祉国家思想を取り入れ、日本国を一層発展させることを決意した。

今後とも、日本国民は、こうした東西の歴史体験を尊重して、一層の努力をすることを、ここに、誓う。

第三款　形式改正、「法律用語の誤り」・「仮名遣い」

以上の序論の中で、現行の「日本国憲法」は、日本を占領・統治したマッカーサー元帥の命令で、その連合国軍総司令部（ＧＨＱ）の職員の中から、選ばれた起案委員会によって起案され、それを受け取った日本側が急いで訳したことから、誤記・誤訳が多いことについて触れたが、前文中ばかりではなく、ここで、「日本国憲法」の各条項の中にも、誤記が多いことを、以下に指摘しておきたい。

これは、遠く、昭和の時代に開会していた毎月の「自主憲法研究会」に参加された法学士の三浦光保氏が、現行日本国憲法の各条文を克明に調べて、洗い出したものである。それは、十九カ条、二十八カ所におよんでいる。こうした誤記についても、厳格な大陸法のドイツなどでは、憲法改正手続をとらなければいけない、と考えられる。

次に、三浦光保氏が洗い出した現行憲法内条項中の誤字・脱字一覧表を掲げておく。

（上段傍線の部分が誤りの箇所、下段傍線の部分が正しい用語）

条	上段		下段
第二条	……国会の議決した	↓	……国会の可決した
第八条	……国会の議決に	↓	……国会の可決に
第九条	（章頭の）戦争の放棄	↓	……戦争の否認（※1）
〃①	……これを放棄する	↓	……これを否認する
第一一条	……基本的人権は…与えられる	↓	……権利である（※2）
第五五条	……議決を必要とする	↓	……可決を必要とする（※3）
第五六条②	……両議院の議事は……過半数でこれを決し	↓	両議院は……過半数で議決し
第五七条①	……多数で議決したときは	↓	……多数で可決したときは
第五八条②	……多数による議決を	↓	……多数による可決を
第六〇条①	……予算は	↓	……予算案は
〃②	……可決した予算を	↓	……可決した予算案を
〃②	……衆議院の議決を	↓	……衆議院の可決を
第六七条①	……国会の議決で	↓	……国会の可決で
〃②	……国会の議決とする	↓	……国会の可決とする
〃②	……指名の議決をした後	↓	……指名の可決をした後
〃②	……衆議院の議決を	↓	……衆議院の可決を
〃②	……国会の議決とする	↓	……国会の可決とする
第六九条	……不信任の決議案を可決し	↓	……不信任の議決案を可決し
〃	……信任の決議案を	↓	……信任の議決案を
第七三条⑤	……予算を作成して	↓	……予算案を作成して
第八三条	……国会の議決に基いて	↓	……国会の可決に基いて
第八五条	……国会の議決に基く	↓	……国会の可決に基く
第八六条	……予算を作成し	↓	……予算案を作成し
第八七条①	……予算の不足に	↓	……予算の費目又は費目の金額の不足に
〃①	……国会の議決に	↓	……国会の可決に
第八八条	……予算に計上して	↓	……予算案に計上して
第九〇条①	……収入支出の決算は	↓	……収入支出の決算案は
第九七条	……永久の権利として信託	↓	……永久の権利である

※1　放棄は、法による正当な権利を捨てること、否認は正当な権利あるなしにかかわらず認めないこと。侵略戦争は正当な権利とはいえないから、放棄ではなく「否認」が正しい。他国の憲法も、戦争放棄ではなく、戦争否認といっている。

※2　第一一条（与えられる）と、第九七条（信託された）の矛盾による誤り。

※3　議決は、可決と否決の両場合を含む用語故に、国会の承認を前提とする用語としては「可決」か、または「決議」という用語を使うべきである。

○現行憲法は旧仮名遣い、新仮名遣いへ改正を

なお最後に、現行の「日本国憲法」は、昭和二十一年十一月三日公布の段階では、戦前からの旧仮名字体で書かれている。したがって、その旧仮名字体の『日本国憲法』が正式ということになる。

しかし、その後、日本は、仮名遣いを、旧仮名遣いから新（現行の）仮名遣いに変えることに決まり、それに伴い、旧仮名字体の『日本国憲法』も、新仮名字体にすることが、内閣告示で決まった、と言われている。

しかしながら、文言に厳格な大陸法（ドイツなど）系の立場からすれば、これは、内閣告示程度のもので、変える

べきではなく、これはやはり、憲法改正が必要であった、と解することが妥当と考えていることも、ここに付言しておく。

第一章　「天皇の章」の解説・問題点

第一条〔天皇の地位・国民主権〕の解説・問題点

現憲法の条文

第一条〔天皇の地位・国民主権〕
天皇は、日本国の象徴であり日本国民統合の象徴であって、この地位は、主権の存する日本国民の総意に基く。

○問題点の一　敗戦前の「大日本帝国憲法」と現行「日本国憲法」との関係

(1)　冒頭の第一条から、学問的に問題が多いので、以下に分かりやすく説明していく。

この「日本国憲法」以前の「大日本帝国憲法」では、どのように記されていたか?

「第一章　天皇」の表題のあと、第一条から第十七条にわたって詳細な規定があった。

その内から、主なものを挙げると（注　旧憲法では、仮名は片仮名、句読点なし）、

第一条　大日本帝国ハ万世一系ノ天皇之ヲ統治ス
第四条　天皇ハ国ノ元首ニシテ統治権ヲ総攬シ此ノ憲法ノ条規ニ依リ之ヲ行フ
第十一条　天皇ハ陸海軍ヲ統帥ス

……などの規定があった。

(2)　「大日本帝国憲法」下の日本は、第一次世界大戦後に、ドイツに出現したヒトラーのナチズム、およびイタリアに産まれたムッソリーニのファシズムの思想に傾き、遂には独伊と三国同盟を結んで枢軸国を形成。昭和十六年十二月八日に、アメリカのハワイ島真珠湾に米艦隊を襲い第二次世界大戦に参戦した。三年半後の昭和二十年八月十五日、ポツダム宣言（連合国による日本降伏の条件提示）を受入れるとの昭和天皇の終戦の勅語（御聖断）をもって、終戦となった。

(3)　日本を占領・統治するため日本へ入ったアメリカのマッカーサー元帥は、連合国軍総司令部（ＧＨＱ）を設けて統治に当たったが、占領下の日本に大日本帝国憲法の改正を迫り、日本側も改憲案を提示した。しかし、マッカーサーは納得せず、遂にそのＧＨＱの職員をして起案させたのが、現在の「日本国憲法」である。

敗戦後の疲弊下で食べるのにも追われていた日本人は、関与の仕様がなかったが、その「大日本帝国憲法」（以下、便宜上、俗称の「明治憲法」とする）と「日本国憲法」の内容に大きな差異があるのには驚いた。

この点は、本書の「序論」で詳論してあるので、重複を避けるが、「明治憲法」がその冒頭の「告文」の中で「国家統治ノ大権ハ朕カ之ヲ祖宗ニ承ケテ之ヲ子孫ニ伝フル

所ナリ」とあるように、明治憲法は、明治天皇が先祖から受け継いだ大権によって創られた「欽定（君主の命令で定めた）憲法」であるのに対して、日本国憲法は、その第一条に「天皇の地位は主権の存する日本国民の総意に基く。」とあるように、国民主権を柱としている。

(4) そこで、「日本国憲法」成立当時には、学者たちの中にも、明治憲法は君主主権なのに、新「日本国憲法」は国民主権だから、主権の存在が根本的に異なっており、改正の限界を超えており、マッカーサー元帥がその連合国軍総司令部（ＧＨＱ）の職員をして起案させた「日本国憲法」は無効である、との無効論、そして「現行憲法無効・明治憲法復元論」がかなり強かった。

しかし、「序論」で詳論したように、現行憲法の成立に問題があっても、それが、十年以上も継続して適用されてくると、「法的安定性」の原則により、あとから覆すことはできなくなる。けだし、数十年も経って法文が無効だとなると、その間になされた国会が創った法律も、内閣の創った政令も、裁判所の裁判も、無効の憲法によってなされたとして、ケースごとにすべてやり直せという「再審請求」を起こされても止むを得ず、社会は大混乱に陥るからである。したがって、すでに七十年以上も執行されている「日本国憲法」を無効だとしてひっくり返すことは、「法的安定性」を欠き、不可能である。もし、誰かが強引に「現行憲法無効・明治憲法復元」をやったとすると、それは、改正ではなく、法を超えて「革命」になってしまうことに、留意してほしい。

○問題点の二　元首論、天皇は元首か否か？現行憲法での象徴でよいのか？

(1) 「元首」を一般の国語辞典で引くと、「国のかしらとして国家を代表する人」（三省堂の国語辞典）とある。法律学での定義はまた後述するとして、当面右の「国のかしら」は誰か？を検討する。

敗戦前のいわゆる明治憲法には、その第四条に「天皇ハ国ノ元首ニシテ統治権ヲ総攬シ此ノ憲法ノ条項ニ依リ之ヲ行フ」とあったので、天皇が元首であることは論をまたなかった。

ところが、現行憲法第一条では、上掲のごとく「天皇は、日本国の象徴であり日本国民統合の象徴であって、この地位は、主権の存する日本国民の総意に基く。」とあり、元首という言葉が消えて「象徴」となっている。そこで、天皇はなお元首なのかが問題になった。

(2) というのは、戦前の大陸法の原則では、国の主は誰かは重要であった。「大陸法」とは何かというと、ドイツやフランスなどヨーロッパの大国では、法は明文を以て書き表わすものとし（成文法）、日本も、明治維新後に岩倉具視を団長とする欧米視察団により、結局、当時のプロイセン王国（現在のドイツ北部とポーランド西部にあった）の憲法を参考として、帰国後、長年検討して「大日本帝国憲法」を起案したので、その憲法（そして法体系）は正に文言による条文中心の大陸法系であった。

因みに、イギリスは、何世紀も安定して王政が続き、したがって、永年の慣習によるものを法としてきたので、文字によらない不文法でもよいとしてきた。かつてイギリスの属領であった地域、そしてアメリカもこれに属するので、一般に「英米法系」という。

(3) 先の大陸法系では、その「国のかしら」は「元首」と表現されてきた。つまり諸外国の君主は「元首」であり、共和国制をとる国では、その大統領が元首であると考えてきた。日本でも、いわゆる明治憲法における天皇は、その第四条で明文を以て「元首」と明記されている。

それなのに、戦後の「日本国憲法」は、その「元首」という用語が消え、「象徴」という言葉に置き換えられているし、また「天皇……の地位は、主権の存する日本国民の総意に基く。」となっているので、学問的にも、問題となったわけである。

(4) 当団体「自主憲法制定国民会議」（岸信介初代会長亡きあと第二代会長を務めた木村睦男元参議院議長の時代、戦争があったことも知らない戦後生まれの人も増えてきて、「自主憲法」というと、戦争に負けて憲法が変わったことから説明しなければならないということから、由緒ある「自主憲法制定国民会議」を残すとともに、併称として「新しい憲法をつくる国民会議」とも称するとしたので、以来、当団体では「＝新しい憲法をつくる国民会議」を併称している）が昭和五十四年秋から始めた「自主憲法研究会」（＝新しい憲法をつくる研究会）では、この「天皇は元首であるかどうか」について、その考えが三転している。以下、その考えの経過を述べておきたい。

(5) まず、昭和五十四年秋からはじめた上記の「自主憲法研究会」は、当時、憲法改正に熱心な議員の集まり「自主憲法期成議員同盟」の有志議員も参加しており、議員と国民との合同会であったため、どうしても議員側の発言が強かった（なお、当時は、国会議員（含むＯＢ）による「自主憲法期成議員同盟」と、国民側による「自主憲法制定国民会議」とを併せて、当団体は世間から「自主憲」（ジシュケン）と呼ばれてきた。）。

そして、当時の議員たち（ＯＢ議員も含む）は、東大はじめ大学で、大陸法系の勉強をしてきていることもあり、「国家においては、元首が絶対必要」とする考えが強かった（ただし、岸信介会長は、皆さんの意見を熱心に聞く側であり、岸会長から、元首とせよといった発言はなかったことを付言しておく)。
そのため、当「自主憲」の当初の憲法改正案では、「天皇は、日本国の元首である。」と決めていた。

(6) そして、岸信介会長が亡くなり、すでに会長代行に就任していた木村睦男元参議院議長が会長に就任したが、木村睦男会長も岸信介前会長に劣らず、その「自主憲法研究会」を中心に熱心に改憲案づくりに取り組まれた。

それは、平成に入ってからであったが、それまではたくさんの憲法改正案を各条項ごとに部分的に検討する部分改正案であったのを、憲法典の各条項間に矛盾がないかどうか全体の整合性も整えた全面改正案に取り組むことになり、憲法学者の竹花光範駒沢大学助教授(のちに同教授・法学部長・同副学長、憲法学会理事長)を中心に、議員同盟と国民会議共同の本格全面改正案づくりにとりかかった。

そして、その全面改正案は平成十四年に纏まり、翌平成十五年五月三日の第三十四回「新しい憲法をつくる国民大会」(=自主憲法制定国民大会)で、全文を発表配布した。

その時の憲法第一条は、前掲の第①項はそのまま残し、第②項を加えた。すなわち、当団体の第一次全面改正案・平成十五年五月三日発表。(これはのちに廃止する)

第一条〔天皇の地位〕

① 天皇は、日本国の元首である。

② 天皇は、対外的に日本国及び日本国民を代表するとともに、日本国の伝統、文化、及び国民統合の象徴である。

とした。そして、この案は、そののちの、平成十七年の第二次全面改正案、平成十八年の第三次全面改正案でも、そのまま踏襲されてきた。

(7) そして、岸信介元総理亡きあと熱心に改憲運動に取り組んで下さった木村睦男第二代会長も、二〇〇一年(平成十三年)十二月七日に逝去され、その後、数年経って、平成二十年に、私が、評議員会・理事会の議を経て会長代行となり、さらに平成二十三年、評議員会・理事会の議決により会長に選出された。私は、それまでの研究から、前記平成十八年の「第三次全面改正案」の見直しにとりかかり、毎月一回の「自主憲法研究会」(=新しい憲法をつくる研究会)で、日本国憲法の制定課程、および第一条から第一〇三条までのすべての条文について、一廻り約二カ年かけて見直しにかかり、それを二廻り計四カ年かけて根本的に見直しをした結果、その間の時代の変遷・経過も考えて、平成十八年の前記第三次全面改正案を、かなりの部分、書き改めることにした。

(8) その一つが、その憲法案第一条で、その中の「① 天皇は、日本国の元首である。」としたのを削除することにした。つまり「元首」という文言を外し、天皇は現行憲法にある「象徴」でよい、としたわけである。

その理由はなぜか、それを以下に掲げる。それはまず、「元首」なる文言の内包概念（言葉の中の構成要素となっている考え方）の変化・変遷にある。というのは、戦前、「大陸法系」において「元首」という言葉の中身の主たる構成要素は、三つあるとされていた。その三つとは何か。

まず、「元首」の内包概念の第一は「統治権を総攬すること」であり、第二としては「陸海空軍を統帥する」ことであり、第三としては「国家を代表する」の三つである。

したがって、いわゆる明治憲法も、制定当時のヨーロッパの大陸法系諸国家にならい、「第四条　天皇ハ国ノ元首ニシテ統治権ヲ総攬シ此ノ憲法ノ条規ニ依リ之ヲ行フ」とし、「第十一条　天皇ハ陸海軍ヲ統帥ス」とあった。「国家を代表する」ことは、明文はないが、第四条の趣旨からも、当然のことと解されていた。

(9) 中世の専制君主国家時代にはヨーロッパでは戦争が繰り返され、近世以降においても近代国家においても戦争が繰り返され、戦争に負けた国は、こうした明文の規定があると、国王・君主は責任を問われて、君主制・王制が廃絶となることも多く、特に第二次世界大戦後は、王国・君主国でも、「統治権の総攬」と「陸海空軍の統帥」は、元首の権限から外し、国王・君主の権能は「国家を代表する」ことに絞られる傾向となった。

そうした推移から、私は、「自主憲」（ジシュケン）の会長に就任してから、こうした「元首」についての内包概念の変化を直視し、むしろ「元首」という言葉を使わないで、「国家を代表し、国民を代表する」という国王・君主・天皇の権能を、法的にも、「象徴」という言葉で表現した方がよいと考えた次第である。

つまり、より法律用語的に分析すると、第二次世界大戦終結前には、「元首」という言葉の定義、その内包概念は、「統治権を総攬する」「陸海空軍を統帥する」「国家を代表する」の三つが要件とされていた。明治維新により日本も外国の先進国に追いつくには、先進国の制度を見習う必要があるとして、岩倉具視を団長とする欧米視察団が約三カ年にわたり欧米を視察した結果、憲法については、中世からの専制君主国家として出発し、当時優勢を誇っていたプロイセン王国（現在のドイツ北部とポーランド西部）の憲法が最も日本にふさわしいとして、帰国後、それを土台に検討を進め、「大日本帝国憲法」を創ったわけであるが、その明治憲法には、「天皇は元首」として、「統治権を総攬する」「陸海空軍を統帥する」ことが明記されており、「国家を代表する」ことも、元首としての当然の属性である、と考えられていた。

しかし、近世・近代に入っても、ヨーロッパでは、国家同士の戦争が続発し、戦争に勝ったときはよいが、負けると、その君主が責任を問われ、その王室は廃絶されてしまう。そうしたことから、第二次世界大戦が終わるころから、君主・国王は、上記の三権のうち、「国政統治権」や「陸海空軍統帥権」を自国内の行政権（首相）に移管して、結局は、「国家を代表し、国民を代表する」ことのみが、国王・君主の属性となってきた。つまり、「元首」という言葉の内包概念が変わってきたのである。

⑽　しかし、日本の学者は、まだそのことに気がつかず、「元首」を固執するので、私は、諸外国もいまでは「国家代表権」のみになっているので、そうしたトップの在り方を、誤解のないよう、むしろ「象徴君主制」と呼んだ方がよい、というのが私の立場である。

なお、西欧諸国の中で、君主制ではなく共和制を採る国もあり、その中には、大統領が権力と権威を共有する場合もあるが、首相が実権をもち、その上の大統領は権威のみを有する場合もあるので、正確には「象徴国家代表制」という表現でもよいと思う。

ともかく、当初、学問的には「象徴」という言葉は法律的ではないと考えていたが、私は、日本国憲法がはじめて象徴という言葉を使ったことをむしろ評価して、「象徴君主制」「象徴国家代表制」を、法律用語に高めてもよい、と考えている。

○問題点の三　天皇は、国民ではないのか、それとも「国民」なのか？の問題

⑴　次に、天皇は、学問的に、国民ではないとする見解と、国民であるとする見解とに分かれる。

まず、「天皇は、国民ではないとする見解」についてみると、それは、ヨーロッパの専制君主時代をみると、専制君主は領地と住民を所有していたので、君主は、国民の上に存在した。江戸時代の領主をみても、領主は領地と住民を所有しており、住民を超えた存在だったとされる。

天皇にいたってはいわゆる明治憲法をみても国民の上に超然として存在されていた。

例えば、いわゆる明治憲法の冒頭にある「告文」の中に、「朕祖宗ノ遺烈ヲ承ケ万世一系ノ帝位ヲ践ミ朕カ親愛スル所ノ臣民ハ即チ朕カ祖宗ノ恵撫慈養シタマヒシ所ノ臣民ナルヲ念ヒ……」とあり、また「第二章　臣民権利義務」の章の第十八条から第三〇条までの十三カ条は、すべて「日本臣民ハ」で始まっている、等々を論拠としている。

⑵　これに対して、日本国憲法第一条は上述のように、「天皇……の地位は、主権の存する日本国民の総意に基く。」

とある。

なお、この憲法制定前の一九四六年（昭和二十一年）一月一日、昭和天皇は、国民に向け、いわゆる「人間宣言」の詔書を出されている。それは、次の通りである。

「朕ト爾等国民トノ間ノ紐帯ハ、終始相互ノ信頼ト敬愛トニ依リテ結バレ、単ナル神話ト伝説トニ依リテ生ゼルモノニ非ズ。天皇ヲ以テ現人神トシ、且日本国民ヲ以テ他ノ民族ニ優越セル民族ニシテ、延テ世界ヲ支配スベキ運命ヲ有ストノ架空ナル観念ニ基クモノニ非ズ」とある。

日本降伏後、最初の新年のこの勅語については、特に表題がなくその内容から、一般に『人間宣言の詔書』と呼ばれている。この詔書についても、天皇の真意ではないとする説がある。その論拠は、日本を占領統治した連合国軍総司令部（GHQ）内の民間情報教育局（CIES）宗教課が、前記「人間宣言詔書」の二週間前に、「国家が神道を支援・監督・普及することを禁止する」「天皇は他国の元首より秀でた存在で、日本人は他の国民より勝っているという思想を教えることを禁止した」、いわゆる『神道指令』を発令していることを挙げ、そうした占領軍からの直接的圧力があった、としている。

(3)　しかし、GHQからの直接圧力があったにせよないにせよ、占領軍によるそうした指令が発表された以上、当時の宮内庁では、天皇の御意向をうかがいつつ、いろいろと検討した記録が残っている。

私が、そうした資料を調べた結果では、昭和天皇は、かなり人々の意見も聞いておられ、その「人間宣言」について大層吟味され言葉も選んでおられる。すなわち、昭和天皇は、神武天皇はじめ歴代の天皇の神格性を否定する言葉を避け、また御自身が神の末裔であることを明確に否定することもなく、あくまでも自分は現人神（あらひとがみ）ではないことを述べておられる。また、明治天皇が、大日本帝国憲法を発布されると同時に発布された「五箇条の御誓文」の中の「一、広ク会議ヲ興シ、万機公論ニ決スベシ。一、上下心ヲ一ニシテ、盛ニ経綸ヲ行ウベシ。………」を挙げ、明治天皇も民主主義を認めておられる。マッカーサー元帥にもそのことを伝えてほしい、と述べられている。

そして、そうしたお言葉に対して、時の幣原喜重郎総理が「これまで陛下を神格化扱いしたことを、この際是正し改めたいと存じます」と言上すると、昭和天皇は静かに肯定され「昭和二十一年の新春には、そういう意味の詔書を出したいものだ」と言われたことからも、「人間宣言」は、昭和天皇の御真意である、と私は考えている。

昭和天皇御自身も、後年、この「人間宣言」が御真意かどうか聞かれて昭和天皇は、「真意である」と応えておられる。

○問題点の四　天皇は国民なのかどうか、したがって天皇に主権があるのかの問題

前述したように、学会では、いわゆる明治憲法では君主主権であったが、日本国憲法では国民主権になったのだから、天皇は、国民とは対立的存在であって、国民ではないとする考えが多い。

しかし、私は、この考えは間違っている、と考える。理由は以下の通り。

〔理由の一〕　天皇は国民ではないとする考えは、中世ヨーロッパの専制君主国家の場合に起因する。というのは序論でも述べたように、当時ヨーロッパでは、財力と武力に優れた実力者が、土地を囲い込みそこの住民を支配して専制君主国家の成立を宣言した。その専制君主は正に、住民・国民を支配する独裁者であり、国民とはかけ離れた支配者であった。

その後の近世・近代のヨーロッパの君主国家でも、君主はそうした独裁者としての性格があり、専制君主国家同士でしばしば戦争を繰り返して、住人は大層苦しんだ。そのため、十八世紀後半あたりから、苦しみに堪えかねた住民が立ち上がり、国王と交渉して、両者の間で取決め（憲法）を制定し、国王の権限であった立法、行政、裁判にも国民が参加する立憲君主制へと移行するようになる。

それでも、国王側が、そうした移行に応じない場合には、一七八九年～一七九九年、フランスにおいて、堪えがたくなった住人が立ち上がり、革命を起こして、遂に絶対君主制のブルボン王朝を武力で打倒し、王族を処刑して、国民の代表による共和制を樹立するに至った。

それでも、ヨーロッパ諸国では、近代に至っても、戦争が絶えなかった。

〔理由の二〕　しかし、日本の場合は、これに当てはまらない。

日本の歴史を遡れば分かるように、日本は島国で国土が大陸のように広くなかったことも幸いして、すでに古代に、大和朝廷が成立し、ともかくも歴史上、統一国家ができ、第十六代の仁徳天皇の御製「高き屋に　のぼりてみれば　煙立つ　民のかまどは　にぎわいにけり」に象徴されるように、日本において、天皇と国民は、ヨーロッパ大陸に見られたような対立関係にはなく、天皇は国民の暮らしぶりに心をいたし、国民は天皇を尊敬し慕う関係にあった。

そして皇統は連綿として続き、その間、武家の台頭により、政治の実権は失ったが位階勲等などを授与する権威は維持し、武家政治に悪政があれば天皇の名において討つなどの是正機能を持ち、先の第二次世界大戦では、統帥権を利用した軍部の暴走により大敗戦に陥り、軍部は一億玉砕を叫んだが、最後には、天皇が前面に出られて、「終戦の御聖断」の詔勅を出され、それにより、軍部も矛を収めた。

また、昭和天皇は、日本を占領・統治していたマッカーサー元帥を連合国軍総司令部（ＧＨＱ）に訪ね、「自分の身はどうなってもよいから、国民に食料を与えてほしい」と懇願された。

その真摯な御姿には、さすがのマッカーサー元帥も感動し、アメリカから小麦粉やトウモロコシ等々、食料を運んできてくれた。

〔理由の三〕　以上のように、日本の天皇は、前掲のヨーロッパの専制君主とは異なり、古代から、「国民と一体」という姿勢をお持ちであり、一貫して、天皇は、日本国民を対外的に代表する地位もお持ちであった。（武家政治において、将軍の中には対外的に日本の国王を名乗る不届き者もいたが、全体的にみて、天皇の対外代表権は揺るがなかった。）

武家による将軍政治において、将軍は部下に領地（土地と領民）を与えたが、領主も、その藩政に失敗すれば、自分の家禄を失うので、士農工商といった身分制度はあったが、米をつくる農民をやはり慈しむ風潮もあった。これが、ヨーロッパの専制君主とは異なる「日本独特の優れた風土美風である」ことを、日本国民は、忘れないでほしい。

つまり、ヨーロッパにおいては、財力・武力を有する者が、その実力で土地を囲い込み、そこの住民を支配して、専制君主国家を形成し、法を創る権限も、執行する権限も、そして、その是非を判断する裁判権も一手に掌中のものとし、そして、他国と戦争を始めれば、その住民を兵士として駆り出し、また、税金を徴収して、君主は、住民の上に君臨する存在であり、住民は君主から虐げられた存在であった。

そこで、君主国家のもと、永年苦しんだ住民は、十七世紀に入り、「人は生まれながらにして、基本的人権を有する」と説く啓蒙思想家たちの思想をよりどころとして、専制君主に対して、住民との間に契約（憲法）を結ぶことを要求し、そして、専制君主が独占してきた、①法を創る権限（立法権）、②執行する権限（行政権）、さらには、③争いに対して最終的に判定する権限(裁判権)、の三つの権限にも、住民が参加できるように、交渉を重ね、苦労の末、渋る君主から少しづつ、その三権の中の権限を譲り受けてきた。その苦労は並大抵のものではなかった。

したがって、ヨーロッパの人たちはそのやっと獲得した君主との基本契約（憲法）、そして、その実質的権利である立法権、行政権、裁判権への参加を、大層大きな成果として、高く掲げ、近代国家の基本として、尊重しているわけである。

〔理由の四〕　ところが、日本民族は、古代から、天皇制による中央集権制を実現しており、その君主たる天皇は、東洋思想の影響からか、国民を慈しむ心を持っておられたので、ヨーロッパの住人のように、君主と住民との深刻な対立もなく、日本の天皇家は、常に国民を慈しみ、国民は天皇を尊敬する関係にあった。

　天皇家は、特に中世になって、将軍など武将にその実権を奪われたが、しかし、例えば、位階勲等など権威を保持してきており、また、実権を握った将軍家も、政治経済的に国民の支持を失った場合は、他の武将が、天皇の名においてこれを討つなどの浄化作用も有していた。

　また、天下を取った戦国武将は、その参加の有力者を、天皇の了承も得て「〇〇守」などの領主に任命したが、その領主も、圧政によって住民からの暴動などが起これば、改易されて領主の地位を失うので、士農工商の身分差別はあったが、ともかく農民を中心に、その住民を慈しむ風潮を有していた。

　そのため、日本では、ヨーロッパのように、住民が、将軍や領主に対し、命懸けで戦うというような事態はなく、したがって、人権闘争もなく、権力との契約（憲法）要求もなく、その権力への参加要求も見られなかった。つまり、「人権」「基本的人権」といった観念さえ生じないできた。

　それは、明治憲法下でもそうであったが、一九四五年（昭和二十年）八月十五日、連合国に降伏し、マッカーサー元帥が乗り込んできて、結局、その連合国軍総司令部（GHQ）職員から選ばれた起草委員会による『日本国憲法』が公布され、施行されると、その条項に、「基本的人権尊重」の原則を初め、各所に「国民の権利」「国民の権利」と出てきて、むしろ、国民の方が驚いた次第であった。

〔理由の五〕　すなわち、ヨーロッパにおいては、古代には、都市国家のスパルタとアテネとが闘ったのをはじめ、中世においては、財力と武力を持つ者が、土地を囲い込みそこの住民を使役して専制君主国家を造ったが、その専制君主国家同士が戦争しあい、それが、近世、そして近代においても、国家同士の戦争の時代が続き、それが、やっと第二次世界大戦が終結してから、ヨーロッパ諸国も、過去の戦争、戦争の歴史を反省して、話し合いに入り、欧州各国が集まって、マーストリヒト条約を結び、欧州共同体として「EU」（ヨーロッパ連合）を創ったのが、一九九二年のことである。

　つまり、ヨーロッパは、古代のスパルタとアテネの闘いから、中世の専制君主国家同士の戦争、そして近世・近代に入ってからも、互いに覇権を争い、なんと紀元前数世紀から二〇〇〇年末まで、互いに戦った結果、実に二十数世紀も経って、やっとEUが出来たという経過である。

そして、近世・近代のヨーロッパの各帝政国家は、君主が元首となり、その元首は「統治権を総攬し」「陸海空軍を統帥し」「国家を代表する」という三権を有していたが、それも、第一次世界大戦、第二次世界大戦を経て、そうした規定が憲法にあると、負けた時は責任を取って、その国の君主制・王制が崩壊したことから、生き残ったヨーロッパの君主制・王制は、憲法上も「統治権を総攬し」「陸海空軍を統帥し」の規定を外し、それを行政執行権を与えた首相に任せ、責任のない権威のみを保有する「国家代表権」のみを保持するようになったのである。

〔理由の六〕　それに対して天皇家は、古代から、立法権・行政権・裁判権などは太政大臣などに任せ、その権威を保持し、武家政治になって、その権力は将軍など武家に委ねてきたが、なお「権威」を保有し、対外代表権を有していた。

ところが、明治維新になり、当時のヨーロッパ主要国に見習うべく、岩倉具視公を団長とする政府要人が、欧米を視察した結果、近代国家は「憲法」を制定する必要があると認識し、特に当時、権勢を誇っていた「プロイセン王国」の憲法が最も相応しいと判断した。さらに、明治十五年、伊藤博文は同国のベルリンに留学し、帰国後、「大日本帝国憲法」を起案した。

それを、明治天皇に奉呈したところ、英邁（えいまい）な明治天皇は、その内容をみて、それは、日本国の来し方と違う。西欧では君主と国民とが対立関係にあるが、日本国では、古来からそうした対立関係にはなく、信頼関係で成り立ってきたとして、西欧との違いを言われた。また、伊藤博文の原案では、天皇を主権者と明記していたのを、天皇は国民と一体であったと言われて、天皇主権という言葉を外されたという。

しかし、元勲たちは、明治天皇に対し、その憲法案をあまり変えられると、西欧諸国から、「憲法」とは見なされず、西欧並の近代立憲国家とは見なされなくなります、と進言され、明治天皇は、主権者という言葉は外させたが、あとはそのままにされた。

しかし、明治天皇は、その憲法の本文の前に、日本国の皇祖皇宗からの在り方について、日本国の成り立ちの経過を、勅語というかたちで、文章を付け加えられた。

明治天皇は、その後も、元勲たちの「大日本帝国憲法」案に不満を持たれて、この憲法の発布とほぼ時を同じくして、「五箇条の御誓文」と「教育勅語」とを公布せしめておられる。

〔理由の七〕　この明治憲法が制定されてから、五十七年経て、この「五箇条の御誓文」は、昭和天皇によって、大いに活用されている。それは、すでに、前述した「序論」の中でも触れておいたが、敗戦・降伏後の日本を、占領・統治したマッカーサー元帥は、占領下の政府に、明治憲法改正を迫り、日本側も改正案をいくつか提起したが、マッカーサーの容れるところとならず、業をにやしてマッカーサーは傘下の連合国軍総司令部（ＧＨＱ）内に「日本国憲法起案委員会」を設け、早急の起案を命じた。

提示されたこの原案について、日本側はこれまでの明治憲法との差が大きいのに驚き、その補正を求めたが、一院制の原案を二院制に戻すなど、僅かな補正を認められたが、ほとんど原案通りで、受入れざるを得なかった。

この「日本国憲法」が制定されたあと、国内から、こうした憲法は明治憲法に反し許されないとか、公示文によって昭和天皇がこれを認めているが、それは昭和天皇の本意ではない等々の反対論（特に、現行憲法無効・明治憲法復元論）が出て、これらの勢力が、戦後七十余年を経た今日でも根強く存在するので、日本は、いまだ憲法改正できないでいる。

しかし、昭和天皇は、現行憲法が提起されてから一貫して、これを認めたのは自分の本意であることを表明しておられ、その根拠として、この新憲法の基本は、明治天皇が公布せしめた「五箇条の御誓文」にある「一、広く会議を興し、万機公論に決すべし」「一、上下心を一つにして、盛んに経綸を行うべし」「一、旧来の陋習（ろうしゅう）を破り、天地の公道に基づくべし」など、五つの精神に合致している、としておられた。

〔理由の八〕　さらに、私見を披瀝すれば、明治天皇はなぜ、伊藤博文がヨーロッパの強国プロイセン王国憲法を雛型にしてまとめた「大日本帝国憲法」について、不満を述べたか、と言えば、そのプロイセン王国憲法には、主権者たる君主が、「統治権を総攬し」（国政を一手に掌握し）、「陸海空軍を統帥し」（統帥権という一般国政と別の権力をも有し）とあるこの点について、日本では、神武東征のあと、中央集権を成立させてからも、太政大臣などの行政府を置き、軍事の実際も武士たちに委ねており、西欧の専制君主のように、天皇家が国民と対立したことはなく、逆に、天皇は国民を慈しみ、国民は天皇家を尊敬するというシステムであった。つまり、西欧とは、成り立ちが違うよ、とおっしゃりたかったのだ、と推察する。

「大日本帝国憲法」は、そうした日本国の在り方に反して、明治維新の軍部は、統帥権を盾に、男子皇族を全て軍人として、軍部の統制に服させた。それは、戦後に、高松宮殿下、秩父宮殿下、三笠宮殿下が著述などで、なんとか早く終戦するために、昭和天皇に直言したかったが、軍人であるため、大本営の許可が降りず、直宮（じきみや）といえども、昭和天皇にお目にかかることが難しかった、と述べておられる、ことに付言しておく。

私個人としては、明治の元勲たちが手本としたプロイセン帝国そのものが、他国との度重なる戦争と内紛により崩壊した一九一八年（大正七年）に、その手本が消滅した段階で、「大日本帝国憲法」を改正すべきであったと考える。大正時代はいわゆる「大正デモクラシー」の時代であったので、誠に惜しいことであったと思う。

しかし、その後、軍部が台頭し、昭和七年五月十五日には海軍青年将校が首相官邸に乱入し、犬養毅首相を殺害。さらに昭和十一年二月二十六日には、陸軍青年将校が一、五〇〇名の兵隊を率いて政府の要人を襲撃、岡田啓介首相は辛うじて難を逃れたが、高橋是清蔵相、斎藤実内大臣、渡辺錠太郎教育総監を殺害するに至り、政府側も脅え、やがて、日本はいよいよ軍国主義に支配されていって、第二次世界大戦へ突入した。

こうして、軍は天皇の統帥権を利用して、大本営政治を行い、アメリカに大敗を喫し、降伏するに至るが、戦後、戦勝国政府は、日本統治のため、各国代表による「極東委員会」を構成するが、この「極東委員会」は、統帥権を有する天皇の責任は免れないとして天皇制廃止を主張した。

これに対して、マッカーサー元帥は、実際に日本を屈伏させた連合国軍総司令官たる自分が統治するとして譲らなかった。しかし、マッカーサー元帥は、実際に日本と戦った経験から、もし、天皇制を廃止すれば、日本人は女性や子どもまで立ち上がり、占領政策、自分の日本統治はうまく行かないと考え、天皇制を残し、占領下日本政府も残した間接統治方式をとってくれたので、幸い、天皇制は存続できたのである。

いわゆる明治憲法は成立後、五十七年間、一度も改正しないまま崩壊した。そしてその後の現行「日本国憲法」は、すでに七十余年間、一度も改正しないまま来ている。日本と同じ敗戦国ドイツは、国内が戦勝国により分割統治されていたため、日本より二年遅れた一九四九年五月二十四日、法に厳格なドイツ人らしく、占領下基本法であることを明示した「ドイツ連邦共和国基本法」という名称で、施行されたが、そのドイツ基本法は、国際連合に加盟するためには、「自分の国は自分で守る独立主権国家体制が必要」として、さっさと再軍備を宣する条項（第八十七条以下）に改正したのをはじめ、すでに六十回以上も、この基本法を改正している。

私どもの自主憲法の団体も、昭和の時代は、必要な条項ごとに単発的・部分的に改正する方法を考えていたが、私が会長になってからは、国際情勢、世の中の進歩に合わせるためには、ある程度まとめて、さらには全体の整合性をとるためにも、全面改正をしないと、時勢に間に合わない、と考えるようになっている。

以上、天皇の章の第一条は、日本国の特色を現している箇所なので、詳細に説明する必要があったが、この箇所にこれ以上、紙数を割くこともできない。「日本国憲法」は、七十数年も改正していないので、当初からおかしい箇所、その後の時勢の進展に対応できていない箇所など、ドイツがすでに六十回以上も改正していることから分かるように、改正すべき箇所がたくさんあるので、次の条文へと検討をすすめたい。

以上、述べた数々の論拠から、私は、「第一条」は、次のように改めたい。

清原淳平の改正案

第一条〔天皇の地位〕
天皇は、古代より、国民と一体であり、天皇もまた国民であり、国民統合と権威の象徴であって、外国に対して、日本国を代表する。

（注）明治天皇も言われるように、天皇は古代から、国民と対立したことはなく、相互信頼の上に立ち、したがって、天皇も国民であり、それ故に、日本国民を代表する。

第二条〔皇位の継承〕の解説・問題点

現憲法の条文

第二条〔皇位の継承〕
皇位は、世襲のものであって、国会の議決した皇室典範の定めるところにより、これを継承する。

○問題点の一　皇室典範について、皇室自律法とするか、国会制定にするかの問題

(1)　この「日本国憲法」第二条に「皇室典範」という言葉があり、また、敗戦による降伏前の「大日本帝国憲法」のやはり第二条にも全く同じく「皇室典範」という言葉がある。「皇室典範」という言葉には変わりがないが、現行憲法における「皇室典範」と、明治憲法における「皇室典範」とでは、その法的意義が異なることに注意していただきたい。
いま、明治憲法における規定を挙げると、「第二条　皇位ハ皇室典範ノ定ムル所ニ依リ皇男子孫之ヲ継承ス」とあった。しかし、明治憲法で「皇室典範」なる規定は、ここだけではない。明治憲法下では、「第七章　補則」という章があり、そこには、「皇室典範」につき、二カ条の規定がある。ここに紹介すると、「第七四条　①　皇室典範ノ改正ハ帝国議会ノ議ヲ経ルヲ要セズ　②　皇

室典範ヲ以テ此ノ憲法ノ条規ヲ変更スルコトヲ得ズ」、そして「第七五条　憲法及ビ皇室典範ハ摂政ヲ置クノ間之ヲ変更スルコトヲ得ズ」とある。

(2)　すなわち、明治憲法においては、皇室自律法といって、皇族を中心とする皇室が決めるものであって、国会が制定するものではない、ということである。

しかし、現行日本国憲法では、皇室典範も一般法律と同じく国会の議決により制定・改正せよということである。これについては、いわゆる国民主権主義論者からは、国民が天皇の上になったのだから当然だ、とする考えがある。

しかし、それは違うと思う。ヨーロッパの君主制国家では、確かに王室の年間予算については国会で決めているケースがあるが、しかし、君主の地位の継承については、基本的にその一族の会議に任せるのが一般である。

(3)　マッカーサー元帥がなぜ皇位継承について、このような規定を置いたか、というと、私は、前述したように、当時、マッカーサー元帥とは別に、戦勝国政府が日本占領統治のためにその代表者を選任しており、彼らは一致して、天皇は陸海空軍の統帥権を持っていたのだから、天皇制を廃止するか、少なくとも昭和天皇は退位すべきだ、という考えを持っていて、その「極東委員会」は、来日すると、マッカーサー元帥に、天皇制廃止を迫っていた。

マッカーサー元帥としては、前述したように、天皇制を廃止したら、日本人は女性・子ども立ち上がり、自分の占領・統治がうまく行かないと考えていたので、やんわりと断っていたが、しかし、戦勝国代表の「極東委員会」の意向を無視するわけにもゆかず、マッカーサー元帥は、天皇の権限を極力排除し、皇族の範囲を極力制限し、その財産を極力剥奪することで、「極東委員会」に納得してもらおうとした、と私は考えている。

この「皇室典範」を皇室自律から一般法律と同様に国会制定に変えたのも、そうした懲罰的な意図によるものと考えられる。しかし、のちに、「第八条　皇室財産の授受の制約」のところで詳述するように、こうした皇室への懲罰的規定は、日本が独立したというなら、憲法を改正して、この厳しい皇室への制約を解除し、皇室典範については、その会議に、政府側が参加するとしても、基本的には、皇室に関することは皇族の方々を中心とする会議、とした方がよいと考えている。すなわち、私は、現行憲法第二条の中の「国会の議決した」は削除したいと思う。

○問題点の二　「皇位は、世襲のものであって」の「世襲」について

(1) 因みに、明治憲法では、「第二条 皇位ハ皇室典範ノ定ムル所ニ依リ皇男子孫之ヲ継承ス」となっていた。すなわち、明治憲法では、その継承者を憲法上はっきりと「皇男子孫」に限っていた。その点、現行憲法が「世襲のものであって」と書き換えたのは、どういうことか。「世襲」とは一般に、「特定の地位に就くその資格を、専ら特定の血統の者にのみ認められる」ということだから、天皇の地位に就くには特定の血統者に限るとしていて、詳細は、国会が制定した法としての「皇室典範」第二条に委ね、その就任順序を規定している。

(2) この点は、明治憲法の作成・審議にあたった元老院で、伊藤博文はじめ元勲たちも悩んだといわれている。けだし、当時、伊藤博文たちが調べさせたところでは、歴史上、十五代続いた、北条家、足利家、そして徳川家を調べても、次代将軍が先代将軍とその正室から生まれたケースよりも、側室から生まれたケースの方が多く、歴代天皇家でも、同様な事実が分かり、そこで、考えた結果、側室から生まれた女子は困るが、歴史的事実に従い、天皇から生まれた男子であれば、庶子（正妻でない人が産んだ子）であってもよい、という意味で「皇男子孫」としたという。

また、明治憲法下では、前述したように、西欧の君主は、元首として、「国家を代表する」とともに、「統治権を総攬し」「軍を統帥する」という役目があったため、その役目がら、男子の方がよいと考えた、ともいう。

(3) そうとなると、現代ではどうか？「日本国憲法」における天皇は、明治憲法時代と異なり、現代のヨーロッパ王室と同様、「統治権を総攬し」「軍を統帥する」ことは無くなり、「国家の権威を象徴し」「対外的に国家を代表する」ことだけになっており、イギリス王室等では、女王陛下も当たり前の時代なので、改めて検討する必要があろう。

加えて、今の時代は一般に、夫婦中心であり、側室を置くことは、人権問題などから許されない時代なので、現行憲法を起案した連合国軍総司令部（ＧＨＱ）の起案委員会も、「世襲のものであって」という表現に変えた、とも考えられる。

(4) ともかく、近年、御世代わりに当たって、この課題も浮上してきているが、私としては、基本的には、皇族を中心とする皇室会議の意見を、重視して判断したい、と思う。

ただ、私見を述べさせていただくと、遠い古墳時代の昔、第二十六代の継体天皇継承の場合が想起される。というのは、第二十五代の武烈天皇が、後嗣を定めずに崩御（西暦五〇六年）せられたため、当時の有力者（大伴金村はじめ）が協議し、丹波国におられた第十四代仲哀

（ちゅうあい）天皇五世の孫、倭彦王（やまとひこのおおきみ）を推戴せんとしたが、同王は迎えの士卒をみて恐れをなし山中に隠れ行方不明になった。

そこで、群臣（ぐんしん）たちは、越前国にいた第十五代応神天皇の五世の孫、男大迹王（をほどのおおきみ）に願い出た。男大迹王は、疑念を持ち、都の大連（おおむらじ）大伴金村に使いを出し、その真意を確かめた後、河内国樟葉宮（くすはのみや）にて即位せられた（御年五十八歳、西暦五〇七年）。そして武烈天皇の姉を皇后とした。

こうして、第二十六代天皇となられたのが、没後継体と諱（いみな）された継体天皇である。ここで、皇統が途絶えかかっても、群臣たちが専横（せんおう）に出ず、十代も前に遡って天皇の血筋を捜し出した日本の伝統がある、ことが注目される。

この継体天皇の御世は国際的に厳しい時代で、朝鮮半島南部には百済国と新羅国があり、日本国は百済国と同盟を結び、百済の一部・任那（みまな）に出先機関を置いていたが、その百済から、新羅が攻め込んできたので援軍を出してほしいとの要請に応え、日本から数万の兵を送るが、日本軍の中から新羅に通ずる部族が出て、結局、朝鮮から撤兵するなど、多難な時代であった。

そうした事情もあってか、継体天皇は、大和の国（奈良）に入られず、前述の河内国から、今の京都府乙訓郡、さらには今の奈良県桜井市など数カ所に皇居（都）を移されて、即位十九年後の西暦五二六年に、初めて大和国（奈良）に皇居を置かれている。

なお、継体天皇は、皇子のお一人、勾大兄を皇太子とされ、この方に生前に皇位を譲られ（記録上、最初の譲位例）、この方が第二十七代安閑天皇であるが、西暦五三一年、事情は不明だが、継体天皇と安閑天皇がともに逝去されたとされ、そして、第二十八代宣化天皇を経て、のちに、継体天皇を父とし、手白香（たしらかのひめみこ）皇后を母とする皇子があとを継がれ、この方が第二十九代欽明天皇となられている。

なお、この欽明天皇の皇子である推古天皇、敏達天皇、用明天皇、崇峻天皇の四方が天皇家を継承されている。

(5)

こうした歴史をみると、天皇家は、古代から男系承継であることが分かるので、こうした伝統を守るとすれば、現在の御皇族の中で、令和の御世の天皇陛下の御承継者は、御弟の秋篠宮殿下、そしてその皇子の悠仁親王、そして常陸宮殿下のお三方だけなので、皇位継承について、国民が心配しているわけである。

昭和天皇の御弟君三笠宮家には三人の親王がおられたが、お三方とも薨去（こうきょ）されているので、なおのこと国民は心配する。そこで、日本を占領・統治したマッカーサー元帥によって民籍降下させられた旧皇族の復帰論が浮上している。

しかし、その全皇族の復帰は、七十年以上も経っているし、人数も大勢なために、その中から、男性がおられる宮家が考えられている。例えば東久邇宮家である。東久邇宮は、明治時代後期に久邇宮朝彦親王の第九子の稔彦王が創立した宮家で、終戦処理内閣として、稔彦王が内閣総理大臣を務めておられる。そして、その稔彦王の子孫に数名の男子がおられることから、皇族復帰の声が挙がっている。

また、皇室会議の結果、女性天皇ということであれば、天皇陛下の御息女愛子内親王が後継者である。その場合、夫君となる方をどうするかが課題で、五世代まで遡るのは遠いので、できるだけ近い旧皇族から、お願いすることが、妥当ではないかと思う。

○問題点の三　ここに、元号について、明記しておきたい

⑴　「元号」とは、アジア特有の歴史的年号であり、日本では、西暦六四五年に孝徳天皇の元年に「大化」と号したのが最初とされ、社会的な出来事があるごとに改められることがあったが、明治元年に、一世一元とされ、その後、旧皇室典範で、元号は天皇の即位の始めに定める、と規定されていたが、この旧皇室典範の規定は、現行憲法施行とともに廃止されていた。しかし、昭和五十年頃から、「元号」法制化の運動が起こり、昭和五十四年に、法律四三号として「元号法」が制定され、元号は、皇位の継承があった場合に限り改めることが、規定されている。

⑵　私は、元号は、西暦六四五年から始まった日本の歴史的記録であるので、法律だけでなく、やはり憲法に明記すべきであると考え、この条項に掲げることにした。

そこで、私は、現行憲法第二条は、当面は、次のように改めたい。

清原淳平の改正案

第二条〔皇位の継承〕

①　皇位は、世襲のものとし、皇室自律に基づく皇室典範の序列に従い、皇統に属する皇族が、継承する。

②　皇位の継承に際しては、元号を定める。

第三条〔天皇の国事行為に対する内閣の助言と承認〕の解説・問題点

現憲法の条文

第三条〔天皇の国事行為に対する内閣の助言と承認〕

天皇の国事に関するすべての行為には、内閣の助言と承認を必要とし、内閣が、その責任を負う。

○問題点 「内閣の助言と承認を必要とし」から、承認を除去したい

(1) 日本占領軍の連合国軍総司令部（ＧＨＱ）起案のこの条項で、天皇の国事に関するすべての行為には、内閣の助言ばかりではなく、承認も必要と規定したのはなぜか。それは、明治憲法下では、天皇は、法律と同等な勅令（天皇の命令）を発することができた（明治憲法第八条～九条など）。ＧＨＱとしては、そのため、天皇が戦争を遂行するのに関与したととったようで、この規定を置いたと考えられる。

しかし、現行憲法では、天皇の行為はかなり制限されており、もはや勅令を出すこともできないのだから、内閣の助言を受けた上で、さらに承認まで必要とするのは、行き過ぎであり、失礼でもある。前述したように、この規定も、天皇に対する占領軍の懲罰的規定といえるので、「内閣の助言」にとどめ、「内閣の承認」は削除すべきである。

(2) また、「助言」と「承認」とあると、助言はあったが、承認はない、として提訴するなど面倒な問題が起こる。いや、現実にいわゆる「苫米地訴訟」が起きている。それは、昭和二十一年の総選挙で初当選した苫米地義三という議員（進歩党～民主党幹事長）がいて、吉田茂総理が、昭和二十七年八月二十八日に国会解散したのに対して、天皇の助言は得ているが、承認は得ていないと主張して、その解散無効の提訴をした。

ところが、提訴を受けた東京地裁はこれを認めて勝訴としたため、大きな問題となった。しかし、上告を受けた東京高裁は逆に敗訴とし、最高裁に持ち込まれたが、最高裁は結局「高度に政治的な国家行為は、裁判所の審査権外として上告を棄却した」という事件である。そういうこともあるので、私は、第七条〔天皇の国事行為〕（三号に、衆議院の解散もある）について、内閣の助言があればそれでよく、内閣の承認までは必要ない、としたい。

(3) なお、天皇が病気などで、摂政がおられる場合にどうするかの問題があるので、この条項に、そうした場合に、摂政への国事行為の委任を認める規定を置いておきたい。

また、現行第三条が、課題を一条に詰め込んでいるので、四項目に整理したい。

したがって、第三条は、次のように改正する。

清原淳平の改正案

第三条〔天皇の国事行為についての原則〕

① 天皇は、憲法の定める国事に関する行為を行う。

② 天皇は、国事に関する行為を行うにあたって、内閣の助言を受ける。
③ 天皇の国事に関する行為については、内閣が責任を負う。
④ 天皇は、皇室典範の定めるところにより、国事に関する行為を世嗣の資格を有する皇族に、委任することができる。

第四条〔天皇の権能の限界、天皇の国事行為の委任〕の解説・問題点

現憲法の条文

第四条〔天皇の権能の限界、天皇の国事行為の委任〕
① 天皇は、この憲法の定める国事に関する行為のみを行い、国政に関する権能を有しない。
② 天皇は、法律の定めるところにより、その国事に関する行為を委任することができる。

○問題点の一　①項は、不都合があるので削除し、また、②項は、前条に移したい

まず、①項であるが、「この憲法に定める国事に関する行為のみ行い」の「のみ行い」に問題がある。

この規定があると、それは、三条あとにある現行憲法第七条に掲げてある十項目の行為しか行えないことになる。それでは、現実に反するからである。

けだし、例えば、天皇はじめ皇室は、あの東北大震災をはじめ、日本各地で大きな自然災害があると、その住民たちをお見舞いに行かれる。また、戦争中に国の内外で亡くなられた方々の慰霊にお出掛けになる。毎年八月十五日に武道館で開催される戦没者慰霊祭に御参拝になる。

また、いまでは、天皇の三大地方行幸啓である、「全国植樹祭」、「国民体育大会」、「全国豊かな海づくり大会」も具体的に第七条の天皇の国事行為十項目には書いてないのだから、それらを、現行憲法上、天皇の国事行為といえないから、天皇の私費で出せ、ということになりかねない。

私は、この第四条の①項も、占領下に連合国軍総司令部（GHQ）によって起案された現行憲法での、天皇・皇室に対する懲罰的規定であり、独立主権国家となった以上、廃止されてよい規定、と考えている。

○問題点の二　国事と国政どう違うのか。「国政に関する権能を有しない」を削除する

①項の後段にある、天皇は、国事に関する行為のみを行い、「国政に関する権能を有しない」としている規定も問題である。一体、「国事」と「国政」と、どう異なるとい

うのか、区別ができるのか？むしろ、国事は、国政の一環といってよいのではないか、「国政に関する権能を有しない。」とまで、書く必要はないと思う。これも、占領軍による、天皇に対する懲罰的規定といえるので、削除すべきである。

▽　そこで、この第四条は、①項を削除し、②項は第三条④項へと、移行したい。

第五条〔摂政〕の解説・問題点

現憲法の条文

第五条〔摂政〕
皇室典範の定めるところにより摂政を置くときは、摂政は、天皇の名でその国事に関する行為を行う。この場合には、前条第一項の規定を準用する。

○問題点　摂政については、その就任資格を憲法上にはっきりと明記すべきである

(1)　現行の条文だけだと、過去の歴史で、とんでもない人物が、強権を発動して御皇室に自分の娘を入れたり、女帝の場合に自分が婿入りして、天皇の権威を簒奪（さんだつ）しようとしたケースもあったので、ここは、皇室典範ばかりではなく、憲法の文中にも、摂政者は、「資格を有する世嗣」と入れて置きたい。そうでないと、天皇家と血統がない者が入り込むおそれがある。

(2)　なお、この現行条項には、何よりも、どういう場合に、摂政を設けるかが、書いていないので、まずは、それを入れる必要がある。現行第五条は、次のように、改めたい。

清原淳平の改正案

第五条〔摂政〕
①　天皇が、成年に達しない場合、もしくは、外国訪問、疾病により執務がむずかしい場合は、資格を有する世嗣をもって、摂政とする。
②　摂政は、天皇の名において、国事に関する行為を行う。
③　摂政による国事行為は、前条の規定を準用する。

第六条〔天皇の任命権〕の解説・問題点

現憲法の条文

第六条〔天皇の任命権〕
①　天皇は、国会の指名に基いて、内閣総理大臣を任命する。
②　天皇は、内閣の指名に基いて、最高裁判所の長たる裁判官を任命する。

○問題点　②項の最高裁判所長官への任命は、内閣ではなく、国会とすべきである

(1)　①項の、内閣総理大臣の場合は、これで良い。しかし、最高裁判所の長官については異論がある。というのは、「内閣の指名に基づいて」とすると、最高裁判所が、内閣の下にあると思われてしまう可能性が高いので、西欧における立法・行政・裁判所の三権を分立させてバランスをとる基本原則からも、むしろ、「国会の指名」にした方が、まだ良いのではないか、と考える。

(2)　例えば、アメリカの場合を見ると、最高裁判所裁判官の任命は、議会（国会）の指名にしているので、ここは、アメリカにならって、最高裁判所の長たる裁判官については、行政執行者である内閣総理大臣と、裁判執行者である最高裁判所長官とは、同じ執行者として近い関係にあるので、むしろ、立法府たる国会の指名とした方が良い、と考える。

(3)　なお、当「自主憲法」では、後述するように、最高裁判所に加えて、「憲法裁判所」を置くので、その長たる裁判官についても、国会の指名に基いて、としたい。

以上の場合、最高裁判所の一般裁判官や、憲法裁判所の一般裁判官については、三権分立原則から、それぞれ最高裁判所の長官、憲法裁判所の長官が任命して良いと考えている。したがって、現行第六条は、次のように改めたい。

清原淳平の改正案

第六条〔天皇の任命権〕
①　天皇は、国会の指名に基づいて、内閣総理大臣を任命する。
②　天皇は、国会の指名に基づいて、最高裁判所の長たる裁判官を任命する。
③　天皇は、国会の指名に基づいて、憲法裁判所の長たる裁判官を任命する。

第七条〔天皇の国事行為〕の解説・問題点

現憲法の条文

第七条〔天皇の国事行為〕
天皇は、内閣の助言と承認により、国民のために、左の国事に関する行為を行う。
一　憲法改正、法律、政令及び条約を公布すること。
二　国会を召集すること。
三　衆議院を解散すること。
四　国会議員の総選挙の施行を公示すること。

五　国務大臣及び法律の定めるその他の官吏の任免並びに全権委任状及び大使及び公使の信任状を認証すること。
六　大赦、特赦、減刑、刑の執行の免除及び復権を認証すること。
七　栄典を授与すること。
八　批准書及び法律の定めるその他の外交文書を認証すること。
九　外国の大使及び公使を接受すること。
十　儀式を行うこと。

○問題点の一　冒頭「天皇は、内閣の助言と承認により、」の中の「承認」を削除

前述した現行憲法第三条〔天皇の国事行為に対する内閣の助言と承認〕のところで論証したのと同じ理由によって、「承認」を除去し、「内閣の助言により、」だけとするか、または、それは、すでに第三条で記してあるので、「内閣の助言により、」も外し、「天皇は、次に定める国事に関する行為を行う。」だけで良い。

○問題点の二　天皇の国事行為として並んでいる十の項目を見て、改正すべき号を上げる

(1)　まず、その四号に、「国会議員の総選挙の施行を公示することと。」とあるが、この規定は、この憲法を創ったときのケアレスミスと言ってよい。けだし、現実に、「国会議員の総選挙」というものはないからだ。現行憲法の第五十四条に、「衆議院が解散されたときは、解散の日から四十日以内に、衆議院議員の総選挙を行い、」と明記しているからである。

したがって、ここは、もし、「総選挙」という言葉を活かしたいならば、「国会議員の」という言葉を廃止して、「衆議院議員の」に変えなければならない。

また逆に、「国会議員」という主語を活かしたいならば、「国会議員について、衆議院議員の総選挙と参議院議員の通常選挙の施行を公示すること。」とするか、そのどちらにするかであるが、現実には、天皇は「参議院議員の通常選挙の施行も公示し」ておられるので、衆議院議員の総選挙だけ明記し、参議院議員の通常選挙を明示しないのは、法文として片手落ちと言えるので、私は、この四号を改正して、

「四　衆議院議員の総選挙と参議院議員の通常選挙の施行を公示すること。」

と改めたい。

(2)　次に、五号にある「五　国務大臣及び法律の定めるその他の官吏の任免並びに全権委任状及び大使及び公使の信任状を認証すること。」も、大きな矛盾があり、改正

すべきである。

　その理由は、すでに第三条「国事行為」の箇所の解説で述べたように、明治憲法下での天皇は元首として①「統治権を総攬し」②「軍隊を統帥し」③「国家を代表する」の三権を有したが、現行日本国憲法の「象徴」制のもとにおいては、その三権のうち①②の二権は有しておらず、いまでは「象徴君主制」のもと、③の対外的に国家を代表する「対外代表権」と、国内において（権力ではなくて）権威を示す、「国内的権威権」とでも言うべき権限を有しておられる。

　こうした見地からすると、現行第七条中の「五号」は、前半が国内事項であり、後半が「対外代表権」に属することで、一の号の中に性質の違うものを書いているので、これは、号を二つに分けて、別々に表記すべきである。

(3)　なお、同じ五号の中に「官吏の任免」とあるが、「官吏」という言葉は、明治憲法下において、「国家の公務に従事する者のうち、天皇の任官大権に基づいて任命される地位の者」を言った言葉である。

　しかし、この現行憲法を起案した連合国軍総司令部（GHQ）の職員は、これに気がつかずに、明治憲法時代の用語「官吏」をそのまま使用したものと思われる。

　これも、時代に合わない用語であるので、いまの現行憲法の下では、「法律の定めるその他の公務員」と、「官吏」を「公務員」に変更した方が良いだろう。なお、現行憲法上、天皇には、前条にあるように、内閣総理大臣の任命権や、最高裁判所長官の任命権などがある。

(4)　次に、六号として、「大赦、特赦、減刑、刑の執行の免除及び復権を認証すること。」とあるが、その方面の専門家は別として、一般国民は、ここに列記するものがどういう内容を有するのか分からないと思われるので、解説しておく。これらは、恩赦法の中に、恩赦の種類として列記されているものである。

　まず、「恩赦」とは、明治憲法下で、おめでたい国家行事や皇室行事がある場合に、天皇からの恩恵として行われたもので、「公訴権を消滅させ、または刑罰権の全部もしくは一部を消滅させる行政措置であり、内閣が決定し、天皇が認証する。」

　そうなると「公訴権」とは何よ、ということになる。

　そこで、説明しておくと、「公訴とは、刑事訴訟法第二四七条の規定により、犯罪を犯したとされる者について、裁判を提起できるのは検察官に限るとされ、それは、検察官が裁判所に起訴状を提出することによって行われる。」

　そして、その「公訴権」の行使を、裁判所にしないで、内閣が実質決めるが、それを公に証明するのが「天皇の認証」である。

(5) 以下に、「大赦、特赦、減刑、刑の執行の免除及び復権」の個々について、簡単に説明しておくと、「大赦」とは、政令で罪の種類を定めて、有罪の言い渡しを受けた者には、その言い渡しの効力を失わせ、まだ刑の言い渡し前の者に対しては公訴権を失わせる、ことをいう。

「特赦」とは、有罪の言い渡しを受けた特定の者に対して、その有罪の言い渡しの効力を失わせることをいう。

「刑の執行の免除」とは、すでに有罪の判決が出ている者について、その執行をしないこと、をいう。

「復権」とは、有罪の判決を受けたため、法令で定めるところにより、資格を喪失または停止されている者に対して、その資格を回復せしめる、ことをいう。

以上の「恩赦」は、明治憲法下で、天皇・皇室に対する不敬罪を行った者に対して、それを許す趣旨で行われることが多かったが、その「不敬罪」が廃止されているいま、その意義は余り大きくない。

現行の「恩赦法」の下では、これらの実際は、関係法令に基づき、国会や内閣が決め、天皇の認証は、そうした刑罰の免除などが、正当な手続によってなされたことを確認・証明する、権威的行為である。

すなわち、この第七条の中にある十の号の内容は、そのほとんどは、内閣などの執行機関が実質的に決めたものを、天皇が国事行為として確認・証明する「権威づけ」として行われるわけである。これは、国際的に見ても、国家なる組織は、対外的および国内的に、常に「権威づけ」をする機関が必要であり、天皇のこの「国事行為」は、やはり、重要な国家行為というべきである。

(6) 次に、「十 儀式を行うこと。」について、検討する。

この「儀式」については、皇室典範に定めがある「即位の礼」および「大葬の礼」が含まれることは、学問上異論のないところだが、例えば、「天皇の成年式」「皇太子の成年式」「立太子の礼」「天皇の結婚式」については、含まれるとする説と含まれないとする説がある。

私は、含まれると解している。けだし、これらはすべて、国家を代表し、国内の権威の象徴たる天皇の地位への前提となるものだからである。

含まないとする説の根拠の中には、憲法第二十条〔信教の自由、政教の分離〕を挙げるものが多い。すなわち、そこには、①項として、「信教の自由は、何人に対してもこれを保障する。いかなる宗教団体も、国から特権を受け、又は政治上の権力を行使してはならない。」また「③国及びその機関は、宗教教育その他いかなる宗教活動もしてはならない。」とあることを、根拠としているようである。

(7) しかし、私は、ヨーロッパの王室の例を見ると、政教分離を謳（うた）っていても、その王室の「即位の礼」「大葬の礼」をはじめ、各種の儀式においても、キリスト教の大司祭が議事をすすめ、国王は聖書に手を置いて宣誓するなどの行為が当たり前のこととなっており、アメリカの大統領も聖書に手を置いて宣誓しているし、イスラム諸国の憲法はまさに宗教そのものであることに鑑みると、どこの国も、儀式に当たっては、宗教的要素が入ってくるのは、やむえないことであると思う。

天皇家は、古代から神道という宗教を持っており、また、敗戦までは、神道も国家神道であったが、現行憲法下では、アメリカ占領軍によって、神道は「一般の宗教」とされて今では定着している。

また、私は、皇室の御神事のことはよく分からないにせよ、昭和天皇が崩御されて、新天皇が即位された当時の儀式をテレビにて拝見した当時から、それは、どうも、神道といっても、古代からの伝統に則ったものであり、現代の神道を越えた「古式の極致」ともいえる内容があるように思われたので、そこで私は、儀式にはいずれ国でも、宗教的な要素が入ることから、皇室の儀式について、政教分離(第二十条)を適用し皇室の私費で支出せよ、というのではなく、国家予算から支出して良いと、考えていた。

(8) そこで、今回、令和元年十月二十二日、天皇陛下の「即位正殿の儀」について、特に注意してテレビ中継を拝見していた。そして、その意を、さらに強くした。

また、私は、昭和五十四年秋から、改憲も視野に入れる「憲法学会」に入会し、以来今日まで、春と秋の「憲法学会」に出席してきているが、令和元年十月十九日の秋の学会で、若手学者の高乗智之松蔭大学准教授が、『皇位継承に係わる儀式をめぐる憲法問題』と題して発表があった。

その冒頭で、宮内庁資料として、皇位継承に係わる儀式が時系列で列記されていたが、その儀式の数は実に三十ほどもあるが、その中の六儀式だけが国事行為とされ、その他はすべて、国事行為ではなく、皇室行事としてその費用は皇室費で出す、とされていた。

その振り分けの根拠は、（これは、平成の即位式の時も痛感していたことだが）昭和二十一年十二月の第九十一回帝国議会衆議院での、金森徳次郎担当国務大臣の答弁であり、これが歴代の政府答弁に踏襲されている。しかし、私としては、この時期は、占領軍によって起案された「日本国憲法」が公布されたが施行前のもので、占領下日本政府も、占領軍に気兼ねし忖度しての答弁なので、もはや改めるべきであると考える。

大体、占領下で連合国軍総司令部（ＧＨＱ）によって起案された現行憲法は、前述したように、天皇に対する懲罰的要素が入っているので、私個人としては、皇室の神事的儀式について、先進諸外国同様、政教分離を適用すべきではなく、また、天皇家は、古来、国家に災害がないように、国民が幸せであるように、と祈ってこられているのだから、皇室の古代神道に基づく、神道の極致で執り行われる儀式については、すべて国事であり、国費を持って支出して良い、と考えている。

○問題点の三　第七条中の十号の配列がおかしいので、その順序を改めるべきである

(1)　先進諸外国の憲法に比べ、第七条中の十号の配列がおかしいと思うので、その順序を一新したい。

それはなぜか？　すでに述べたように、国事行為については、独立主権国家として、外国に対して、誰が国家を代表しているのか、を示すことが最も重要である。

そして、もう一つ、国内の重要な諸事項に対して、誰がそれを最終的に確認し、権威づけるのか、それが、外国の象徴君主制においても、次に重要なことである。

(2)　ところが、この第七条に並んでいる十項目を見ると、その最も重要であるべき「対外代表権」がうしろの方に並んでいて、本来、当然のことである「国内権威権」というべき規定が前の方に並んでいる。

これは、どうしてか、考えたとき、これを案文した占領軍である連合国軍総司令部の起案委員会メンバーとしては、占領下の日本には主権がなく、すべては自分たち占領軍が統治している。

つまり、占領下の日本には、外交権、つまり、外国に大使、公使、領事を派遣する主権もなく、また、外国から大使、公使、領事を迎える主権もない。それはすべて、われわれ占領軍のトップであるマッカーサー元帥がすることであるから、主権もない占領下の天皇が国際的に持っていない国家代表権などの権利を、上の方に書く必要もない。

被占領下の天皇は、まずは、せいぜい被占領下日本で許される範囲内で、国内的権威を示していればよい。あとは、日本が講和条約に結んで独立主権国家を回復した段階で、憲法を改正すれば良い。まずは、いまは、自分たち占領軍に都合が良い「占領下基本法」を創ることだ、と考えてのことであろう。

清原淳平の改正案

第七条〔天皇の認証行為〕　天皇は、象徴として、次に定める認証に関する行為を行う。

一　外国の大使および公使ならびに領事を接受し、信任状を受領すること。

二　内閣の指名と国会の承認に基づいて、全権委任状ならびに大使および公使の信任状に親署し、これを授与すること。
三　批准書および法律の定めるその他の外交文書を認証し、条約を公布すること。
四　憲法改正、法律・政令を公布すること。
五　国会を召集すること。
六　衆議院議員の総選挙と参議院議員の通常選挙の施行を公示すること。
七　衆議院の解散を公示すること。
八　国務大臣および法律の定めるその他の公務員の任免を認証すること。
九　栄典を授与すること。
十　大赦、特赦、減刑、刑の執行の免除および復権を認証すること。
十一　儀式を行うこと。

※　十号の恩赦に関する認証行為は、現在行われていない。

第七条の二〈要新設――天皇の準国事行為〉の解説

○その理由　第七条中の十一項目の国事行為の外に、天皇に、準国事行為を認めるべし

(1)　日本占領下に、マッカーサー元帥の命令で、その占領行政を執行する連合国軍総司令部（ＧＨＱ）職員による日本国憲法起案委員会は、天皇の国事行為を第七条中の十項目に絞っている。それは、前に何度も述べたように、当時、主要連合国政府により指名された占領下の日本を統治するための「極東委員会」が構成され、彼らは、天皇の戦争責任を追求し、天皇制廃止を主張していた。

しかし、日本軍と真っ正面から戦ったマッカーサー元帥は、日本は自分が統治するのが当然として、「極東委員会」の介入を婉曲に断り続けた。それには、マッカーサー元帥としては、もし、天皇を処刑し天皇制を廃止すれば、日本人は女性や子どもまで立ち上がり、自分の日本統治の成功はおぼつかないと考え、天皇制を残し、日本の国会や内閣や裁判所までも残した上で、その上に立つ「間接統治」を良策としたからであろう。

そこで、マッカーサー元帥は、前記「極東委員会」の要求もあり、天皇制を残す代わりに、天皇に対する懲罰的規定を数々設けた。この第七条もその一環である。

(2)　したがって、この天皇制に対する制約は、独立主権国家になったというならば、見直すべきである。当時、被占領下で天皇や皇族が海外に行かれることなど考えられなかったが、ともかく独立を回復してからは、天皇は、諸外国の王室との交際も始まり、外国のトップの就任式

やローマ法王の来日への答礼も考える必要がある。天皇はともかくとして、皇太子なり、皇族の出席は国際儀礼上必要なことである。そうした時に、国事行為に明記されていないから、行ってはならないとか、もし行かれるならば私費で、というのはあまりにも不合理である。

(3) また、国内行事についても、第七条中の十項目に限るとするのは余りにも不合理である。例えば、昭和二十六年のサンフランシスコ講和条約の発効によって、翌年の四月二十八日に、日本はともかく独立を認められてから、天皇・皇后の国内への行事への行幸啓は広がって行く。

それは、「全国戦没者追悼式」「日本学士院授賞式」「日本芸術院授賞式」への行幸啓であり、また、三大地方行幸啓としては、「全国植樹祭」「国民体育大会」「全国豊かな海づくり大会」である。こうした行事への天皇・皇后の行幸啓を、憲法第七条に記載されていないから、違憲だとする学者もいるが、私は、前述してきたように「象徴たる地位の国内的権威づけ」として、当然のことであると考えている。

(4) そのほか、天皇・皇室は、戦時中に外地で亡くなられた軍人・軍属・民間人を悼んで慰霊にお出かけになる。国内に大きな自然災害があると、国民を見舞い労り励ましに、各被災地にお出かけになる。こうしたことも、学者の中には、公費で行幸啓されるのは違憲で、出掛けられるなら私費で、といった意見がある。しかし、私は、外国の専制君主は、国民と対立関係にあったが、日本の天皇は、古代から常に国民の幸せを願って来られたので、天皇・皇室としては、当然の御行動であり、公で行かれて何ら差し支えないと考える。

(5) 天皇は、時に大相撲をご覧に行かれるが、これについては、皇室も私費で行かれているようだが、「国技」である大相撲観戦は、国民とともに楽しむということであり、国民とのなごやかな交流の場であるから、私は、大相撲観戦も公費で行かれて差し支えない、と考えている。

そこで、私は、天皇の章の中に、次のような「天皇の準国事行為」なる規定を、新設することとしたい。

清原淳平の新設案

第七条の二〔天皇の準国事行為〕

前条に規定する国事行為の他、天皇が、象徴として、対外的に日本国を代表し、ならびに、日本国の伝統・文化・学問・芸術の振興、および、戦時中の慰霊、その他、国内災害などの慰霊・慰労のための行動ならびに集会への参加については、国事行為に準ずるものとする。

なお、ここでは、〔天皇の準国事行為〕を第七条の二、としたが、現行憲法の天皇の章の第四条〔天皇の権能の限界、天皇の国事行為の委任〕は、その箇所で解説したように、整理して廃止としたので、その後の条を順送りにすれば、ここで、〔天皇の準国事行為〕の条を新設しても、これを、第七条とすれば良く、したがって、「天皇の章」にある八カ条という数は変わらない、ことになる。

第八条〔皇室の財産授受〕の解説・問題点

> 現憲法の条文
> 第八条〔皇室の財産授受〕
> 皇室に財産を譲り渡し、又は皇室が、財産を譲り受け、若しくは賜与することは、国会の議決に基かなければならない。

○問題点の一　まず、「財産」が意味する内容の検討が必要である

(1)「財産」とは、一般の辞書では「個人または集団の所有する経済的価値あるものの総称」とある。また、法学辞典などでも「広く有形・無形の金銭的価値を有するものの総称」とあり、その物が、経済的価値があるのか、金銭的価値を有するのか、それは個々人の認識に差異があり、客観的判断が難しい言葉である。つまり、「財産の価値」については、個々人の主観的な価値判断があっても、客観的価値判断ができないので、本条においても、難しい問題が生じている。

(2) 天皇・皇族が、大震災・大津波、大水害・土石流の被災地の慰労に廻られても、一般に被災者から小さな花束を受け取られるのは、テレビや新聞写真でご覧のことと思う。

その程度ならば、世間一般も「財産」とは見られず、この第八条に抵触することはない、からである。

ところが、天皇・皇后の三大地方行幸啓、「植樹祭」や「国民体育大会」や「豊かな海づくり大会」では、その地方の住民としては感激して、その土地の名産品、例えば、立派な盆栽などを献上したいと申し出るが、随行する宮内庁職員などは、それをお断りするのが通常である。それは、この第八条にいう「財産」と見なされて、国会の議決を経なければならないからである。

そこで、天皇・皇后、皇族は、災害地へ見舞いに行幸啓される場合でも、被災者の目線に合わせ、跪（ひざまず）かれてお見舞いのお言葉を述べられたり、参集する国民に気を使われて常に手を振ったりされ、受け取るものは小さな花束程度ということになる。

天皇・皇后、皇族は、実に涙ぐましい努力をなされておられる。

○問題点の二　「皇室の財産授受には、必ず国会の議決を経てからでなければならない」とする厳しい第八条の規定が設けられたのは、なぜか？　その背景

(1)　それは、他の箇所の解説でも述べたように、日本を占領・統治したマッカーサー元帥としては、実際に日本人と戦ってみて、日本人がいかに天皇を尊敬しているかを熟知していたので、自分の日本統治を成功させるためには、もし、天皇制を廃止すれば、日本人は女性・子どもまで立ち上がるだろうと考え、天皇制を残し、占領下で日本の国会・内閣・裁判所をも認めて、その上に立っての間接統治こそ、自分の日本統治を成功させることができる、と考えていた。

(2)　しかし、日本を打倒した主要連合国政府は、日本統治のための委員を指名して、「極東委員会」を形成し、マッカーサー元帥に対して、統治への参加を求めたが、マッカーサー元帥は、実際に戦って勝利した自分こそが、日本を統治するのがふさわしいとして、「極東委員会」の政治参加を婉曲に断り続けてきた。

しかし、この「極東委員会」は、天皇制廃止をはっきりと明言していた。天皇制存続を唯一の希望として降伏した日本側も、これを認めてくれたマッカーサー元帥の占領政策に積極的に協力する姿勢を示していた。

そうした中でも、「極東委員会」の天皇制廃止要望は強いので、マッカーサー元帥としても、天皇制を存続させる一方、「極東委員会」への配慮もあり、天皇制を極力制約する方針を採った。例えば、皇族を直系皇族に限り他の皇族は臣籍降下させ、天皇家の資産の多くを接収し、あるいは日本政府へ移管した。

この第八条〔皇室財産の授受はすべて国会の議決が必要〕としたのも、その懲罰的措置の一環である、ことを理解してほしい。

○問題点の三　日本独立後にこの規程に困った吉田茂内閣の憲法違反による窮余の一策

(1)　ところが、この第八条の規定は、昭和二十七年四月二十八日、日本の独立が認められてから、日本政府も大いに困った。なぜなら、被占領下の日本は、主権もなく外交権もなく、外国にあった日本の大使館・公使館・領事館は閉鎖され、また、被占領下の日本へ来る外国の大使・公使・領事もなかったから、それでもよかった。

しかるに、昭和二十七年、日本の独立が認められると、日本から諸外国へ大使・公使・領事を派遣しなければならず、また、諸外国から大使・公使・領事が来られて、天皇陛下へ信任状を奉呈される儀式がある（前記憲法第七条参照）。その時、外国から来られる大使・公使・領事は、国際儀礼として、その国の高価な芸術品等を献上されるので、天皇陛下からも相応の返礼品を差し上げなければならない。
その際、この第八条〔皇室財産の授受には、国会の議決を必要とする〕があると、たくさんの国との交流が進めば進むほど、いちいちそうした手続を経ることは、ほとんど不可能と言ってよい状態となった。

(2) そこで、当時の吉田茂内閣では、主要幹部が集まって検討したという。検討の結果、これは、憲法第八条を改正するのが正当だが、当時は与野党伯仲時代で、とても憲法第九十六条の「衆参各議院の総議員の三分の二以上の賛成で、」憲法改正を発議できる情況にはない。しかし、なんとか、この規定をかえる法をつくらないと、違憲と批判される。

そこで、当時の幹部は、一計を案じ、野党議員には、法制度を勉強している人が少ないことから、憲法より下の「皇室経済法」に第八条と同じ規定があったその規定を、改正する措置をとることで、打開の道を開くことに成功した。

これは、法制度の理論を勉強していれば、「上位法・下位法の原則」という法理論があって、憲法より下の「皇室経済法」の改正によって、法より上の「憲法の条文」を変えることは本来できないのだが、野党議員が、この「上位法・下位法の原則」という法のルールを勉強していないことを奇貨として、その「皇室経済法第一条を削除し、第二条を置く」という法改正をして、国会議員の過半数の賛成を得て、法律を制定することに成功した、ということである。その皇室経済法第二条は次のとおり。

改正された皇室経済法の規定

皇室経済法

第一条　削除（現行憲法第八条と同じ規定があったが、それを削除して）

第二条〔国会の個別的議決不要の財産授受〕（新設）
左の各号の一に該当する場合においては、その度ごとに国会の議決を経なくても、皇室の財産を譲り渡し、若しくは賜与することができる。
一　相当な対価による売買等通常の私的経済行為に係る場合
二　外国交際のための儀礼上の贈答に係る場合
三　公共のためにする遺贈又は遺産の賜与に係る場合
四　前各号に掲げる場合を除く外、毎年四月一日から翌年三月三十一日までの期間内に、皇室がなす賜与又は譲受に係る財産の価値が、別に法律で定める一定の価格に達するまでに至る場合

第三条〔皇室費用の種類〕
予算に計上する皇室の費用は、これを内廷費、

宮廷費及び皇族費とする。

○問題点の四　「上位法・下位法の原則」は、法体系における重要な法則である

(1)　国民の皆さんの中には、憲法第八条がおかしくても、「皇室経済法」の改正で対処したのだから、それで良いではないか、と言われる方がいるかもしれない。

しかし、皆さん、条文は活字になっていればすべて良いとは思わないでいただきたい。法制度には「上位法・下位法の原則」があり、これを守らないと法秩序がめちゃくちゃになってしまう。

いま、日本が批准した国際法を脇において、国内法だけで見ると、法制度には、上位と下位という段階が決められている。すなわち、国の基本法である「憲法」が上位にあり、その下に国会がつくる「法律」があり、その下に政府がつくる「政令」があり、その下に都道府県など地方自治体がつくる「条例」がある、という仕組みなのである。

つまり、それは、下位の法は、上位の法に逆らえない。逆にいえば、上位の法の許す範囲内でしか、下位の法はつくれない、という原則である。もしこれに逆らえば、下位の法で、上位の憲法に書かれている事でも、いくらでも変えられることになり、法秩序・法制度は崩壊する。

したがって、憲法第八条〔皇室財産の授受に国会の議決が必要〕とする規定があるのに、これを否定することを書いた「皇室経済法」は、まさに、この「上位法・下位法の原則」に違反しており、全く許されないことをしているわけである。

(2)　したがって、本来、憲法第八条の規定は、すでに有名無実となっているので、これを、憲法改正の手続を踏んで、削除すべきである。

しかも、天皇はじめ御皇室は、その「皇室経済法」の方ではなく、憲法第八条の規定の方をご覧になって、御自身を律しておられるようにお見受けするので、その点からも、この第八条の規定は削除すべきである。

そして、その削除した第八条に代えて、「皇室経済法」に書いてある文言を、そのまま、現行憲法第八条へ移すという方法を採るべきであろう。

以上に述べた諸問題点から、現行第八条を、次のように書き改めたい。

清原淳平の改正案

第八条〔皇室の財産〕

①　日本国の象徴としての天皇の地位に伴って必要な皇居、継承者たる皇太子はじめ皇族のための赤坂御所、さらに、京都御所はじめ各地の御用邸・御用地の土地建物は国庫に属する。

②陵墓その他、皇室に関わる歴史的由緒ある不動産ないし動産も国庫に属する。
③外国交際のための儀礼上の贈呈ないし受贈についても、国費にて行う。
④右の管理責任者は宮内庁長官とする。
⑤皇居、東宮御所、御用邸など公務に伴う資産は相続税ほか税の対象外とする。
⑥国は、皇室に関わる費用を予算に計上し、国会の議決を経なければならない。
⑦その他、皇室財産に関しては、皇室典範ないし皇室経済法の規定による。
⑧天皇皇后および皇族は、右のほか、私的立場の所有を妨げられない。

▽以下、〔補足事項〕ここで、参考として、皇室財産について説明をしておきたい。

○補足事項　明治憲法時代の皇室財産は、どうだったか？

(1)明治維新までは、徳川家は膨大な財産を所有し、その下にいる大名・旗本たちも版籍（土地と住民）を有していたが、それらは大政奉還に伴って「版籍奉還」（天皇にお返しする）が行われた。しかし、そのすべてが皇室に入ったわけではなく、国有財産として、大蔵卿（いまの財務大臣に当たる）の管掌下に置かれた。

明治二十二年に「大日本帝国憲法」が公布され、国会が開設されると、伊藤博文はじめ元勲たちは、皇室財産を国有財産とすると、その支出にあたり、国家予算として国会の承認が必要となることに気付いて、天皇・皇族の品位を保つためには、当時のヨーロッパの君主国家と同様、宮中の予算は、国家予算とは別建てとした。

その後、明治四十三年、維新の元勲・伊藤博文ほかにより「皇室財産令」が制定され、皇室財産については、国会の承認を必要としないことになった。

(2)敗戦までの皇室は、こうした資産をもって、功績のあった者、あるいは災害時などに、宮内大臣に命じて、金品を下賜されることができた。

例えば、明治天皇は、明治四十四年二月十一日、時の桂太郎内閣総理大臣を召し、「医療を受けられないで困っている人たちが、良い医療を受け、再起の喜びがもてるような施設をつくるように」との『済生勅語』とともに、御手元金一五〇万円（今日の一五〇億円ぐらいか）を下賜された。それにより、政府は『恩賜財団済生会』を創設し、芝の三田に『恩賜財団済生会芝病院』を開設している。その後、関東大震災時には、被災した妊産婦や乳幼児を収容する施設も追加された。昭和二十五年、占領軍の指示で改組し、『東京都済生会病院』となり、今日にいたっている。

(3) また、大正十二年九月一日の関東大震災が発生するや、昭和天皇はその日のうちに、大日本帝国憲法第七十条に基づき、『緊急勅令』を発して、被災した高齢者の養護施設を造るよう命じられ、巨額の御下賜金を拠出された。

時の政府は、その御下賜金と一般義援金とを設立資金として、大正十四年一月十五日、『財団法人 浴風会』(御高恩に浴する意)を設立し、大震災被災者のための病院や養老施設を造った。

この施設は、敗戦で、占領軍に接収されたが、日本が独立し、接収解除された昭和二十七年五月、社会福祉法人に改組され、再び老人介護福祉施設として活用され、現在も、『高齢者保健医療総合センター』として、新しい「浴風会病院」や「老健施設」となっている。

このように、皇室は、戦前まで、大きな皇室財産を有し、大震災などの情況に応じて、国民のために、それを下賜、提供されてきた。

(4) しかし、太平洋戦争敗戦後の日本は、占領者として絶対の権力を持つ連合国軍総司令部(GHQ)により、皇室財産は接収されたり、処分禁止となり、皇室財産は大きく制限され、やがて、GHQ起案になる「日本国憲法」ができて、その第八条で、上掲のように「皇室に財産を譲り渡し、又は皇室が、財産を譲り受け、若しくは賜与することは、国会の議決に基かなければならない。」と規定された。

そのため、戦前と戦後、同じく「皇室財産」といっても、その内容は大きく異なり、この憲法第八条があるために、天皇・皇室は、財産の授受を禁じられているので、せいぜい、小さな花束程度しか受け取られず、被災者になにか下賜されたくても、憲法第八条違反となるので、それも全くできないために、天皇は被災地へお見舞いに行幸啓されても、跪かれて、いたわりのお言葉をかけることしかできない、のが現状である。

(5) なお、ここで、参考のため、ヨーロッパ王家の財産について触れておこう。

ヨーロッパ諸国王室の資産を、検索してみると、第一位はリヒテンシュタインのアダム二世公爵が五十億ドル(五、五〇〇億円)、第二位のルクセンブルクのアンリ大公が四十億ドル(約四、四〇〇億円)、第三位のモナコのアルベール二世が十億ドル(約一、一〇〇億円)、第四位のイギリスのエリザベス女王が五~六億ドル(約五五〇億~六六〇億円)と続く。

これに対して、戦前の御皇室はどれほどの財産をお持ちであったか、戦後の記録はないが、アメリカの占領下で、連合国軍総司令部(GHQ)が昭和二十年(一九四五年)に調べた皇室財産は、十五億九、〇〇〇万円(現在の価格に直すと約三、〇五二億八、〇〇〇万円）とされたが、そのほとんどは、占領軍に接収されたり、占領下日本政府の国庫へ移管された。

(6) それでは、現在の御皇室の私的財産はいくらぐらいか。皇居の所有権などは国家の所有となっているので、判断がむずかしいが、約五〇〇万ドル（約六億円）程度といわれている。すなわち、ヨーロッパの王室の資産に比べて、かなり低い。

しかも、ヨーロッパの王室では、相続税や所得税が免除されているところが多いといわれるが、日本では、皇室の私的財産は相続税や所得税の対象とされている。

そうした、ヨーロッパの王室との比較において、皇室の私的財産は極めて少ない、といえる。

(7) 私は、心情的なものもあるが、むしろ客観的な見地から、この章に掲げた、天皇および皇室に関しては、天皇の地位、皇位継承、そして皇室の資産等々、各面からみて、これは、日本を占領・統治した連合国軍総司令部（GHQ）による懲罰的要素が余りにも強いので、この「天皇の章」も、上述してきたように、早急に改めるべきである、と考えている。

ただ、その場合、マッカーサー元帥のせいだ、と彼を批判・攻撃するのは避けたい。けだし、すでに、述べたように、マッカーサー元帥は、実際に日本を打ち負かした自分が、日本の占領・統治に当たるべきだ、との信念で乗り込んできたが、当時、戦勝国のアメリカ、イギリス、ソ連、中華民国などの政府は、日本を統治するための機関として、各国政府はその代表者を指名して「極東委員会」を構成しており、この「極東委員会」は揃って、天皇制廃止を主張していた。

しかし、マッカーサー元帥は、もし、天皇制を廃止すれば、日本人は女性・子どもまでが立ち上がり、自分の占領・統治は成功することができないと考え、天皇制を存続し、占領下の国会、内閣、裁判所も認めて、その上に立って占領統治を行う間接統治をしてくれたので、天皇制が存続できたのである。

▽ 以上で、「第一章　天皇」の章内の第一条から第八条までの解説も終わるが、これまで見てきたように、天皇については、天皇の地位に対する考え方、皇位の継承、国事行為とされる内容、そして皇室の資産等々、あまりにも問題が多いので、国民の中から、改正の声があがることを、切に期待したい。

第二章　日本国憲法の「基本原則」〔要新設〕の解説・問題点

第二章　日本国憲法の「基本原則」〔要新設〕の解説・問題点

○問題点の一　近代外国憲法では、冒頭の方に、その憲法の基本原則を置くのが一般である

(1)　現行日本国憲法では、冒頭に「第一章　天皇」として、八カ条を設けてあるが、これは、日本の国柄を最も良く表している事項を、冒頭に持ってきたものとして、それは、まずは良いと思う。

しかし、現行日本国憲法には、その他の理念もいくつかある。それを、列記しておくことも、「憲法」という性質からして、必要なことではないか、と考えている。

(2)　ところが、現行日本国憲法には、「第二章　戦争の放棄」として、第九条〔戦争の放棄、軍備及び交戦権の否認〕について、ただ一カ条だけが明記されている。

そうなると、現行日本国憲法では、この「戦争の放棄」だけが、この憲法の基本原則であり、唯一つの国是である、と読まれても仕方がない。日本国民の中には、現に、そう考えている人々も多い。それで良いのだろうか？

○問題点の二　第二章という重要な位置に、「戦争の放棄」規定が、なぜ置かれたのか？

(1)　その問題は、本書の「第十章　国家非常事態対処規定の章」（安全保障を含む）で詳論しているので、そちらを見ていただくとして、ここでは、簡潔に述べておくと、日本が降伏して、日本へ乗り込んできた連合国軍総司令官・マッカーサー元帥としては、再び日本がアメリカに歯向かうことがないようにしたい。少なくとも、自分が日本を占領・統治している間は、被占領下の日本に、陸海空軍といった軍隊はいらない。また、自分の日本占領・統治行政を成功させるためには、日本人による武力蜂起があっては困るので禁止する。また、占領下では日本に主権がないのだから、国際法上、独立主権国家には認められる交戦権も当然なしとした、と思う。

(2)　つまり、マッカーサー元帥としては、それを露骨に憲法に書くわけにはいかない。それを、日本人に綺麗な言葉で納得させるために、第二次世界大戦に勝利した連合国を中心とする「国際連合」もできて（一九四五年十月二十四日効力発生）、これで戦争はなくなり、恒久平和実現の空気が充満しているときでもあり、まず、前文で平和主義を高く掲げた上で、憲法第二章に、「武力行使の永久放棄」「陸海空軍の不保持」「交戦権の否認」の三原則を核とする第九条を、明記させたと思う。

すなわち、マッカーサー元帥は、自分の占領・統治を成功させるためには、まず、日本人が熱望した天皇制の存続をまず第一章に掲げて日本人を安心させた上で、次の第二章に上記三つの内容を持つ「戦争の放棄」規定を置いたわけで、「日本国憲法」の内実は、マッカーサー元帥の占領・統治のための「占領下基本法」というべきである。

○問題点の三　天皇制という日本の基本原則のほか、どういう基本原則が必要か？

筆者は、戦後の現行「日本国憲法」の基本原則には、まず、永年の国柄としての「天皇制の維持」があり、その他として、「自由主義・民主主義の原則」、「基本的人権尊重・社会福祉国家の追求」、「三権分立制の維持」、及び「議院内閣制の維持」、「国会の一院制の採用」、「憲法裁判所の新設」、「独立主権国家の要件としての再軍備・他国侵略の禁止」、そして、これらの基本原則を、もし改正する場合についての「加重な憲法改正要件規定」を、考えたいと思う。

そこで、私は以下に、その日本国憲法の「基本原則」の条項を案文してみたので、次に掲げ、日本国民の御参考に供したい。なお便宜上、九条の一、九条の二……としたが、全面改正の場合は、内容の重要性から、独立の条文にすべきである。

▽　現行第九条（戦争の放棄）の解説は本書の第十章（国家非常事態対処規定）２９２頁以下をご覧下さい。

憲法の冒頭に基本原則を掲げる先進諸国にならって、

清原淳平の新設案

第九条の一〔古来からの天皇制の維持〕

① 日本国は、古代から、天皇は国民の幸せを願い、国民は天皇を慕う、天皇と国民を一体とする政治制度を有し、世界希な統一国家を形成してきた。

② 日本国は、古代から、法律に基づく律令国家制度をとり、権力は、太政大臣や将軍に委ねても、権威は天皇が保有してきた点で、現代の主要西欧諸国の政治制度を早くから実現していたと言える。

③ そうした仁慈に基づく政治が根底にあったお蔭で、世界に比べて、日本社会の平穏な時期は長く、高度の文化・芸術・技術を有してきた。

④ したがって、わが国永年の天皇制は、日本国の国柄を象徴するものとして、日本国は、引き続き天皇制を維持するものとする。

○問題点の四　以下に、「基本的人権尊重原則」はじめ、本章に、四つの条項を置く理由

(1) 昭和二十一年十一月三日、この連合国軍総司令部の起案委員会によって創られた「日本国憲法」が公布されたとき、これを見た国民は、個人の権利として、あまりにもいろいろな権利が並んでいるので、びっくりした。

　けだし、日本国では、これまで、ヨーロッパ中世におけるように、財力と武力を持った者が、土地を囲い込み、専制君主となって、そこの住民を酷使して、君主と国民が対立・敵視するという歴史がなかった。

(2)　日本では、古代から、天皇は国民を慈しみ、国民は天皇を慕うといった、天皇と国民の一体感があった。そうした仁慈の政治形態は、実権が天皇から太政大臣に移り、将軍に移っても存在し、もし、ときの将軍が悪政を行うと、他の武将が天皇の名において、悪政将軍を倒した。将軍のもと各領主も、悪政をすれば改易されるので、善政に努めた。

(3)　ところが、ヨーロッパでは、専制君主の悪政に堪えかねていたところ、啓蒙思想家が「人間には、天賦の人権がある」と説いたのに力を得て、住民が立ち上がり、専制君主に迫って憲法（契約書）を締結し、加えて、専制君主が独占していた立法、行政、裁判権にも、国民の参加を迫り、大きな犠牲を払いながら、遂に、個人の人権を認めさせ、国政たる立法、行政、裁判にも、国民が参加することを認めさせた。すなわち、「国民の人権を、専制君主からやっと闘い取った」という「強い誇り」があるわけである。

(4)　しかし、日本人には、そうした激烈な歴史的体験がないので、被占領下で、連合国軍総司令部（GHQ）の起案委員会が創った「日本国憲法」の内容をみて、「個人の権利」「個人の権利」とたくさんの権利が掲げてあるので、戸惑い驚いたのである。
　すなわち、前の明治憲法にも、そうした人権がいくつか並んでいたが、それは、すべて、天皇から仁慈によって与えられたものと思っていたので、「日本国憲法」では、それらがすべて、人間が人間である以上、当然に持っている権利だ、というのだから、驚き戸惑ったのである。

(5)　こうした歴史的体験の違いがよく分からないと、この「日本国憲法」の仕組みも理解しがたい。そこで、私は、以下に、そうしたヨーロッパ人の体験に基づく「権利」の在り方を、「日本国憲法」でも、「基本原則」として取り入れる理由を、できるだけやさしく（小学生高学年なら分かるように）、記すことにした次第である。

清原淳平の新設案

第九条の二〔基本的人権尊重主義・自由主義・民主主義・社会福祉国家の原則〕

①　日本国は、西欧諸国が、専制君主国家の圧政に苦しみ、抑圧された国民が立ち上がって、人間には、天賦の基本的人権があり、この人権は尊重されなければならないとし、苦労の末獲得した「人

権尊重」思想を、受け入れる。

② 日本国は、その「基本的人権」思想の属性といらべき、「個人の自由を尊重・擁護し、国家の干渉をできるだけ少なくすることが、社会の発展を促すとする自由主義」の思想を取り入れる。

③ 日本国は、その「基本的人権」思想の属性というべき、「国政は、国家の構成員である国民の意思を尊重して行われなければならない」とする「民主主義」の思想を取り入れる。

④ 日本国は、その「基本的人権」思想をより積極的に推進するべく、「身体的・精神的な障害者、生活困窮者などを支援・救済することは、社会構成上必要である」とする「社会福祉国家」の思想を取り入れる。

清原淳平の新設案

第九条の三〔立法、行政、裁判の三権分立、政党政治、議院内閣制の採用〕

① 日本国は、西欧諸国の国民が、「基本的人権」を保障する制度として獲得した「君主と国民との契約である憲法」による国家運営方式（立憲主義）を採用する。

② 日本国は、その「立憲主義」を保障するために考え出された国家運営を、「立法、行政、裁判」の三権に分立する方式を採用し、その三権に国民が参加することの合理性を理解し、この方式を採用する。

③ 日本国は、その立法に当たっては、複数の政党政治による国会運営を認め、「日本国憲法」の条規に則り、国民から選挙された国会議員にて構成する国会の審議を経て成立した法律に基づくものとする。

④ 日本国は、行政の執行にあたっては、国民による選挙の結果選ばれた多数政党が、内閣を構成して執行にあたる「議院内閣制」を採用する。その内閣は、国家公務員によって構成される所管庁の独立性を認めつつ、指揮監督する。

清原淳平の新設案

第九条の四〔三審制による裁判の保障、憲法裁判所の設置〕

① 日本国民の基本的人権を守る最後の砦ともいうべき裁判所については、第一審判決に不服の場合は第二審、その判決も不服であれば第三審、という三審制を採用する。

② そうした一般裁判所の基本は、地方裁判所、高

等裁判所、そして最終審は「最高裁判所」とする。

③　日本国民は、右の一般裁判所に限らず、訴訟の地域や内容により、簡易裁判所、あるいは、家庭裁判所、少年裁判所などを置く。

④　なお、特殊な事件、例えば海上交通に関する事件には海難審判所、特許に関する事項については特許審判所などを置く。

⑤　社会の複雑化に伴い、その他、必要に応じて、行政裁判所を置くこともできる。

⑥　さらに、時代の変化に伴い憲法問題については、憲法裁判所を置く。

清原淳平の新設案

第九条の五〔本章の基本原則については、改正について要件を加重する〕

①　本章の各条に掲げた事項は、日本国憲法の基本となる原則であるので、その改正には、以下のように、改正要件を加重する。

②　本章に掲げた基本原則を改正するには、国会議員の出席議員の三分の二以上の賛成で、国会がこれを発議し、国民に提案してその承認を得なければならない。なお加えて、憲法裁判所裁判官の三分の二以上の賛成を必要とする。

③　この承認には、特別の国民投票または国会の定める選挙の際行われる投票において、投票権を有する国民の過半数の賛成を必要とする。

④　この基本原則条項に関する憲法改正について、前項の承認を経たときは、天皇は、国民の名で、この憲法と一体を成すものとして、これを公布する。

⑤　なお、基本原則外の憲法条項に関する改正は、国民投票を要せず、出席国会議員の過半数の賛成ならびに、憲法裁判所裁判官の過半数の同意を得て、成立する。

注・以下の他、次の二つの改正事項が加わる可能性がある

筆者は、現行の国会の衆・参二院制を、諸外国に多い一院制にしたいと考えており、将来、国民の皆さんの賛同を得て一院制にした場合は、この基本原則に追記すべきである。その場合の条文は後述の「国会の章」を参照されたい。

もう一つ、筆者は、独立主権国家は「自分の国は自分で守る」のが国際原則であることから、現行「第九条　戦争放棄」を改正して、「再軍備するが、侵略戦争はしない」趣旨を明記する主張であるが、国民の賛同を得て改正する場合には、この基本原則に追記したい。詳細は本書第十章を参照。

第三章　「国民の権利及び義務」の解説・問題点

第三章「国民の権利及び義務」の解説・問題点

◎ この第三章全体について、いかなる問題点があるか？

⑴ この「国民の権利義務」の章は、各条項について、その構成・配列・内容をめぐって、最も難解な章である。

⑵ ただし、現行憲法の改憲反対派は、この憲法を改正しないと言うのだから、その構成・配列・内容が、どうであろうとあまり関心はない。また、改憲派の中に多い「現憲法無効・明治憲法復元」論者も、明治憲法に戻すと言うのが狙いだから、現憲法の条項の構成・配列・内容については、あまり関心がない。

⑶ ただ、小、中、高校、大学・大学院で児童・生徒・学生に、現行日本国憲法を教える立場の教員・教師・教授の方々にとっては、一般的に不評である。けだし、例えば、第十二条〔自由・権利の保持の責任とその濫用の禁止〕という「自由」の規定を置きながら、そのあと、第十五条〔公務員の選定及び罷免〕の話が入ってきたり、第十六条〔請願権〕の話など自由権とはそれほど関係がない規定がいくつか間に入って、やっと第十八条〔奴隷的拘束及び苦役からの自由〕から再びいくつかの自由権に関する条項が出てくる。教えるのに煩わしいので、自由権は自由権でまとめてほしい、などといった見解が多い。

⑷ 私ども、現行憲法を時代の要請に応じて合法的・合理的に改正すべきだという改憲論者・学者は少ないが、その少ない論者・学者でも、この第三章「国民の権利義務」の条項は、構成・配列・内容がばらばらの感じがするとして、その整理を主張する人が多い。こうしてばらばらなのは、日本を占領したマッカーサー将軍の命令で、日本国憲法を起案することになった連合国軍総司令部（GHQ）の職員たちが、思いつくままに提案し、そうした思いつき順に並べたからだろう、といった声もある。

⑸ 私どもの団体でも、平成十五年に発表した第一次全面改正案や平成十八年発表の第三次全面改正案までは、正直、そうした認識に立っていた。

しかし、私が、当団体国民会議の理事会で会長代行に選任され、さらに会長となった平成二十六年以降、再三の見直しをし、研究を重ねるうちに、第九条はじめ日本国憲法の他の条項は問題が多々あるが、こと基本的人権保障に関するこの「国民の権利義務の章」の構成・配列に関しては、当時この憲法を起案した連合国軍総司令部（GHQ）の職員から選抜された「日本国憲法起草委員会」もよく勉強した、と敬意を表したい。

⑹ なお問題を理解するためには、第二次世界大戦が終結した一九四五年（昭和二十年）の情況を知る必要がある。この年、世界大戦の勝敗は明らかとなり、ドイツ、イタ

リア、日本の三カ国を枢軸国の内、まずイタリアは、すでに一九四三年に連合国軍に降伏していたが、逃亡潜伏していたムッソリーニ元首相が四月二十八日、山中でパルチザン隊に捕えられ処刑されており、続いて四月三十日に、ドイツのヒトラー総統も連合国軍に追い詰められ、ベルリンの壕の中で自殺し、五月七日にドイツは無条件降伏した。

(7)　日本はなお、大東亜戦争を継続していたが、連合国側は大勢はすでに決したとして、戦後処理・戦後秩序のための会議を重ね、第一次世界大戦後に創られた「国際連盟」が効果を挙げなかったことを反省して、「国際連盟」に代えて「国際連合」を結成することになり、そのための「国際連合憲章」の起案にかかっており、その結果、一九四五年六月二十六日、アメリカ・サンフランシスコに、連合国四十数カ国が参加して、その「国際連合憲章」の調印式が行われた。

すなわち、日本国が、刀折れ矢尽きた状態で、昭和天皇の御聖断により、連合国側の日本降伏条件を記した「ポツダム宣言」を受諾して降伏する旨を明言したのは同年八月十五日であり、その降伏文書の調印が行われたのは同年九月二日、東京湾上のアメリカの戦艦ミズーリ号上であるから、連合国側による「国際連合憲章」は、日本降伏の約二カ月以上も前にすでに、戦後体制秩序が決定されていたのである。

(8)　その国際連合憲章の前文ならびに各条項を見て行くと、その根底をなすのは人権保護であることが分かる。そして国連は、そのあと、この人権問題をより具体化するために、別途、『世界人権宣言』を条約化する作業を継続しており、その結果一九四八年十二月十日、国際連合の第三回総会にて『世界人権宣言』が採択可決されている。私はその『世界人権宣言』について研究していて、気がついた。

(9)　すなわち、この『世界人権宣言』条約のその条項の配列が、現行日本国憲法の「国民の権利義務」の配列とよく似ており、また、この『世界人権宣言』条約が制定された翌年の一九四九年五月に、『世界人権宣言』の内容を十分参考にして制定された「ドイツ連邦共和国基本法」の条項を見て、気がついたのは、マッカーサー将軍の命令を受けて日本国憲法の起案にあたった連合国軍総司令部（ＧＨＱ）の職員たちは、特に「第三章　国民の権利義務」について参考にしたのは、当時、国連でかなり審議の進んでいた『世界人権宣言』であり、それを参考にして「国民の権利義務」を起案したとの確信を得た。

(10)　日本人の中には、特に「現行憲法無効・明治憲法復元」派の中には、「日本国憲法」を起案するにあたり、連合国軍総司令部（ＧＨＱ）は、日本を植民地化・属国化する意図（悪意）をもって起案作成したと主張する者がいる。

しかし、私は研究の結果、連合国軍総司令部（ＧＨＱ）の職員は、こと「国民の権利義務」の条項については、当時、国連で審議中の「世界人権宣言」案についてもよく研究し、後述するように、十分ではないとしても、日本人のため誠心誠意をもって起案してくれた、と考えている。かれらに対し、心からの敬意を表したい。

(11) さて次に、かれら起案者は、この「国民の権利義務」をどのように考えて配列し組み立てたのだろうか。しかし、それについては、「基本的人権」について、ヨーロッパを中心とする欧米人と日本人との間に、かなりの認識の差があることに触れておく必要がある。そのために、憲法について、西欧と日本とでは、法的な認識、歴史的発展・経過に大きな差異がある。この問題については、後述する「裁判における適正手続の保障」の条項などで詳細を記すが、この箇所で、以下に、その要旨を記しておく。

(12) まず、西欧についてだが、御承知のように、古代には、アテネとかスパルタなど都市国家が栄え、市民が投票権を持つ民主政治も見られたが、中世になると、ヨーロッパの中部・北部地域に、武力を有する実力者が現れて、土地を囲い込んで国と称し、そこの住民を使役・支配する専制君主国家が出現し、また、それらの国が争い、戦いが始まる。そうした専制君主国家の住人たちは、君主の恣意により命を奪われたり、身体を拘束されたり、大層苦しんだ。これが、ヨーロッパにおける中世の姿であった。

(13) そうして数世紀が経ち、十八世紀の中頃になると、ジャンジャック・ルソーなどの思想家が現れ、人間は本来、「天から与えられた人権を有しているといった思想」（天賦人権思想）を説き、住民たちも目覚めて、横暴な専制君主に迫って住民たちの人権確保運動に乗り出す。その具体策としては、国王に住人保護のための「憲法」を制定させ、さらに国権の内容として、立法・行政・裁判の三権分立を認めさせ、かつそれらに住民を参加させるよう求めた。もし、国王がそれを認めない場合は、住民側が革命を起こして王政を打倒し、住人たちが選出した代表者による共和制国家をも成立させた。

こうして、国家統治の方式を決める「憲法」を制定し、その内包概念として立法・行政・裁判の三権分立を基本としたが、年代が経るに従い、国家は積極的に住民の諸権利を保障し擁護する「福祉国家であるべきだ」とする方向に比重を高めており、各国憲法にはさまざまな権利が追加されてきているのが、今日の趨勢である。

(14) これに対して、わが日本国はどうか？ 日本の歴史はヨーロッパとは大きく異なる。すなわち、上述したヨーロッパは、広大な大陸であったため統一国家の形成は今もってむずかしく、中世から近世そして近代も、多くの国が群雄割拠して争ってきた。第二次大戦後、そうした国々が話し合ってEUを形成しているが、なお統一国家とはいえない。

それに対して、日本は、すでに神話・古代の時代において、統一国家的様相をもっていた。神話時代、神武天皇東征により奈良地方で政権を立て、出雲の国などを傘下に収め、東北や北海道も次第に傘下に治めていった。したがって天皇による統一国家の様相は古代から存在していた。

(15) 第十六代仁徳天皇の有名な和歌「高き屋に　のぼりて見れば　煙立つ　民のかまどは　賑わいにけり」にあるように、その時代に、すでに国家意識とともに、民のために善政を敷き、民を慈しむ心得があった。また、太政大臣など職制も整備して統一国家としての体裁があり、これは、世界に例を見ない政治制度であった。

その後、武家の台頭により、実質的政権は将軍に移ったが、国家としての権威性を維持し、将軍に不届きがあれば、天皇の名において討つ仕組みができていた。鎌倉幕府、北条幕府、足利幕府、そして南北朝の混乱から戦国時代の混乱もあったが、豊臣政権、徳川幕府も、天下を取った将軍のもと、家臣が各地域を治め、善政を敷かなければ、排除される仕組みが働いて、日本国では、中世から近世にかけてのヨーロッパで見られた専制君主による横暴は見られなかった。

(16) その点で、日本は、世界で類がない長い歴史を持っている。それは、人民として幸せなことではあるが、反面、ヨーロッパの住民が専制君主の横暴に苦しみ、ついに立ち上がって専制君主の圧政から人権を取り戻すといった、切実な体験が日本人にはない。

明治維新後の「大日本帝国憲法」も、日本が欧米の近代諸国に追いつくために、岩倉具視を団長として政府要人が、欧米の憲法や教育をどう取り入れるか調査・研究した結果、主として当時のプロイセン（ドイツ）憲法を参考にして政府が創ったものであり、国民はそれを与えられたにすぎない。

また、現行日本国憲法も、第二次世界大戦に敗北し、日本を占領・統治したマッカーサー将軍が連合国軍総司令部（GHQ）の職員に命じて創らせたもので、これも上から与えられたものであり、日本国民がみずから立ち上がって制定したものではない。そして、制定後七十余年経っても、一度も改正されておらず、日本国民自身が立ち上がって憲法を改正した経験はない。こうした経緯を、国民もよくよく考えていただきたい。

⒄　次に、この章の冒頭に述べた、各条項の構成・配列・内容についてである。学校で、日本国憲法を教える立場の教員・教師・教授は、その配列がばらばらのように感じ、思いつきで並べたのではないかとさえ言われ、教える際に、困っているという問題である。

しかし、上述したように、私は、十分とはいえないが、かなりよく考えて配列されていると考える。世界人権宣言の条項の配列などを参考にして、その構成のあり方について、以下に記す。

その分類を分かりやすくするため、各条の前に「節」を置いて説明したい。なお、憲法典の章と条との間に、「節」をおいたり、さらに「款」を置いたりするのは、外国憲法にもその例がある。例えば、イタリア共和国憲法、オーストリア連邦憲法、ベルギー国憲法、オーストラリア連邦憲法、ブラジル連邦共和国憲法等々があり、珍しいことではない。

以上の論拠に基づき、現行憲法の第三章内の各条文について、私が考えた構成・配列を以下に掲げる。なお、現行日本国憲法は「第三章　国民の権利義務」とするが、私は「第三章　国民が有する基本的人権」としたい。

◎清原淳平による第三章の構成・配列

第三章　国民が有する基本的人権

（第一節　基本的人権保障の大原則）

第　十　条　国民の要件

第十一条　基本的人権の享有

（第二節　自由権、社会権、平等権の原則）

第十二条　生命・身体の自由、公共の福祉による制約

第十三条　社会生活基本権の保障、濫用の禁止

第十四条　平等原則、法の前の平等

（第三節　立法、行政、裁判に関与する権利）

第十五条　基本的人権の内容としての参政権

第十六条　基本的人権の内容としての参政権に伴う請願権

第十七条　国および公共団体の賠償責任

〔以下は、第一節～第三節の大原則に立っての具体的規定〕

（第四節　生命・身体・思想・信教の自由）

第十八条　奴隷的拘束および苦役からの自由

第十九条　思想・良心など内心の自由

第二十条　信教の自由

（第五節　社会活動における自由の保障）

第二十一条　表現の自由

第二十二条　居住・移転の自由、外国移住および国籍離脱の自由

第二十三条　職業選択の自由、自由を剥奪する場合の

例外
第二十四条　結婚および家族間における個人の尊厳と両性の平等
（第六節　公衆衛生・社会福祉・社会保障を受ける権利）
第二十五条　公衆衛生、社会福祉、社会保障を受ける権利
第二十六条　教育の自由、教育を受ける権利責務
第二十七条　勤労の権利責務、勤労条件の基準、児童酷使の禁止
第二十八条　勤労者の労働三権の保障、団結権・団体交渉権・団体行動権の保障
第二十九条　私有財産制の保障と公共の福祉による制約
（第七節　国民の責務）
第三十の一条　国からの各種保障の反面としての国民の責務
第三十の二条　現行憲法第三十条、納税の責務
第三十の三条　文化財・公共財を保持・振興する責務
第三十の四条　環境保護に関する権利および責務
第三十の五条　自然大災害・人為大災害などにおける協力の責務
第三十の六条　外国からの攻撃・侵略など、国家非常事態下の協力の責務
（第八節　立法権、行政権、裁判権の三権分立原則における立法権への参加）
第三十の七条　国会議員に立候補する権利と投票する権利
第三十の八条　政党の結成とその活動の保障
第三十の九条　地方自治体の議員に立候補する権利、投票する権利
（第九節　三権分立原則における行政権への参加）
第三十の十条　国民が、国家公務員ないし地方公務員になる権利
第三十の十一条　議院内閣制の採用と間接参加
第三十の十二条　国家公務員・地方公務員としての職務の心得
（第十節　三権分立原則における裁判権への参加）
第三十一条　国民が、裁判官、検察官、弁護士になる権利
第三十二の一条　裁判を受ける権利、大陸法系の法的三段論法理論、英米法系判例も尊重
第三十二の二条　裁判所の構成、裁判官の兼職禁止
（注の一）　現行憲法の「第三章　権利義務」規定のように、三十条以上の条文を、ただ、ずらずらと並べると、その構造や内訳が分からないために、先生・教師・教授方が、児童・生徒・学生に、この国民の権利・義務を、どう教

えたらよいのか大層苦労しており、生徒たちも理解しにくいので、右のように、十の節（柱）を立てると、法制度・法理論の仕組みがよく分かると思うので、憲法改正する時はぜひ右のような節を設けていただきたい。現行憲法の解説に当たっても、この考えを採用することをお勧めしたい。

（注の二）　第六節までは、現行憲法の条文を並べているが、第七節以降、各節に、条文を追加しているのはなぜか？

それは、日本国憲法が発効する前から国連が検討していた「世界人権宣言」が、日本国憲法発効一年半後に発効し、そこには、国家は積極的に国民の人権を保護すべきだとする「社会福祉国家」思想があり、その反面、国民側も公共の福祉に貢献する責務があるとの思想が生まれたが、現憲法には全く欠如しているので、筆者は、その欠如しているものを掲げたわけである。

（注の三）　「第八節　国民の立法権への参加」と「第九節　国民の行政権への参加」は、日本を占領統治していた連合国軍総司令部（ＧＨＱ）内の「日本国憲法起草委員会」としては、この憲法は、マッカーサー将軍の間接統治を成功させるための占領下基本法だから、下手に書けば、占領行政に差し障るので、それは、講和条約後に、日本人が考えればよいとして、あえて、明記しなかったものと推測する。

（注の四）　ただ、近代憲法の立法・行政・裁判のうち、裁判に関しては、占領下の日本人を従わせるためにも必要と考えて、裁判についてはいくつか明文を置いた、と考える。

▽　以下に、第三章中に列記されている第十条以下の各条文の問題点と解説に入る。

まず、上掲の注でも述べたが、条文が三十一条も、ただ、ずらずらと並んでおり、しかも、小・中・高校、さらには、大学においても、教える側の教員・教師・教授方も、それら三十一条にもおよぶ条文の前の条文と後の条文との関わりもよく分からないために、児童・生徒・学生にどう教えればよいのか、大層苦労している。

憲法学専門の教授でも、これは、日本が第二次世界大戦に敗れ、日本を占領・統治したマッカーサー元帥の命令により、連合国軍総司令部（ＧＨＱ）の職員から選抜された「起案委員会」が起案するに当たって、思いついた順に、ただ並べたのだろう、という始末である。

ところが、私が、前述したように、この起案委員会のメンバーたちは、「第一章　天皇」は、天皇制廃止を主張していた戦勝国政府が選任した「極東委員会」への配慮もあり、かなり懲罰的条項が多いし、そして「第二章　戦争放棄」は、少なくとも、進駐軍による占領・統治の間は、日本は独立主権国家ではないし、また、武力蜂起でもされては、マッカーサー将軍による占領政策がうまく行かないだろうから、まず、冒頭の第二章に「戦争放棄」を謳い、その具体的内容として、「武力行使の永久放棄」「陸海空軍の不保持」そして「国際法上、独立主権国家には認められる交戦権の否認」を明記するのは当然、と考えたであろう。

しかし、「第三章　国民の権利義務」については、日本は歴史上、そして明治憲法を見ても、権利は上から与えられるものに過ぎないが、自分たち欧米人は、中世の専制君主国家から闘い取ったものである。それを、日本人に教えよう、といったことで、「憲法起案委員会」のメンバーはかなり張り切って、起案したように思われる。

幸い、それには、よい手本があった。日本人は敗戦直後の食うや食わずの混乱期で、また、外国からの情報も入らないので知らなかったが、日本が降伏した一九四五年八月十五日の前、すでにその春から、連合国は、戦勝を前提に、戦後体制としての「国際連合」創立を協議してきており、六月二十五日には、連合国側はサンフランシスコに集まって「国際連合憲章」に調印し、同年十月二十四日にはその効力が発効して、「国際連合」が本格的に活動を始めていた。

そして、国際連合本部は、国連憲章の前文にあるように、基本的人権の尊重意識が重要だとして、「世界人権宣言」を創るべく、検討を進めており、その翌（一九四六）年には、「世界人権宣言」の内容が審議されつつあり、欧米ではその情報が報道もされていたので、連合国軍総司令部（GHQ）の職員から選抜された「日本国憲法起案委員会」のメンバーは、その「世界人権宣言」での検討内容を参考にしながら、この「第三章　国民の権利義務」の内容を構成したもの、と考えている。

その点、「起案委員会」のメンバーは、この「第三章　国民の権利義務」については、本当に日本人のため、将来を思って、熱心に検討し起案してくれたと考えている。

したがって、日本国憲法「第三章　国民の権利義務」の内容は、後に成立した「世界人権宣言」の条文配列と似たものがある。

そこで、私は、前掲の「清原淳平による第三章の構成・配列」の順に従って、現行の「第三章　国民の権利義務」の各条文につき、解説して行くために、三十一条ある条文の意義を明確にするために、私が仕分けしたように、その中に「節」を設けて説明する。したがって、この第三章は、十の節を設けた。

そこで、以下、もちろん現行の憲法にはないが、要所要所に括弧して、第一節から第十節まで、節を入れて説明してゆく。

（第一節　基本的人権保障の大原則）
第十条〔国民の要件〕の解説・問題点

現憲法の条文

第一〇条〔国民の要件〕
日本国民たる要件は、法律でこれを定める。

○問題点の一　日本国民たる要件は重要なので、法律委任ではなく、明文の規定を！

(1)　国民の皆さんは、この条文に疑問を持っていただきたい。けだし、「日本国民たる要件」は、国民にとって大切な要件であるはずなのに、「法律でこれを定める」として法律へ委任している。つまり、憲法には書かないで、法律の方で調べてみてくれ、というわけで、不親切な規定である。

(2)　その理由は、この日本国憲法が、占領下に連合国軍総司令部（GHQ）のスタッフによって起案されたので、被占領下の国民は、自由に外国にも行けないなどの制約があるので、起案スタッフは、その要件を、憲法条文には書かず、法律に任せたとも見える。しかし、独立主権国家となった以上改正して、国民たる要件を明記すべきである。

○問題点の二　それでは、どういう文章を置くのが妥当か

(1)　小中学生たちは、単に「法律で定める」とあると、何の法律を調べるのか分からない。教える教師としても、困っている。憲法として極めて不親切な条文である。

(2)　現行憲法の「日本国民たる要件は、法律で定める。」とする法律とは、どういう法律かというと、それは「国籍法」である。そこに、日本国民たる要件が詳しく列記してある。

(3)　現行憲法ができたのは占領下であり、日本は独立主権国家ではなかったので、起案に当たった連合国軍総司令部（GHQ）委員も、法律委任とするほかなかったとも言える。

(4)　その「国籍法」を読めば分かるように、日本国民たる要件は一言でいえば「日本国籍を有する者」ということである。そこで、現行憲法を改正して、この言葉を入れたい。

(5)　さらに、改正憲法には、国籍の取得要件・方法ぐらいは、②項として入れておきたい。

◎　そこで、第十条は、次のように改めたい。

清原淳平の改正案

第十条〔国民の要件〕
①　日本国籍を有する者を、日本国民とする。

② 国籍取得の要件は、国籍法でこれを定める。

第十一条〔基本的人権の享有〕の解説・問題点

現憲法の条文

第一一条〔基本的人権の享有〕

国民は、すべての基本的人権の享有を妨げられない。

この憲法が国民に保障する基本的人権は、侵すことのできない永久の権利として、現在及び将来の国民に与えられる。

○問題点の一　この条文も、すらっと読めば気が付かないが、疑問を持っていただきたい

(1)　この条文は表現がおかしい。憲法というものは、その国民がみずからつくる文章であるはずなのに、この基本的人権について強調しているこの条文では、「享有を妨げられない」「侵すことのできない」「国民に与えられる」と、三カ所にわたって受け身的に書かれている。

(2)　基本的人権は生まれながらに有する人間固有の権利であるとするのが本来の思想であり、憲法にはこの固有の権利があることを宣言するのが普通である。それなのに、日本国憲法では「国民に与えられる」と書いてあるのはおかしい。

(3)　こうした文章が出てくるのも、前条と同様、この日本国憲法が、占領下に連合国軍総司令部（ＧＨＱ）のスタッフによって創られたので、連合国側が与えるという本音が出たものと見ることもできる。

○問題点の二　「基本的人権」思想は、近世ヨーロッパに発するので、ここに詳述する

(1)　中世において、実力者が専制君主国家を形成してくるに従い、その地域の住民を支配して恣意的政治を行ったことから、虐げられた国民が立ち上がり、専制君主と交渉して人権保護の契約を結ぶようになる。立法・行政・司法の三権分立を求め、三権への参加を求めた。君主が応じないときは革命を起こし君主を倒し、人民による共和制を敷いた。

(2)　その論拠として当時の思想家は、人間は生まれながらにして人権を持っており、国家はこの固有の権利を侵すことができないとして、これを基本的人権（基本権、人権）と呼んだ。

(3)　近代にいたり、その基本的人権の柱として、自由権があり、それを現実に担保するため参政権があり、国民の生活を保障するため社会権（生存的基本権）がある、と考える。

(4)　さらに現代では、そうした基本的人権も無制約ではなく、「公共の福祉」により、制約がある、と考えるようになっている。

○問題点の三　それでは次に、この〔基本的人権〕条文を、どう改正すべきかである

「基本的人権」に関する認識の歴史的経過を総合して、この「基本的人権尊重」規定は、①項に基本原則を掲げ、②項に自国民に対する公共の福祉による制約規定、③項に外国人に対する制約規定を、掲げたいと思う。

◎　以上の論拠により、現行第十一条は、次のように改めたい。

清原淳平の改正案

第十一条〔基本的人権の享有〕
①　すべて国民は、生まれながらにして基本的人権を有し、社会の成員として尊重される。
②　すべて国民は、他人の基本的人権を尊重し、その権利を害してまで、自己の権利を主張することはできない。
③　この憲法が保障する権利の外国人に対する適用は、法律でこれを定める。

〔第二節　自由権、社会権、平等権の原則〕

第十二条〔自由・権利の保持の責任とその濫用の禁止〕の解説・問題点

現憲法の条文

第十二条〔自由・権利の保持の責任とその濫用の禁止〕
この憲法が国民に保障する自由及び権利は、国民の不断の努力によって、これを保持しなければならない。又、国民は、これを濫用してはならないのであって、常に公共の福祉のためにこれを利用する責任を負う。

○問題点　この条文は、基本的人権の中の自由権を規定したものである

(1)　現行憲法では、第十一条、第十二条、第十三条と、似たような表現・内容が書いてあり、なぜこれほどくどくど書いているのか、理由がよく分からない、という人もいる。

(2)　前条の「基本的人権」について、その解説の中で述べたように、基本的人権の内容を三権、すなわち、自由権と社会権、参政権、そして人権を最終的に保障する裁判を受ける権利の三権であるとの認識に立てば、第十一条が「基本的人権の大原則」を謳い、この第十二条はその中の自由権について説明し、そして第十三条は自由権の中の社会権について記したものと解すれば、この「基本的人権」に関して、より納得ができるのではないか、と思う。

(3) また、この自由権の認識については、専制君主時代、当時の住民は、横暴な君主により恣意的に生命を奪われたり、身体の自由を拘束・束縛されたりしたことが、その他の権利や財産権よりも、何よりもまず切実な問題であったことからも、この第十二条では憲法を改正し後記のように改めたい。そのためにも、この条の表題部も「自由・権利」と書き分けないで、「自由権」と記した方が分かりやすいと思う。

(4) なお、近代国家ではもはや専制君主制は無くなっているが、今日では、それを国家権力からの自由と読み替え、三権分立の中において、裁判所の合法的な裁判に拠らないで、生命を奪われたり身体を拘束されたりすることはない、と解するべきである。

(5) さらには、共同社会において、個人としても、他人の生命を奪い身体を拘束することも許されない、と解すべきである。

(6) 現行憲法第十二条は、国民はこの自由を濫用してはならないことを、一カ条の中に書いているが、これは項を分けて規定した方が、理解しやすいと思う。

◎ したがって、現行第十二条は、次のように改めたい。

清原淳平の改正案

第十二条〔生命・身体の自由、公共の福祉による制約〕
① すべて国民は、生命・身体の自由を保障される。
② 国民は、裁判所の裁判に拠らないで生命を奪われることはなく、また合法的な理由ないし裁判に拠らないで、身体を拘束されることはない。
③ 国民相互間においても、合法的理由なくして拘束を受けない。
④ 国民は、自由権を濫用してはならず、常に公共の福祉のために、これを利用する責任を負う。

第十三条〔個人の尊重と公共の福祉〕の解説・問題点

現憲法の条文

第一三条〔個人の尊重と公共の福祉〕
すべて国民は、個人として尊重される。生命、自由及び幸福追求に対する国民の権利については、公共の福祉に反しない限り、立法その他の国政の上で、最大の尊重を必要とする。

○問題点の一　現代において、自由権も、公共の福祉による制約を受ける。

(1)　基本的人権なる概念を、第十一条の解説で記したように、近代法のルールに従って、自由権・社会権、そして参政権、裁判を受ける権利に分けるとすれば、この第十三条は、自由権に伴う社会権を記したものと解した方が、法理論上、分かりやすい。

(2)　そこで、「社会権」とは何か？であるが、それには、まず「国家」とは何かへ遡る必要がある。けだし、前述のように横暴な専制君主国家は否定されたが、では、国家はどうあるべきかが問われる。当初は専制国家への反動として、国家は個人の生命・身体・財産権を侵害しなければよいといった「自由放任国家」「自由主義国家」、あるいは夜に安心して眠れるよう警備してくれる「夜警国家」であればよいといった考えもあった。

(3)　それに対して、ラッサールなどの思想家たちが、国家とは、そうした消極的なものではなく、より積極的に国民の生命・身体・財産を保障する「社会国家」であるべきだと唱え、さらに近代ではより能動的に国民の福祉・幸福を考える「福祉国家」であるべきだ、とする観念が高まり、民主主義に立つ現代国家では、こうした認識が一般化した。

(4)　現行日本国憲法は、日本を降伏させ統治した連合国軍総司令官マッカーサー将軍の命令により、その総司令部（ＧＨＱ）内の、大学などで法律の勉強をしたことのある者たちにより起案されたものであるが、彼らは、日本軍により大きな人的損害を受けただけに、日本を再び軍事的に立ち上がらせない意図があったのは当然として、日本国憲法の起案に情熱を燃やし、国連憲章はじめ各種国際協定、戦勝国憲法などを参考に起案しただけに、上述した基本的人権思想について、まだ生煮えではあったが、現行憲法第十一条〜第十三条の条文を起案したものと思われる。

(5)　こうして現行日本国憲法は、近代国家のあるべき姿として「社会国家」観を取り入れた点で評価されるべきであるが、起案当時はまだ「国民のための福祉国家」までの認識はなく、当時の認識として「公共の福祉」という言葉が使われている。

(6)　ただ、現行第十三条の中に「幸福追求に対する国民の権利」という言葉が唯一、それらしく見える。この「幸福追求権」はあまりに抽象的なので、一番困っているのは裁判官である。この言葉を根拠にして裁判を起こされても、個人によって幸福追求の認識が違うし、社会一般からみても何をもって、何処まで「幸福追求権」と言えるか、判断がむずかしいからである。

(7)　そのために、この条文中の「幸福追求権」なる言葉は、「社会権」一般を表したものと考えた方がよい。そこで、現代の「社会権」とは、「社会国家」観の中では、国民が生きて行くための生活の維持・発展に必要な諸条件の確保を国家に要請する権利と解すべきである。それは、「社会的基本権」「生存権的基本権」「社会福祉的基本権」「社会生活基本権」などと表現してもよいと思うが、私は「社会生活基本権」という表現が一番分かりやすいのではないかと思う。ここでは以下、「社会生活基本権」と表記する。

(8) したがって、現行憲法では、第十一条は、基本的人権の大原則を記し、第十二条はその中の自由権の原則を書き、そして第十三条は、もう一つの「社会生活基本権」の原則を記したもので、次の第十四条〔法の下の平等、貴族の廃止、栄典〕以下、第四十条までの諸規定は、第十一条、第十二条、第十三条の基本的人権の基本的原則が、多かれ少なかれ適用される具体例を記したもの、と解したい。

(9) しかし、その中でも、第十五条〔公務員の選定及び罷免権、公務員の本質、普通選挙の保障、秘密投票の保障〕と第十六条〔請願権〕の規定は、別である。なぜならば、上述したように、基本的人権の中身を大別すれば、それは、自由権と社会生活基本権、そして国政に参加する参政権の三つに大別できる、と記したのを思い出していただきたい。すなわち、第十五条と第十六条は、この「参政権」が国民にあることを示している。

しかし、そうした法理論の構成は、学校でも教えないので、ただいろいろな条文が列記されていて、理解するのがたいへんだ、ぐらいに受け取られているのは嘆かわしい。

(10) いずれにせよ、現行憲法第三章の各条文は、起案した連合国軍総司令部（ＧＨＱ）の職員も、学問的に十分に検討する余裕がなく、列記したともいえるので、私は、憲法の全面的改正をするときは、法論理的に並べ替えることを考えている。

以上の論拠を踏まえて考察すれば、現行第十三条は、次のように改めたい。

清原淳平の改正案

第十三条〔社会生活基本権〕
① すべての国民は、社会の構成員として尊重される。
② 国民の福祉をはじめとするこの社会生活基本権は、法律による合理的制約ないし裁判による制約を除いて、立法、行政、裁判において、尊重される。
③ 国民は、この社会生活基本権を濫用してはならず、常に他人の基本的権利の存在をも考え、また

公共の福祉のために、活用する責務を負う。

第十四条〔法の下の平等、貴族の禁止、栄典〕の解説・問題点

現憲法の条文

第一四条〔法の下の平等、貴族の禁止、栄典〕
① すべて国民は、法の下に平等であって、人種、信条、性別、社会的身分又は門地により、政治的、経済的又は社会的関係において、差別されない。
② 華族その他の貴族の制度は、これを認めない。
③ 栄誉、勲章その他の栄典の授与は、いかなる特権も伴わない。栄典の授与は、現にこれを有し、又は将来これを受ける者の一代に限り、その効力を有する。

○問題点の一　本条は、内容が三項目に分かれているので、まず、その①項を検討する

(1)　この平等原則は、俗に「自由平等」というように、生命・身体の自由とともに、基本的人権は、国民個人間で本来、平等であるべきだとの思想がある。自由主義・資本主義の社会では、社会主義・共産主義のように、個人の能力を抑圧するわけにはいかないが、やはり、個人は基本的に平等でありたい、という願いがある。その点では、この条文の第①項は、問題がないようにみえる。

(2)　しかし、この一項には、法論理的に大きな問題がある。それは、「法の下に平等」と書いてあるところである。なぜか？　日本人は、「下に」と書いて「もとに」と読むこともあるので、つい見過ごすが、日本国憲法起案当時の英文で見ると、「アンダー　ザ　ロウ」となっている。しかし、近代諸国の憲法典では、「ビフォアー　ザ　ロー」とするのが一般である。

(3)　キリスト教国の欧米では、「ビフォアー　ザ　ゴット」といった表現も出てくるが、平等原則の記述でも、「ビフォアー　ザ　ロー」（法の前に平等）と書いている。

では、「ビフォアー　ザ　ロー」と「アンダー　ザ　ロウ」とでは、どこが、どう違うのか？「ビフォアー　ザ　ロー」というと、法を起案・制定するに当たっても、その法の内容についても、政治的・経済的・社会的な関係で差別をしてはならない、と解される。

これに対して、「アンダー　ザ　ロウ」と書くと、すでにできた法律の下だけで平等であればよいということになって、例えば、専制君主や独裁政権があらかじめ創った法があり、その法が横暴な法であっても、国民はそれに平等に従わなければならない、とも読めるからである。

(4)　なぜ、日本国憲法だけ、「アンダー　ザ　ロウ」となっているのか、これには、穿（うが）った見方をすれば、連合国軍総司令部（ＧＨＱ）が日本国憲法を起案した時、そしてこの憲法が成立し効力を発したあとでも、占領下の日本においては、この憲法の条項よりも、ＧＨＱの指令の方が効力が上になるので、起案したＧＨＱの職員たちは、そのことを考えて、「ビフォアー　ザ　ロー」（法の前に平等）とせずに、あえて「アンダー　ザ　ロウ」（法の下の平等）としたのではないか。

(5)　これが憶測で、ＧＨＱの職員たちの法学知識が十分でなかったためのミスであっても、日本人が日本国憲法を改正するときは、この「法の下の平等」とあるのは、「法の前の平等」に改めることを、提唱したい。

(6)　次に、この条文の中にある「社会的身分」とは何かである。この言葉は、現行憲法の本条のほか第四十四条〔議員及びその選挙人の資格〕にもあり、国家公務員法第二十七条などにもあるが、明確な定義はない。一般的には「個人が社会において継続的に占めている地位または身分を指す」とされているので、当団体も、そのように認識している。

(7)　さらに「門地」という言葉がある。これは、例えば、日本には古くから、公家、武士、農民、商人などといった社会的身分があったが、明治維新後、次第に取り払われた。ただ明治憲法下では、明治政府で功績があった高官や旧藩主などが後述する華族として、世襲の特権を有しており、そうした特権をもつ家柄が「門地」といえる。現行日本国憲法では、そうした差別・特権を今後認めないという趣旨である。

(8)　なお、当団体では、本条の「社会的身分」の列記に、さらに新しく付け加えたいことがある。それは、「心身障害者」についてである。すなわち、時代の進展により「社会福祉」の認識が高まってきた現代においては、精神ないし身体に障害がある人を社会的弱者として保護すべきだ、との認識が高まってきた。

(9)　そこで、当団体では、本条の②項の「華族制度」を後述のように削除することにしたので、そのあとに、②項として「精神ないし身体に障害がある者を、社会福祉の見地から、社会的弱者として保護し、不合理な差別をしてはならない。」との文言を新設することにした。

○問題点の二　本条（平等権）は、内容が三項目に分かれているので、次に②項を検討する

(1)　この②項は、①項の平等権の原則について、その具体的な場合を列記している。すなわち、「華族その他の貴族の制度は、これを認めない。」とある。

　しかし、戦後生まれの国民には、華族といっても何のことか分からないだろう。それは、現行日本国憲法施行前のいわゆる明治憲法にあった貴族制度のことである。

そうした貴族制度ができた経過を記しておくと、明治維新後に、岩倉具視を正使として、当時の明治政府の首脳陣が、日本国も近代的な欧米の制度を見習い、憲法を制定する必要があるとして、二年半にわたり先進諸国を視察し、帰国後、大日本帝国体制に取り入れた制度の中に、特にプロイセン王国（ドイツ）の制度に倣い、一般国民とは違う華族制度を取り入れた。

⑵ すなわち、大日本帝国憲法第三十三条には「帝国議会ハ貴族院衆議院ノ両院ヲ以テ成立ス」とあり、次の第三十四条には「貴族院ハ貴族院令ノ定ムル所ニ依リ皇族華族及ビ勅任セラレタル議員ヲ以テ組織ス」とある。

⑶ その中の「皇族」は「旧皇室典範」により、「天皇」は別格として、そのほかの皇后、太皇太后、皇太后、親王、内親王、王、王妃及び女王をいい、これは「現行皇室典範」でも同じである。皇族は現在も一般国民とは異なる地位が認められている。

⑷ 「華族」とは、当時「華族令」によって決められており、それは、勲章とともに天皇から授与される栄典の一つで「爵位」といった。その爵位には、公爵、候爵、伯爵、男爵、子爵の五等の段階があった。多くは、明治維新に功績があった者、幕末の旧藩主、その後、明治政府で功績があって授与された者であった。爵位は、授与された一身ではなく男系の家督相続人に世襲された。有爵者はその爵位に相当する礼遇を受けるほか、貴族院議員となり、またその選挙権を持つなどの特権を有した。

⑸ 現行憲法第十四条②項は、こうした華族という貴族制度を廃止することを宣言したものである。しかし、現行日本国憲法ができてすでに七十年以上が経過して、華族制度がないことはすでに定着しており、これを置いておくと、これから憲法を学ぶ若い人が、華族とか貴族制度って何よ、と調べる煩わしさがあるので、当団体では、もはやこうした条文を置いておく必要もないと思うので、この規定自体を削除することにした。

○問題点の三　次に、本条第③項の「栄誉・勲章その他の栄誉授与」について検討する

⑴ 現行第十四条〔平等原則〕の③項「栄誉、勲章その他の栄典の授与は、いかなる特典も伴わない。栄典の授与は、現にこれを有し、又は将来これを受ける者の一代に限り、その効力を有する。」とある。

これは、そのまま認めてもよいが、「いかなる特典も伴わない。」というのは、冷た過ぎに思える。特典が世襲制などであれば許されないのは当然であるが、日本国に貢献した叙勲者が、皇居において天皇の御前で叙勲式に参列するとか、叙勲者が天皇主催の園遊会に招かれるなどの名誉は特典的要素があるので、特典を一切否定するのではなく、ここは、この項の前半を「日本社会の各分野において貢献した者には、褒章、勲章などの栄典を授与される。」と改めたい。

(2) ここで、さらに問題がある。それは、現行憲法が制定されたのち、やはり「社会福祉」の観点から、年金制度が法制化され、執行されている現実である。これは、個人が掛け金を掛けた結果であるとはいえ、国家から年金という形で経済的利益を付与されることは、特権・栄典と解釈され、掛け金を掛けない人から平等原則の差別だ、といわれる余地があるからである。

(3) そこで、当団体では、この第十四条〔平等原則〕条項の最後に、④項を設け、「法律で定めた年金制度については、社会福祉の見地から、平等原則に反するものではない。」と入れたい。

以上の論拠により、現行憲法第十四条〔平等の原則〕は、次のように改めたい。

清原淳平の改正案

第十四条〔平等原則、法の前の平等〕

① すべて国民は、法の前に平等であって、人種、信条、性別、社会的身分または門地により、政治的、経済的または社会的関係において、差別されない。

② 精神ないし身体に障害がある者を、社会福祉の見地から、社会的弱者として保護し、不合理な差別をしてはならない。

③ 各分野において日本国に貢献した者には、褒章、勲章などの栄典を授与される。しかし、栄典の授与は、現にこれを有し、または将来これを受ける者の一代に限り、その効力を有する。

④ 法律で定めた年金の給付制度については、社会福祉の見地から、平等原則に反するものではない。

〔第三節　立法・行政・裁判に関与する権利〕
第十五条〔公務員の選定及び罷免の権、公務員の本質、普通選挙の保障、秘密投票の保障〕の解説・問題点

現憲法の条文

第一五条〔公務員の選定及び罷免の権、公務員の本質、普通選挙の保障、秘密投票の保障〕

① 公務員を選定し、及びこれを罷免することは、国民固有の権利である。

② すべて公務員は、全体の奉仕者であって、一部の奉仕者ではない。
③ 公務員の選挙については、成年者による普通選挙を保障する。
④ すべて選挙における投票の秘密は、これを侵してはならない。選挙人は、その選択に関し公的にも私的にも責任を問われない。

○問題点　この条文は、国民の立法権への参与を認める規定である

(1) この「第三章 国民の権利義務」の中で、第十一条〔基本的人権〕、第十二条〔自由権〕、第十三条〔社会権的規定〕、第十四条〔平等権〕と人権問題を進めてきたのに、ここで、第十五条〔公務員選定権など〕や第十六条〔請願権〕といった政治的なものが出てくると、初等中等教育また高等教育で日本国憲法を教える教師からすると、それまでの基本的人権から、ここでなんで急に公務員の話になるのだ、また、請願権という何か異質のもの、政治的なものが飛び込んできて、当惑するという話を聞いたことがある。

(2) しかし、それは決して異質な問題ではない。けだし、すでに第十一条〔基本的人権の享有〕の解説箇所で触れたように、欧米の近代憲法学では、その「基本的人権」の中身として、国家は、その国民の人権を侵害しないようにするとか、自由放任化すべきだとか、単に安心して夜眠れるようにすればよい（夜警国家）とかではなく、近代になると、国家はより積極的に国民を守る義務があるという思想になってきた。

その内容を分析すれば、国家は、国民の生命・身体の自由を保障するのはもちろんとして、その上に、各種の社会権（生存権的基本権、社会生活基本権、社会福祉基本権）をも保障し、さらに、そうした権利を担保するために、国民を国政へ参加させる「参政権」をも与えるべしという仕組みを考えだした。すなわち、参政権は基本的人権の正に一環と考えられるようになった、のである。

(3) だから、日本国憲法は、ここに、その参政権を置いたのである。一般に、日本国憲法は、対日戦争に勝利し、日本を占領統治した連合国軍総司令官マッカーサー将軍が、その司令部（ＧＨＱ）内の少し法律を学んだ経歴のある職員に指示して起案させたものだから、法律的におかしいところが多いと言われている。たしかに、そうした部分もあるが、この第三章「国民の権利義務」の章を見ると、総司令部職員も結構、当時の憲法学の勉強をしていて、「基本的人権」の内包概念は、自由権と平等権と社会権、次いで参政権、そして、人権を最後に保障する裁判を受ける権利（裁判権）であることを、認識して、この憲法を起案していたことが分かる。

(4)　しかし、この第十五条の下に太字で書かれている条題が悪い。これら条題は日本側が付けたといわれているが、ここでも、この条文の中身をただずらずらと並べて書いているにすぎない。そして、この憲法案を受け取った日本側でも、当時の憲法学の国際的趨勢について、勉強していなかった証拠ともいえる。私は、この条題は「基本的人権としての参政権」としたい、と考えている。

(5)　さて、現行第十五条には①項から④項まである。それは、内容的にはよいとして、表現的には問題がある。まず、本条の基本となるのは、③項に掲げる選挙資格を「成年者による普通選挙を保障する。」にある。「普通選挙」に対するものは何か、それは「制限選挙」である。

日本では、いわゆる明治憲法時代当初、選挙権を有する者を国への納税額・資産額で制限する「制限選挙」であった。しかし、大正十四年に衆議院議員選挙について納税額要件が撤廃された。しかし、女性の参政権は認められず、女性の参政権が認められたのは昭和二十年からである。つまり、日本で普通選挙が正式に認められたのは、この日本国憲法施行後の選挙からである、ことを付記しておく。

(6)　この第十五条で気になるのは、「公務員」なる言葉の多用である。例えば、①項で、「公務員を選定し、及びこれを罷免することは、国民固有の権利である。」等々である。

この規定のため、制定された当初、国民の中から、地方の吏員について、「その対応が気にいらない」として、その吏員をやめさせろ、といった訴訟が起こされたケースがあった。なぜ、公務員という用語になったのか、それは、この憲法を起案した連合国軍総司令部（ＧＨＱ）の職員たちも、占領下の日本で、新憲法施行後、国政に選出されるべき議員の名称がどうなるのか、判断がつかなかったためと思われる。

(7)　そして、現行日本国憲法が施行された昭和二十二年五月三日、この憲法に基づく国会において審議された結果、昭和二十二年四月十七日に「地方自治法」が制定施行され、昭和二十二年十月十二日に「国家公務員法」が施行され、昭和二十五年四月十五日には「公職選挙法」も制定され、昭和二十五年十二月十三日に「地方公務員法」も制定されて、国家体制・構造が整ってきた、という経過である。

(8)　「国家公務員法」では、国家公務員は特別職と一般職に分かれる。特別職とは、その職務の特別な性質から、法律上、一般の公務員（一般職）とは異なる特別な公務員をいう。この特別職公務員とは何かは、国家公務員法や地方公務員法に限定列挙されている。

行政府としては、内閣総理大臣はじめ閣僚、副大臣、副長官などの政治職のほか、内閣法制局長官、宮内庁長官。また、特命全権大使など外交官等々が列記されている。あるいは国会議員の秘書や国会職員も特別国家公務員である。

そこに、特別職国家公務員として列記されていない者は、一般職国家公務員となる。なお、国会議員は「国会法」により特別の地位を与えられている。

(9) 裁判官及びその他の裁判所職員も、国家公務員法により、特別職公務員であり、したがって、最高裁判所長官はじめ最高裁判所の裁判官も特別職国家公務員である。そして、現行憲法第七十九条の②項③項④項で、「最高裁判所長官はじめ最高裁判所裁判官」は、国民審査の投票対象となっている。

しかし、当団体では、この改正案の後方にある「裁判」の章で、この「最高裁判所裁判官の審査」は無駄な費用支出と考え廃止を決めているので、当団体の改憲案では、入れないが、もし、この「最高裁判所裁判官」への投票を存続させる場合には、この条文の中の①項の中に、「国会議員及び地方議員」のあとに、「最高裁判所裁判官」を入れることになる。

したがって、当団体としては、第十五条は、次のように、改正されるべきである。

清原淳平の改正案

第十五条〔基本的人権の内容としての参政権〕

① 法律により成人に達した国民は、国会議員および地方議員を選挙するため、投票する参政権を有する。

② 法律の定めにより、国民は被選挙資格を有する。

③ すべて選挙における投票の秘密は、これを侵してはならない。選挙人は、その選択に関し、公的にも私的にも責任を問われない。

④ 内閣総理大臣はじめ公務員は、全体の奉仕者であって、一部の奉仕者ではない。

第十六条〔請願権〕の解説・問題点

現憲法の条文

第一六条〔請願権〕

何人も、損害の救済、公務員の罷免、法律、命令又は規則の制定、廃止又は改正その他の事項に関し、平穏に請願する権利を有し、何人も、かかる請願をしたためにいかなる差別待遇も受けない。

○問題点　国民の参政権の一つとしての請願権

(1)　この第十六条も、学者によって、「第三章　国民の権利義務」という人権規定の中に、なぜ、こうした政治的な規定があるのか、「国会の章」へ移せばよい、とする者もいる。

(2)　しかし、それは間違いで、第十一条〔基本的人権の原則〕の説明箇所で述べたように、基本的人権がもつ内包的概念の中身は、自由権、平等権、社会生活権などのほか、参政権、そして最終的に人権を保障する裁判権がある。

けだし、恣意的な中世の専制君主国家に反対して立ち上がった西欧市民の要求は、恣意的に生命を奪われたり、身体を拘束されることがないこと、権力を立法・行政・司法の三権に分立して、そうした国政の三権に、国民を参加させることであった。

(3)　前条（第十五条）が、まず、参政権の中心として、成人した国民は、立法者となる国会議員・地方議員を選出するための投票権を持つこと、また、立法者たる国会議員・地方議員の候補者となる被選挙権を有すること、を明記したが、本条では、国民はさらにその他の参政権として、請願権をも有することを決めたものである。

(4)　すでに、別の箇所でも述べたが、現行日本国憲法は、その条文の主語を、「国民は」と書いたり、「すべて国民は」としたり、本条のように「何人も」としたり、さまざまである。そうすると、国民の中には「すべてではない国民がいるのか」ということになるし、また、「何人も」とあると、「日本人でない外国人でもいいのか」ということになって不都合である。

本条は、すでに詳述したように、「日本国民の基本的人権」について規定しているわけなので、この条項は、外国人には適用なく、あくまで日本国民を対象にしているので、「何人も」の文言は削除し、「国民は」に改める。

(5)　次に、この条文には、請願権行使にあたっての種類が列記してある。まず「損害の救済」とある。これは、国民が、国家や地方自治体、さらには公務員の言動によって何らかの損害を受けたときは、現行憲法施行前の昭和二十二年二月十三日に制定発効している「請願法」により、内閣または所管の官公署に提出することになる。

しかし、この請願法には、「損害の救済」に対処する具体的な条文規定が存在しない。それは、現行憲法施行後の同昭和二十二年十月二十七日に制定された「国家賠償法」の中に規定されているので、それは、次の第十七条〔国及び公共団体の賠償責任〕の方に掲げるべきで、この第十六条の中に規定する必要はない。これは、新憲法制定時の混乱期の錯誤というべきで、この問題は次の第十七条にゆずり、本条では削除したい。

(6)　また、その次に記載している「公務員の罷免」についても、この条文によれば、国民は、公務員の言動など対応に不満があれば、本条を根拠に、公務員を罷免することができるように読め、当初はそうした訴訟も提起されたが、昭和二十五年十二月十三日に、「地方公務員法」が施行されて、その第五節〔公務員の分限および懲戒〕規定により、第二十七条以降第二十九条まで、詳細な降任、免職、休職、懲戒の条件が規定されているので、地方公務員については、地方自治法に委ねるべきなので、本条にある「公務員の罷免」規定は削除してよい、と考える。

(7) したがって、本条（請願権）は、現行憲法制定時にはよいが、その後に「国家賠償法」などの法整備も進んでいるし、またこの第十六条はかなり長文になるので、当団体としては、改正して、次のような項目を分けて、書き改めることにした。

(8) さらに、当団体では、国民の国への意見表明の手段として、平穏な手段方法によるデモ集会・行進の合法性を、ここに新設したい。

以上の論拠により、現行第十六条は、次のように構成したいと思う。

清原淳平の改正案

第十六条〔基本的人権の内容としての参政権に伴う請願権〕

① 国民は、法律・命令・規則の制定、あるいはその改正ないし廃止その他の事項について、国会ないし地方議会に対し、請願法に基づき、平穏に請願する権利を有する。

② 多数がプラカードを持って集会し行進するいわゆるデモも、平穏に行われるときは、民主主義の意思表示の手段として、合法と認められ処罰を受けない。

③ ただし、その集会・行進に、凶器を持参し、爆発物・毒物を所持し、暴力を伴うときは、規制の対象となり、さらには、犯罪の対象となりうる。

第十七条〔国及び公共団体の賠償責任〕の解説・問題点

現憲法の条文

第一七条〔国及び公共団体の賠償責任〕

何人も、公務員の不法行為により、損害を受けたときは、法律の定めるところにより、国又は公共団体に、その賠償を求めることができる。

○問題点　本条は、個人ないし法人に、国または公共団体への損害賠償を求める権利を与える

(1)　本条も冒頭に「何人も」とある。この第三章の各条の主語が、「国民は」としたり、「すべて国民は」としたり、「何人も」としたり、その主語がまちまちなのは、なぜか、については、すでに解説してあるが、簡潔に説明しておくと、日本占領中にこの「日本国憲法」を起案した連合国軍総司令部内の「起案委員会」は、マッカーサー元帥より、早急に起案するように命令されていたので、戦勝国の憲法や国際協定などを参考にしたが、この「第三章　国民の権利義務」については、この「日本国憲法」が、日本占領中の自国の軍人・軍属・家族にも適用されることを考えて、あえて、こうした主語を置いたとも考えられるが、私はむしろ、それは、起案当時、すでに、成立し活動していた国際連合において、『世界人権宣言』を設けることが決定され、その起草・検討が始まっており、連合国軍総司令部内の「起案委員会」は、その審議・検討内容を参考にして、「日本国憲法」を起案したため、と考えている。

　なぜなら、その『世界人権宣言』なるものは、戦勝国側による新世界確立の理念として、世界に呼びかけるものであるため、その主語が、やはり、「何人も」という表現になっており、それを、参考にした「起案委員会」が、それをそのまま転用したために、「何人も」と言った表現になっている、と考える。

　したがって、すでに、他の条項の解説の中でも述べたように、この「日本国憲法」においては、「何人も」とあっても、外国人には適用なく、日本国籍を有する日本国民に対して基本的人権を保障するものとして、「何人も」を「国民は」とかえるべきである。

(2)　第十六条〔請願権〕の文中の「損害の救済」と「公務員の罷免」とは、同条から外して、この第十七条〔国及び公共団体の賠償責任〕内で論ずべきことは、すでに述べた。

(3)　また、前条の第十六条〔請願権〕の解説の中で述べたように、現行憲法が昭和二十二年五月三日に施行されたあと、その年の秋の昭和二十二年十月二十二日に「国家賠償法」が制定されたので、公務員の言動によって受けた損害があれば、その公務員ではなく、その「国家賠償法」により、「国家ないし地方自治体が、これを賠償する責に任ずる。」ことになっているので、国民側は、前条の「請願法」という方法よりも、この「国家賠償法」ないし地方自治法や地方公務員法により、裁判所に提起するのが一般である。

　けだし、公務員個人を相手とするよりも、国ないし地方自治体を相手とすれば、もし言い分が認められれば、国ないし地方自治体が必ず損害を賠償してくれるからである。

したがって、この第十七条は、次のように改めるべきである。

清原淳平の改正案

第十七条〔国および公共団体の賠償責任〕
国民は、公務員の不法行為により、損害を受けたときは、国家賠償法はじめ法律の定めるところにより、国または地方公共団体に、その賠償を求めることができる。

〔以下は、第一節～第三節の大原則に立っての具体的規定〕

〔第四節　生命・身体・思想、信教の自由〕

第十八条〔奴隷的拘束及び苦役からの自由〕の解説・問題点

現憲法の条文

第一八条〔奴隷的拘束及び苦役からの自由〕
何人も、いかなる奴隷的拘束も受けない。又、犯罪に因る処罰の場合を除いては、その意に反する苦役に服させられない。

○問題点　自由権についての具体的事例を挙げている

(1)　本条は、アメリカ憲法から採ったものと思われる。参考までアメリカ憲法を掲げると、「第十三条修正　第一節　奴隷または意に反する苦役は、犯罪に対する処罰として当事者が適法に有罪宣告を受けた場合を除いて、合衆国またはその管轄に属するいずれの地域内においても存在してはならない。(以下第二節　略)」とある。

なお、アメリカ憲法は、一七八七年の十三州による建国制定時の条文の歴史的意義を尊重してそのまま残し、その後の改正条項は、その末尾に「修正」として掲げる。この第十三条修正は、一八六五年に第十三条修正として、追加されたものである。

(2)　この経緯は、一八六一年～一八六五年にかけて、アメリカ合衆国の北部諸州とアメリカ連合国と称した南部諸州との間に発生した内戦である。当時、アメリカ南部では、アフリカの黒人などを人身売買して奴隷として使役する風潮があり、これをアメリカの建国の精神に反するとした北部諸州と、奴隷制を維持しようとする南部十一州が合衆国を脱退して連合国を宣言した、ことから内戦となり、結局北部合衆国が勝利し連合国が敗北して再統一し、一八六五年にこの「奴隷制廃止」条項を憲法に追加したという経過だ。

(3)　第二次世界大戦で敗北し降伏した日本に進駐したマッ

カーサー将軍は、東京に連合国軍総司令部（GHQ）をおいて日本統治にあたり、結局は、それまでの大日本帝国憲法を改正する形で現行日本国憲法の条文案を、そのGHQ職員に命じて起案させた。

その起案に指名された職員たちは、その終戦の年の六月二十六日にサンフランシスコにおいて協定が成立し、同十月二十四日に発効していた連合国による「国際連合憲章」をはじめ国際協定を参考にしたり、主要戦勝国の憲法を参考にして起案したので、このアメリカ憲法修正第十三条〔奴隷制禁止条項〕を、日本国憲法に取り込んだと思われる。
(4) これに対して、日本の学者は、日本はその歴史上奴隷制度が無かったのであるから、この規定は削除すべきであるとする意見が多い。
しかし、私は、本条では「奴隷的」と「的」を入れているし、この規定を置いておいてよいのではないかと思う。けだし、私は中学一年の時に終戦で、戦時中の体験もあるが、終戦までは、日本の軍人は、街中で上官の姿を見ると直立不動で敬礼をしていた。それを欠礼すると街中でも殴ったりしていた。ところが、進駐してきた連合軍の兵士は、街中で上官に出会っても、直属でもないかぎり、敬礼もしないのを見て驚いたものである。戦時中の日本の軍隊は、国の全体が人権を軽視し、奴隷的拘束に近いものがあったように思うからである。
(5) アメリカの場合は、実際にあった奴隷制度を廃止するため、国家のあり方として戦争までしているので、国家として奴隷制度を認めないとともに国内でそうした奴隷の存在をも認めない、という趣旨に読める。
日本国憲法も、その置かれた位置が、国家が国民の基本的人権を保障する条項の中の参政権保障のあとの、第十五条〔参政権〕、第十六条〔請願権〕、第十七条〔公務員の不法行為により損害を受けた国民は、国または地方公共団体に損害賠償を請求できる〕、つまり、参政権、請願権、損害賠償請求権を行使しても、国から制裁を受けないことを保障したあと、次の第十八条に、国民は、国家から、裁判による処罰の場合を除いては、国家から奴隷的拘束を受けたり、苦役を課されることはないことを、保障している、と解すべきである。ただ、この規定を、ここに置いたのは、なぜか？である。
(6) すなわち、これら基本的人権保障条項は、中世の専制君主国家において、専制君主の恣意により、国民が苦しんだので、国民が専制君主に迫って、国家を構成する国民には、基本的人権（人格権）として、国民の基本的人権、すなわち、自由権、社会活動権、さらには立法・行政・司法という国政三権にも国民が参加できる参政権もあることを、君主・国王に認めさせた、という歴史的経過により、君主といえども専横は許されず、国家とは、そうした君主と国民との「契約」に基づいている、との法理論（契約説）を、近世当時の思想家は構築し、国民もそれを正当化した。

また、君主がどうしても応じない場合は、国民は、立ち上がって革命を起こして君主を倒し、国民から選出した代表者を選ぶ共和制国家を成立させた。

(7) そこで、こうした国民の各種基本的人権は、国家側を主語とし国民側に保障したという文章構造にした方が分かり易いが、当時は、国民側が専制君主国家に迫って認めさせた国民側が努力して取得した誇るべき権利であるとの考えから、国民を主語としている。

(8) 日本国憲法では、第十条から十七条までが、基本的人権、すなわち、前述した「自由権」、「社会活動上の権利」、「参政権」の三大基本的人権の総則的規定であり、この第十八条以下が、その三大基本的人権についての具体的事例を挙げている。

以上の論拠から、この第十八条は、分かりやすく、次のように改められるべきである。

清原淳平の改正案

第十八条〔奴隷的拘束および苦役からの自由〕
国民は、犯罪に対する処罰として適法に有罪判決を受けた場合を除いて、国から、その意に反していかなる奴隷的拘束ないし苦役を科されない。

第十九条〔思想及び良心の自由〕の解説・問題点

現憲法の条文

第一九条〔思想及び良心の自由〕
思想及び良心の自由は、これを侵してはならない。

○問題点　思想および良心という「内心の自由」の保障

(1) これは、前条第十八条が国民の身体的自由を保障したのに対して、本条では、思想および良心という「内心」つまり「こころ」の自由を明記したものである。

(2) 「思想」とは、哲学的に言えば「単なる直観の段階に留まらず、多少論理的に思い巡らせた考え」であり、「良心」とは、「その考える内容が特に倫理的性格を持つ」場合といえよう。

(3) これも、中世において、絶対権力を握っていた専制君主が、国民を奴隷のように思い、「お前は、王たる自分を倒す考えを持っているだろう」などと、憶測で人の内心に立ち入って決めつけ、その命を奪ったり自由を奪ったりしたので、国民側が、天賦人権思想を根拠に、国家権力がそうした憶測で、国民の内心の自由に立ち入ってはならない、と主張し、それが定着した。

(4) 現代では、近代国家ではそうした専制君主は存在しなくなったが、地球上に二百カ国近くもの国家が存在する現代でも、なお専制君主的独裁国家が多数存在するので、こうした規定もなお意義がある。

わが国でも、大日本帝国憲法にそうした条項がなく、戦前・戦時中、特高警察とか軍隊において、そうした事例があったことから、この日本国憲法では、立法府（国会）、行政府（内閣）、司法（裁判所）など、国家権力が、そうした国民の内心を憶測し決めつけて処罰するようなことがあってはならないとして、この「内心の自由」に立ち入らないことを、明記したものである。

(5) そうした理由から、条文の文言はそのままでよいとして、条文の表題部は〔内心の自由の保障〕とした方がよいと思う。

以上の根拠から、この第十九条は、次のように、改めたい。

清原淳平の改正案

第十九条〔思想・良心など内心の自由の保障〕
思想および良心など内心の自由は、これを侵してはならない。

第二十条〔信教の自由〕の解説・問題点

現憲法の条文

第二〇条〔信教の自由〕
① 信教の自由は、何人に対してもこれを保障する。いかなる宗教団体も、国から特権を受け、又は政治上の権力を行使してはならない。
② 何人も、宗教上の行為、祝典、儀式又は行事に参加することを強制されない。
③ 国及びその機関は、宗教教育その他いかなる宗教的活動もしてはならない。

○問題点　「信教の自由」の問題点は多い。以下に、逐次、本条の問題点を挙げることとする。まず、前条に「思想・良心の自由」を置きながら、宗教について、特に一カ条、置いたのはなぜか！

この「信教の自由」を本当に理解するには、まず、洋の東西の歴史を認識する必要がある

(1) 民主主義、社会主義を問わず、近代憲法では、この「信教の自由」を明記する。その例を挙げると、フランス人権宣言（一七八九年、フランスでは憲法と同様に人権宣言が重視されている）第十条の趣旨「宗教的意見の表明は、公序を乱さないかぎり、不安を与えてはならない。」

アメリカ合衆国憲法修正第一条（一七九一年）は、「連邦議会は、国教を樹立し、または宗教上の自由な行為を禁止する法律を制定してはならない。」

ドイツ連邦共和国基本法第四条の趣旨「信仰およびその告白の自由は不可侵である。宗教活動の自由は保障される。」

ロシア連邦憲法第十四条の趣旨「いかなる宗教も、国家的・強制的なものとして定めてはならない。」

中華人民共和国憲法第三十六条（四カ条にわたり詳しく規定するが）その冒頭「中華人民共和国公民は、宗教信仰の自由を有する。」とある。

(2) これは、前掲の第十九条「思想および良心の自由」と同様、基本的人権の第一として、個人の心の中まで立ち入って、為政者と異なる宗教を持っているのではないかと疑いをかけ、拷問して意思に反した意思を表明させて、身体の自由や生命を奪ったりした中世の体験から、基本的人権の基本の一つと考えられたからである。

例えば、ドイツ、フランス、ロシアも、中世期に出現した専制君主国家の君主が、キリスト教・カトリックの教皇と結んで、キリスト教を国教と定め、東方のイスラム教を制圧するため十字軍を結成・侵攻したため、これに動員された国民は多大の犠牲を払ったという苦い体験がある。

また、中国大陸でも、近世に入ってからも、まず宣教師が入ってきて、そこの住民を洗脳し、続いて西欧の強大な軍隊が侵攻してきて、国土の数カ所を植民地化されたという体験がある。

こうして、どこの国も、宗教のために、非常な苦労をした、という歴史体験があるからである。

(3) 日本においても、聖徳太子のころ、日本に入ってきた仏教をめぐって対立抗争があったし、近世には、当時の中国に、西欧からキリスト教の宣教師が布教にきて、やがて西欧諸国による軍事圧力によって植民地化された情報もあって、戦国時代の将軍など為政者が、日本国内のキリスト教徒を、信者というだけで処刑する悲惨な事件も記録されている。

また、明治維新の成立においても、神道のみ貴いとして仏教を弾圧する「廃仏毀釈」（はいぶつきしゃく）が行われた。

その後、維新政府は、近代国家として西欧諸国と肩を並べるには、「憲法」を制定する必要があることを痛感し、欧米諸国を視察し、そして、特に伊藤博文公は、西欧で当時、強国であったプロイセン帝国憲法が参考になると考えベルリンの大学に留学して研究を重ね、帰国後、その起案した憲法案について、明治天皇のご了承を得て、明治二十二年「大日本帝国憲法」として公布し、翌年十一月施行した。このいわゆる明治憲法には、その第二十八条として「日本臣民ハ安寧秩序ヲ妨ケス及臣民タルノ義務ニ背カザル限ニ於テ信教ノ自由ヲ有ス」（原文のまま）と、「信教の自由」を明記していた。

下って、特に大正時代、いわゆる「大正デモクラシー」時代の波に乗って、大正時代から昭和にかけて、この「信教の自由」条文を根拠として、いろいろと新興宗教が台頭・出現する。

(4) ところが、日清戦争に勝利し、日露戦争に勝利した軍部は、さらに朝鮮半島から中国大陸へと進出し、この明治憲法にある第十一条「天皇ハ陸海軍ヲ統帥ス」のいわゆる「統帥権」を根拠にその勢力を強めて行き、また、明治時代から根強くあった「天皇のみ貴い」とする学者グループ「皇国史観」論者も、前掲憲法第二十八条（信教の自由）の中の「安寧秩序ヲ妨ケス及臣民タルノ義務ニ背カザル限ニ於テ」を、皇国史観流に解釈して、日本は国家神道であるべきだ、新興宗教は許されないとして、新興宗教を弾圧する論拠を提供した。

そうした風潮に刺激され、まず、昭和七年五月十五日、海軍の一部青年将校がその部下を率いて、首相官邸に乱入、時の犬養毅首相を殺害するいわゆる「五・一五事件」を起こす。

また、昭和十一年二月二十六日には、今度は陸軍皇道派の青年将校が部下を率いてクーデターを起こし、時の高橋是清大蔵大臣、斎藤実内大臣、渡辺錠太郎教育総監を殺害するいわゆる「二・二六事件」が起きた。

この二つの事件については、昭和天皇がいずれも、「朕が信頼する重臣を殺害するとは許されない」として、蜂起した軍人たちを裁判にかけ、処刑にしたので収まったが、政治家たちはこれに脅え、次第に、時流は軍国主義へと走り、また、民間でも、皇国史観が勢力を強め、軍部に同調して、新興宗教に対する密告などで、当時の新興宗教の教祖たちの多くが、思想を取り締まる「特高警察」から抑留・拷問されるなど、ひどい弾圧を受けた。

(5) そうした「統帥権」を根拠とする軍国主義、「皇国史観」による明治憲法への独特解釈の支配により、日本は真珠湾を急襲攻撃して大東亜戦争へ走り、史上初めての大敗戦・降伏を喫し、マッカーサー元帥による占領・統治を受ける羽目になった。

そして、連合国軍総司令部（ＧＨＱ）起案の「日本国憲法」は、欧米の近代憲法にならい「国民の権利」を列記しているので国民は歓迎し、その中に、制約のない「信教の自由」（第二十条）を明記しているので、これを根拠に、たくさんの新興宗教が台頭した。

しかし、そうした趨勢の中にあっても、戦前からの「皇国史観」勢力は根強く存在し、彼等は「現行憲法無効・

明治憲法復元」を根底に活動している。この勢力は、当初、公然と「現行憲法無効・明治憲法復元」を唱えたが、国民がついてこないので、公然表明は引っ込め、「憲法改正だけ」をいうようになっているが、根底には「明治憲法復元」がある。

(6) 岸信介総理は、この考えを否定し、「現憲法有効・合法的改正」である。先年、岸信介元総理の孫にあたる安倍晋三議員が総理となり、「祖父の意向を継ぐ保守政治」を標榜した。これに、目をつけたのが前記「皇国史観」勢力で、盛んに「憲法改正」を強調し、安倍総理の信頼を得て、勢力を伸ばし、いまや巨大な勢力となっている。

この安倍晋三総理は、この勢力をバックに長期政権を担い、その間、憲法改正推進を強調した。しかし、民間勢力、特に戦前・戦時中に生まれた新興宗教勢力は、「安倍内閣の間は憲法改正反対」として、応じようとしない。

なぜか。そうした新興宗教は、前述したように、戦前・戦時中、その教祖たちが、「特高警察」など国家権力によって、逮捕され拘留され拷問を受けたことを決して忘れておらず、その「奥の院」に記録を残してあるので、もし、「現行憲法無効・明治憲法復元」派が勢力を得れば、新興宗教はまた、同じ目に合うと考えて、実質「明治憲法復元」派に担がれている安倍総理には従わない、としているからである。

(7) すなわち、戦前・戦時中に生まれた新興宗教としては、保守の安倍晋三総理を全面否定ではないが、その背後にいる、皇国史観に立ち、戦前・戦時中に自分たちを密告して、特高警察の弾圧下においた、その系統が、安倍総理の後ろにいるので、安倍総理の下で憲法改正が行われれば、「現行憲法無効・明治憲法復元」が行われ、再び弾圧されるだろう、ということを憂えているわけである。

私は、二十代後半から、そうした政治の世界には裏があることを知る機会があり、また、政治の世界が過去の怨念に捕らわれていることが多いので、昔に遡って歴史的観点から考察・判断しないと、正しい認識が得られないことを勉強した。

ともかく、「現行憲法無効・明治憲法復元」論は、私の師・岸信介総理が言われるように、現行憲法成立後、せいぜい十年以内なら可能だが、何十年も経て無効となると、それまでの法律・政令・裁判も無効となるので、国民から再審請求を起こされ、大混乱となる。また、効力不遡及の原則にも反する。したがって、憲法改正の方法は、「現行憲法有効・合法的改正」のほかにはない、という判断に従うべきである。

政治の世界は、複雑怪奇である。国民の皆さんもぜひ、そうした観点から、政界の動きを判断して、正しい選択をしてくださるよう、切にお願い申し上げる。

(8) 以上の歴史的分析を踏まえ、以下、現行憲法第二十条〔信教の自由〕の条文解説に入る。

まず、冒頭に「何人に対しても」とあるが、憲法はその国の国民との約束なので、他の箇所と同様、「国民は」とすればよいともいえるが、しかし、宗教問題に関しては、上述したように、すでに近代国家共通の課題となっており、国際交流で来日した外国人、あるいは移民者など、日本国内には少ない宗教を信仰している人に対しても、その信仰を理由に排斥したり改宗を迫ったりしてはならない、と解すべきなので、本条では、「何人に対しても」という表現をそのまま置いておいてよい。

(9) ただ、この第二十条①項には、前段に「信教の自由」は、何人に対してもこれを保障する。」とあり、続いて後段に「いかなる宗教団体も、国から特権を受け、又は政治上の権力を行使してはならない」とあるが、学問的には、前者は「信教の自由」の宣言であり、後段は「政教分離」の表明であり、この両者は、別に論じられるので、同じ項内に置かず、項を分けるべきだと考える。

(10) ②項の「何人も、宗教上の行為、祝典、儀式又は行事に参加することを強制されない。」とあるが、こうした国の祝典・儀式または行事は、その国の歴史的経過から何らかの宗教性を伴うのが一般である。

例えば、欧米はキリスト教国が多く、国民から選ばれた国家指導者は、教会の大聖堂などにおいて就任式を行い、聖書に手を置いて宣誓することも多い。

日本でも、その歴史的経過から、葬儀など不祝儀は仏式で行い、結婚式は神式で行うことが多いが、近年ではさらにキリスト教会でも行う傾向もあり、呼ばれた参会者も、それに合わせる風潮が根付いているので、この条文は、なくてもよいと思う。

(11) なお、この条項を根拠として、皇室行事への参加につき、訴訟がいくつも提起された問題がある。

その原告の主たる主張は、皇室の特に皇位継承の際の「即位の礼」や「大嘗祭」は、神道によって行われるのに、総理大臣・衆参議長・最高裁判所長官はじめ要人が招かれて参列するのは、この第二十条②項「何人も、宗教上の行為、祝典、儀式又は行事に参加することを強制されない。」に当たり、違憲であるとの主張である。

それら訴訟は、地方裁判所から高等裁判所、最高裁判所にまで行ったが、最高裁判所の判例では、その参列の行為は、国民統合の象徴たる天皇へ祝意を表する社会的儀礼に属するものであり、違憲ではないとしている。

筆者も、それに賛成であり、また「第一章　天皇」の章内でも解説したように、私はそれは、神道という宗教と解するのではなく、皇室の古来からのしきたりに則るものと解するので、問題はないと考える。

すでに、最高裁判所の判例が定まったことでもあり、この②項は、削除してよい、と考える。

⑿ 次に、本条③項「国及びその機関は、宗教教育その他いかなる宗教的活動もしてはならない。」であるが、この条文も行き過ぎであると思う。なぜならば、この問題は、「第七章　財政」の第八十九条の箇所で詳論してあるが、この条文によっても、この規定では、宗教団体が経営する学校へ国が補助金を出すこともいけないことになりかねない。

宗教教育も、人間性向上に役立つことが多く、無宗教教育を強制すべきではない。国家も、そうした宗教教育の必要性を認めるべきである。この規定の真意は、国が、国教を定めて、それを、強制することを許さないとの趣旨なので、その文言は、「国およびその機関は、特定の宗派を、国教として振興し、または弾圧してはならない。」と改めたい。

以上の論拠から、筆者は、この第二十条〔信教の自由〕の規定を抜本的に改め、①項として「信教の自由の宣言」規定。②項は「政教分離原則」の国側からの宣言規定とし、③項は、同じ「政教分離」の宗教団体側からの宣言規定としたい。

したがって、私の改正案は次のように、表記する。

> **清原淳平の改正案**
>
> 第二十条〔信教の自由の原則、政教分離の原則〕
>
> ① 国は、何人に対しても、信教の自由を保障する。
>
> ② 国およびその機関は、特定の宗派を、国教として振興し、またはこれを弾圧してはならない。
>
> ③ いかなる宗教団体も、国から特権を受け、または政治上の権力を行使してはならない。

〔第五節　社会活動における自由の保障〕

第二十一条〔集会・結社・表現の自由、通信の秘密〕の解説・問題点

> 現憲法の条文
>
> 第二一条〔集会・結社・表現の自由、通信の秘密〕
>
> ① 集会、結社及び言論、出版その他一切の表現の自由は、これを保障する。
>
> ② 検閲は、これをしてはならない。通信の秘密は、これを侵してはならない。

○問題点　社会活動における自由として、集会・結社と表現および通信の秘密

⑴ この条文から、前述のように、基本的人権尊重主義の

中の第二のテーマ「社会活動における活動の自由」に入る。すなわち、上述したように、まず「やたらに生命を奪われないことが保障され、かつ身体を拘束されない自由も保障され」たあとに、「思想及び良心、そして信教の自由」という内心の自由が保障されて、次は「社会活動における自由の保障」となるという順序である。

けだし、人間は社会的動物であり、家族そして社会との関わりなしには生き甲斐がないからである。そして、「集会」を持つようになる。すなわち「集会」とは、多くの人が、共同の目的をもって、一時的に一定の場所に集合することないしその人々をいう。したがって、共同の意思・目的を欠いている人の集まりは群衆であって、集会とは言えないことに注意。

(2) 次に、「結社」であるが、近代国家・社会になるに従い、単なる集会ではなく、社会活動のために、組織を作って活動するようになる。その組織もさまざまな形をとり、やがてそれを、国家機関に登録・登記・公示して、その組織・活動を社会一般が公認する仕組みを考え出す。そうした「集会を催し、結社を作り法人格を賦与する」ことも人間の「社会活動」だからである。

法が認めている「結社」としては、例えば、協同組合や労働組合、有限会社や株式会社とか、社団法人とか財団法人とか、学校法人とか福祉法人とか、その後、NPO法人といった「法人」が、認められている。

したがって、「法人」とは、自然人ではなくて、法律上の権利義務の主体となることを、法律の規定によって認められたものをいう。その設立については、特許主義、許可主義、準則主義、自由設立主義などの立法主義がある。

(3) 条文は「集会、結社」に続けて「及び言論、出版その他一切の表現の自由は、」と続いているが、大体、「集会、結社」と「言論、出版」とは性質がことなるので、当団体では、項目を分けたい。すなわち、第一項は「① 公共の利益に反しない限り、集会の自由を保障する。また、法律に規定する結社の自由を認め、これに、法人格を与える。」とし、そのあとの「言論、出版」以下は第二項としたい。

(4) なお、現行憲法制定当時は、「表現」といっても、言語・言論などの音声、手記・印刷文による表記、そして電話・録音による意思表示が一般であったが、その後、発表手段が増えて、テレビ、そしてインターネットなどが一般化して、各種の映像、動画、電子通信などによる意思表示が出現している。

また、それに伴い、そうした電子送信受信を妨害し攻撃することも行われるようになった。例えば、電子機器を操作して、通信を妨害したり、また故意にサーバー攻撃を仕掛ける組織や国家さえ出現している。

この「表現の自由」はもともとは国家が国民に対して保障するものであるが、今日では、自国民がそうした海外からの妨害や攻撃にさらされた場合に、国家はそうした事態に対処することさえ要請され、それは国家の義務ともいえる。

(5) また、本条では、「② 検閲は、これをしてはならない。通信の秘密は、これを侵してはならない。」とあるが、これは、通信の秘密があって、検閲不可が後に来るように、順序を逆にすべきである。

したがって、憲法第二十一条は表題を〔表現の自由〕とし、次のように改める。

清原淳平の改正案

第二十一条〔表現の自由〕

① 公共の利益に反しない限り、集会の自由を保障する。また、法律に定める結社の自由を認め、これに、法人格を与える。

② すべての国民、および法律が認める法人格を有する結社に対し、言論、出版、映像、電波表示、その他一切の表現の自由を保障する。

③ 郵便、電話、映像、動画、電子通信など、通信の秘密は、これを侵してはならない。検閲は、これをしてはならない。

④ 国家は、国内外からの電波攻撃に対し、国民を守る努力を怠ってはならない。

第二十二条〔居住・移転及び職業選択の自由、外国移住及び国籍離脱の自由〕の解説・問題点

現憲法の条文

第二十二条〔居住・移転及び職業選択の自由、外国移住及び国籍離脱の自由〕

① 何人も、公共の福祉に反しない限り、居住、移転及び職業選択の自由を有する。

② 何人も、外国に移住し、又は国籍を離脱する自由を侵されない。

○問題点　国内での居住・移転の自由、外国移住、国籍離脱の自由

(1) まず、冒頭に、「何人も、」とあるが、すでに数カ所で述べたように、日本を占領・統治したマッカーサー将軍が、その連合国軍総司令部（ＧＨＱ）の職員に、日本国憲法の起案を命じた時、すでに国連総会において「世界人権宣言」の案文が検討されており、起案を命じられた

GHQ職員たちは、検討中の叩き台案文は、参考にしたと思われる。

(2) その「世界人権宣言」には、「何人も、」とか「すべての人間は、」とか「すべての者は、」といった言葉があり、それは、まさに、世界の人々に呼びかけるためなので当然だが、日本国憲法は、日本国の国家権力が国民に保障する筋合いなのだから、本来、日本国が主語で、その対象は「日本国民」である。その点でも、第三章にある「何人も」といった表現は、「世界人権宣言」案を模写したものと思われる。

(3) その「世界人権宣言」は、その第十三条で「①全ての者は、各国の境界内において、移動の自由及び居住の自由についての権利を有する。②全ての者は、いずれの国(自国を含む)からも離れる権利、及び自国に戻る権利を有する。」とあり、したがって、本条は、内容から見て、「世界人権宣言」第十三条を転用したもので、「全ての者は、」を「何人も、」に変えたものと思われる。対象は国民なので「何人も、」は削除したい。

(4) 本条には「公共の福祉に反しない限り、」という制約がついているが、問題である。けだし、「公共の福祉」といった抽象的な表現では、政府の解釈で拡大される危険がある。ドイツ基本法第十一条〔移転の自由〕のように、①項で居住・移転の自由を保障し、②項で、自然災害対象者、十分な生活の基礎がない者(生活困窮者)、伝染病罹患者、青少年非行者、性的加害者、犯罪累犯者、などを挙げ、そうした者を除いて、国民の居住・移転の自由を原則認める形式に、法文を改めるべきだと思う。

(5) 本条では、①項で居住・移転の自由のあと、並べて職業選択の自由を挙げているが、この両者は異なる次元の問題である。ドイツ基本法は、第十一条に移転の自由、第十二条に職業選択の自由、と条文を書き分けている。日本もそうありたい。

そこで、①項の「職業選択の自由」を別条とし、②項の「何人も、外国に移住し、又は国籍を離脱する自由を侵されない。」を、改正②項の次に③項として置いた方が、脈絡が続くと思う。また、この②項冒頭の「何人も、」は、上掲と同じく、自国民対象のはずなので、削除したい。

したがって、現行第二十二条は、次のように改めたい。

清原淳平の改正案

第二十二条〔居住・移転の自由、外国移住および国籍離脱の自由〕

① 居住、移転の自由は、これを保障する。

② ただし、法律により、自然災害・大事故・国家非常事態における退避、生活困窮者、伝染病罹患者、および法律による留置・収監者、青少年非行者、犯罪累犯者、性的犯罪者などについては、こ

れを制約することができる。

③ 国民は、外国に移住し、または国籍を離脱する自由を有する。

▽ 憲法第二十二条の中から、〈職業選択の自由〉を別条文とする。現行憲法第二十三条の「学問の自由」を、第二十六条〈教育を受ける権利・義務〉へ移動するので、第二十三条としたい。

▽ つまり、筆者は、第二十三条に「職業選択の自由」を持ってきて、その表題も次に記すように、〈職業選択の自由、自由を剥奪する場合の例外〉とする。

清原淳平の改正案

第二十三条〈職業選択の自由、自由を剥奪する場合の例外〉

① 日本国民は、職業、職場および養成施設を、自由に選択する権利を有する。

② 職業内容は、法律により、または法律の根拠に基づいて、合理的に規律することができる。

③ 強制労働は、裁判所で命ぜられる自由剥奪の場合に限り、認められる。

（注）右の〈職業選択の自由〉については、ドイツ連邦共和国基本法の第十二条を参考とした。

第二十四条〈家族生活における個人の尊厳と両性の平等〉の解説・問題点

現憲法の条文

第二十四条〈家族生活における個人の尊厳と両性の平等〉

① 婚姻は、両性の合意のみに基いて成立し、夫婦が同等の権利を有することを基本として、相互の協力により、維持されなければならない。

② 配偶者の選択、財産権、相続、住居の選定、離婚並びに婚姻及び家族に関するその他の事項に関しては、法律は、個人の尊厳と両性の本質的平等に立脚して、制定されなければならない。

○問題点　家族生活における個人の尊厳と両性の平等を保障する

(1) 婚姻し新しい家族を構成することは、社会生活を始める基本である。本条は、まず、婚姻は、両性の合意のみに基づいて成立すると宣言し、次にその夫婦は、同等の権利を有するとし、かつそれは、夫婦相互の協力により、維持されなければならない、とする。

(2) 現憲法の前のいわゆる明治憲法には、明文の規定がなく、一般に、結婚は、家同士の結婚と考えられていたので、制定当時、この条文は、大きな反響を呼んだ。

法律用語として「婚姻」とされてきたが、「婚姻」という表記は余り使われなくなっているので、一般的に使われている「結婚」と表記しても良いのではないか、と思う。

(3) ②項の文言は、明治憲法時代の「家同士の結婚」観を、「両性（男女）の合意のみによる」と改めたことに基づいて、その住居の選定、子供が生まれて家族を構成した場合の関係、財産権、そして離婚する場合等々について、①項に掲げた「個人の尊厳と両性の本質的平等に立脚した」法律を制定することを要請したものである。

(4) この条項は、実に良くできていると思われるだろうが、実は、この条文も、「世界人権宣言」からの転用である。「世界人権宣言」第十六条〔婚姻と家族〕「① 成年の男女は、人種、国籍又は宗教によるいかなる制限もなしに、婚姻し、家族を形成する権利を有する。成年の男女は、婚姻中及び婚姻の解消の際に、婚姻に関し平等の権利を有する。② 婚姻は、両当事者の自由かつ完全な合意によってのみ成立する。③ 家族は、社会の自然かつ基礎的な単位であり、社会及び国による保護を受ける権利を有する。」の内容を、転写したものである。

(5) これは、すでに何度も触れたように、日本を占領し統治したマッカーサー将軍が、連合国軍総司令部（ＧＨＱ）の職員に命じて「日本国憲法」を起案させた際、職員たちが当時、国連で検討されていた「世界人権宣言」の原案まで参考にしていた証拠で、彼らの努力に敬意を表したい。

(6) ただ、本条で「婚姻は、両性の合意のみに基づいて成立し、」の「のみ」は、世界人権宣言からの転用ではあるが、日本において、この「のみ」が、両親や一族の助言も一切いらない」と解されているので、この点は、結婚当事者が双方とも成人の場合のみの適用として、双方および片方が未成年の場合は、「親権者の同意を得て」という文言を入れたい。

(7) また、現行憲法には、「家族」や「家庭」という言葉がなく、そのために、社会的不都合が生じている面があるので、私は、上掲した「世界人権宣言」第十六条の③項を、改正案の⑤項に、そのまま、取り入れることにした。起案したＧＨＱ職員が、「世界人権宣言」の中にある「家族」や「家庭」という文言を現行憲法から排除したのか不明だが、いわゆる明治憲法下での「家族」や「家庭」は封建制に縛られていて、もし取り入れると、その封建的要素が残存する、と考えてのことではないか、と思う。

したがって、本条は、次のように改められるべきである。

清原淳平の改正案

第二十四条〔結婚および家族間における個人の尊厳と

両性の平等〕

① 成人の男女は、人種、国籍、または宗教による制限なしに、結婚し、家族を形成する権利を有する。

② 成人の男女はその合意に基づいて結婚することができる。結婚当事者の双方ないしその片方が未成年者の場合は、親権者の同意を要する。

③ 夫婦は、同等の権利を有し、相互の協力により、その家庭を維持し、その家族を保護する努力をしなければならない。

④ 夫婦は、住居の選定、子供が生まれて家族を構成した場合の関係、財産権、そして離婚する場合等々については、個人の尊厳と両性の本質的平等を根拠とする法律に、よらなければならない。

⑤ 家庭・家族は、社会の自然かつ基礎的な単位であり、社会および国による保護を受ける権利を有する。

（第六節　公衆衛生、社会福祉・社会保障を受ける権利）

第二十五条〔生存権、国の社会的使命〕の解説・問題点

現憲法の条文

第二五条〔生存権、国の社会的使命〕

① すべて国民は、健康で文化的な最低限度の生活を営む権利を有する。

② 国は、すべての生活部面について、社会福祉、社会保障及び公衆衛生の向上及び増進に努めなければならない。

○問題点　公衆衛生、社会福祉・社会保障を受ける権利

(1) 人間として生を受けた以上、人間は、潜在的・本能的に、生命を奪われたり、自由を拘束されたりすることなく、そして日常、できる限り、健康で文化的な生活が得られることを望んでおり、国は、国民のそうした願望を認識して、それに努めるべきである。

日本国のように基本的人権尊重主義を掲げる国家においては、特にそうで、国民もそうした努力をするとともに、国も、まず、国民の衣食住の向上に努め、国民の健康で文化的な生活を維持・発展することに努めなければならない。①項は、まずそれを掲げている。

(2) そして、その具体的な政策として、公衆衛生政策はじめ、各種の社会福祉政策、社会保障政策の向上および発展を求めている。この規定こそ、近代民主主義国家が目指す、社会福祉国家・社会保障国家の原則規定、というべきである。

(3) この条文の題名が〔生存権〕とあるので、それが中心であれば、第三章〔国民の権利義務〕のもっと前の方に条文が置かれるべきであるが、私は、この条文内容は、①項ではなく、②項にあるので、この箇所に置いたものと思う。けだし、世界の憲法制定過程から見て、まずは、生命がやたらに奪われないこと、身体の自由が拘束されないことが最初にあり、それがどうやら確保されたので、現代になってはじめて、国家はより積極的に、福祉国家、社会保障国家を目指すことが始まったからである。

(4) まず、「公衆衛生」とは、国民の心身ともに健康で文化的・文明的な生活を保持し、増進するため、国の行政機関によって行われる疾病予防及び衛生管理。具体的には、環境衛生、母子衛生、食品衛生、産業衛生、精神衛生、そして母体保護等々、多岐にわたる。その普及と増進を図るための第一線の行政機関が「保健所」である。

(5) 「社会福祉（費）」とは、諸説あるが、一般には、「国家扶助の適用を受けている者、身体障害者、児童、その他援護育成を要する者が、自立してその能力を発揮できるよう、必要な生活指導、厚生指導、その他の援護育成を行うこと」（社会保障制度審議会の昭和二十五年の勧告の文言）をいう。

(6) 「社会保障（費）」とは、これも諸説あるが、一般には、「疾病、負傷、分娩、廃疾、死亡、老齢、失業、多子、その他困窮の原因に対し、保健的方法又は直接公の負担において経済保障のみち（途）を講じ、生活困窮に陥った者に対しては、国家扶助によって最低限度の生活を保障するとともに、公衆衛生及び社会福祉の向上を図り、もってすべての国民が文化的社会の成員たるに値する生活を営むことができるようにすることをいう」（社会保障制度審議会の昭和二十五年の勧告の文言）。ただし、この文言のうち「公衆衛生及び社会福祉の向上を図り、」は、重複するので入れないとする説もある。

余り長文なので、「失業対策をはじめ、年金、医療、介護、生活保護などの公的サービスにかかる制度・費用をいう。」程度でよいと思う。

そこで、私は、この条項を、次のように、改めたい。

清原淳平の改正案

第二十五条〔公衆衛生、社会福祉、社会保障を受ける権利〕

① すべて国民は、できるかぎり健康で文化的な生活を求めることができる。ただし、国民は、他の国民の利益を害したり、公共の利益に反することはできない。

② 国は、国民のために、公衆衛生の向上をはじめ、社会福祉および社会保障の向上発展に努めなければならない。

第二十三条〔学問の自由〕、第二十六条〔教育を受ける権利、教育の義務〕の解説・問題点

第二十三条〔学問の自由〕と第二十六条〔教育を受ける権利・義務〕とを、一条文にしたい。

現憲法の条文

第二十三条〔学問の自由〕
学問の自由は、これを保障する。

現憲法の条文

第二十六条〔教育を受ける権利、教育の義務〕
① すべて国民は、法律の定めるところにより、その能力に応じて、ひとしく教育を受ける権利を有する。
② すべて国民は、法律の定めるところにより、その保護する子女に普通教育を受けさせる義務を負う。義務教育は、これを無償とする。

○問題点　社会生活において役立つ学問の自由と教育を受ける権利

(1) 右の二カ条は、中に二カ条を置いて離れて規定されている。厳格に言えば、「学問の自由」と「教育を受ける権利、教育の義務」とは、性格が異なると言えるが、しかし、これを一カ条にまとめた方が、むしろ理解がしやすいと考える。

(2) 「学問の自由」とは、学問について、研究、発表、教授する自由をいう。「学問の自由」は、学者を職業とする者だけではなく、一般国民に対しても保障される。

(3) 日本では、とりわけ大学における「学問の自由」が問題とされた。二つの事件がある。

一つは、明治憲法時代の昭和八年五月、京都帝大の滝川幸辰法学部教授の著書『刑法読本』の内容に関して、当時の斎藤実内閣の鳩山一郎文相が同教授を休職処分にしたのに対し、「学問の自由」に反するとして、同学部の教官全員が辞表を提出し学生も参加した抗議事件。一般に「京大事件」とも称される。

(4) いま一つは、やはり明治憲法下、美濃部達吉東京帝大教授がその憲法学の中で、国家は法理論上、法人（権利・義務の対象は本来は自然人だが、法律の定めるところにより、法律上の権利・義務の主体となることを認められたものを法人という）であり、したがって、天皇は国家という法人の一機関であるとする「天皇機関説」を説き、これに、軍部や右翼が「天皇を一機関とは不敬である」として非難し、このため美濃部は東大教授退官後、貴族

院議員となっていたが、その地位を辞任したのが「天皇機関説」事件である。

そうした有名な事件が二つあり、特にこのケースは、外国にも知られていたので、起案にあたったＧＨＱの職員たちは、「学問の自由」だけ一カ条おいたとの説もある。

(5) 第二十六条〔教育を受ける権利、教育の義務〕は、「学問の自由」の具体的内容として、①項で、国民にその能力に応じて学問を受ける権利を保障したものであり、②項は、さらに、その保護する子女に、普通教育を受けさせる義務を課したものである。

「普通教育」とは、日常生活に必要な基本的な知識や技能などを授けることを目的とする学校で、小学校、中学校、および普通科の高等学校において行われる教育、とされる。

(6) 近年、近代諸国家において、長期にわたる高等教育において、学生の授業料の負担が重くのしかかっていることから、高等教育の無償化の声が高まっており、わが国でも例外ではない。ただそれは長期にわたるので、国家財政との兼ね合いを考えざるを得ない。

したがって、現行の第二十三条と第二十六条を一つにして、次のような構成にしたい。

清原淳平の改正案

第二十六条〔学問の自由、教育を受ける権利と責務〕

① 学問の自由は、これを保障する。

② すべて国民は、法律の定めるところにより、その能力に応じて、ひとしく教育を受ける権利を有する。

③ すべて国民は、法律の定めるところにより、その保護する子女に普通教育を受けさせる責務を負う。義務教育は、これを無償とする。

④ 専門高等学校あるいは短期大学、理工科大学、医科大学など専門大学、および大学院、大学院大学などの高等教育については、国家予算の許す範囲で、授業料等を無料とすることができる。

第二十七条〔勤労の権利及び義務、勤労条件の基準、児童酷使の禁止〕の解説・問題点

現憲法の条文

第二十七条〔勤労の権利及び義務、勤労条件の基準、児童酷使の禁止〕

① すべて国民は、勤労の権利を有し、義務を負う。

② 賃金、就業時間、休息その他の勤労条件に関する基準は、法律でこれを定める。
③ 児童は、これを酷使してはならない。

○問題点　社会生活を営むに当たって必要な勤労を保障する

(1) 国民は、生きて行くためには、社会生活において、何らかの労働をしてその対価を得て、日常生活を維持し、家庭を維持し、家族を養い、また、老後に備えるなどの必要のため、勤労をする権利を認められる。

また、この勤労の権利の反面として、誠実に職務を執行し、また、国家に対してその収入から税金を支払うなどの義務を生ずる。

(2) この勤労の権利は、一般には労働権と言われ、それは、労働によって生活する国民が、労働市場において適切な労働の機会が得られるように、国は、法律をつくり、国政上の配慮をすべし、とするものである。

(3) そして、その労働に当たっての具体的な事項の例として、本条は第②項で「賃金、就業時間、休息その他勤労条件に関する基準は、法律でこれを定める」と例示している。

そのために、国がつくる法律としては、例えば、労働施策総合推進法、職業安定法、職業能力開発促進法、雇用保険法など、各種の労働法規が制定されている。

(4) そして、本条第③項として「児童は、これを酷使してはならない。」と規定する。この「児童の酷使禁止」規定は、日本でも当然のことなのに、なぜこうした規定をおいたのかには、逸話がある。日本を占領しその統治に当たったマッカーサー将軍は、東京に入ってから、駐日アメリカ大使館公邸を住居とし、そこから、連合国軍総司令部（ＧＨＱ）として接収した皇居前の第一生命ビル内の執務室に通っていたが、その途次に、車中から、街なかで子どもたちが並んで靴みがきをしているのを見て、日本には児童を働かせる風習があると思ったという。それは、みな戦災孤児で子どもたちが生活のためやむをえず靴みがきをしていたのだった。しかし、マッカーサー元帥は、諸外国の要人が自分を訪ねて来るのに、自分の占領政策のマイナスとなるので、眼に触れないよう、主要道路には靴みがき児童を置かないよう命令したという。

そこから、この「児童の酷使禁止」規定は、マッカーサー将軍の意向もあって挿入されたとの説もある。そのため、この③項は削除してよいともいえるが、今日でもなお児童酷使・虐待のケースが絶えないので、この③項を含め、この条文はそのまま残しておいても良いが、「義務」は「責務」とする。

清原淳平の改正案

第二十七条〔勤労の権利および責務、勤労条件の基準、児童酷使の禁止〕
① すべて国民は、勤労の権利を有し、責務を負う。
② 賃金、就業時間、休息その他の勤労条件に関する基準は、法律でこれを定める。
③ 児童は、これを酷使してはならない。

第二十八条〔勤労者の団結権〕の解説・問題点

現憲法の条文
第二八条〔勤労者の団結権〕
勤労者の団結する権利及び団体交渉その他の団体行動をする権利は、これを保障する。

○問題点　勤労者の生活を守るための団結権・交渉権・団体行動権の保障

(1)　日本国憲法では「勤労者」とするが、通常、使われている「労働者」と同義である。「勤労者」とは、一般に、肉体的あるいは精神的な労働を他人に提供して、その対価として、賃金、給料、その他これに準ずる収入を受けて、生活する者をいう。

(2)　なお、本条にいう「勤労者」（ないし「労働者」）は、公務員も含まれるし、また、現に就職中の者ばかりではなく、失業者も含まれる。

(3)　社会生活上、国民には、自営業、経営者、労働者が存在する。その中で、(1)に述べた「勤労者」（ないし「労働者」）の地位は、使われる側として、その基本的人権が侵される場合があるので、憲法は、国に対し、弱者保護の見地から、その「労働基本権」を守る義務を課している。

(4)　その「労働基本権」には三種ある。すなわち、労働者の団結権、団体交渉権、そして団体行動権（争議権ともいう）で、これを「労働三権」という。

(5)　まず「団結権」とは、労働者が、労働条件を維持・改善するために団体を結成し、また、それに加入する権利をいう。継続的に団結する場合もあるが、一時的に団結する場合もある。使用者による団結権侵害行為は、不当労働行為として禁止される。ただし、警察職員、消防団員、海上保安庁職員、自衛隊員、刑事施設職員には、職務の性質上、認められていない。

(6)　「団体交渉権」であるが、まず「団体」とは、労働者の地位を守るという、その共同目的を達成するために、労働者が結束する結合体または連合体（労働組合など）をいう。そして「団体交渉権」とは、そうした労働者たちがその代表者を選び、その労働条件などにつき、使用者または使用者団体と交渉する権利をいう。

使用者側が正当な理由なく団体交渉を拒否することは、不当労働行為として禁止される。また、労働者側が正当な団体交渉権の行使として行うならば、刑事上の免責がある。

(7)「団体行動権（争議権ともいう）」とは、前掲(6)の交渉権も団体行動の一形態ではあるが、一般には、団体交渉を除いた争議行為、例えばストライキなど、使用者と対等に対抗するために必要な争議行為をいう。労働者の経済的利益に関する場合を原則とし、純然たる政治ストライキ、政治デモは正当な争議行為とはいえない、と解される。

(8) これら労働三権については、国民の認識も固まってきているので、本条の文言を明瞭に整理したい。条文の題名も〔労働三権の保障〕としたい。また、②項として、この権利の行使に当たって、他人の権利を害しないこと、公共の利益に反しないことを、追加したい。

したがって、本条は、次のように改めたい。

清原淳平の改正案

第二十八条〔勤労者の労働三権の保障、団体を作っての団結権・交渉権・行動権〕

① 勤労者の団結権、団体交渉権、団体行動権（争議権）は、これを保障する。

② 労働三権の行使に当たっては、公共の利益に配慮することを必要とする。

第二十九条〔財産権〕の解説・問題点

現憲法の条文

第二十九条〔財産権〕

① 財産権は、これを侵してはならない。

② 財産権の内容は、公共の福祉に適合するように、法律でこれを定める。

③ 私有財産は、正当な補償の下に、これを公共のために用いることができる。

○問題点　勤労などの結果得た私有財産権を保障する規定

(1) 第三章「国民の権利義務」の冒頭で述べたように、近代国家は、中世における専制君主制下での過酷な個人への人権侵害を、阻止するための方策として、国民側と君主側との協定に基づく「立憲主義」により「憲法」をつくり、そして、当時の思想家により、国家権力を立法府・行政府・司法府の三権に分け、その三権に国民側が参加する権利がある、とする制度を創り出した。

また、国民（人間）には、侵すべきではない「基本的人権がある」との大原則を掲げ、まず「生命の自由の尊重」「身体を拘束されない自由」を挙げ、それは「法の前に平等である」こと、その権力を行使する執行者はじめ公職にある公務員に、国民への人権侵害などの不正行為があったときは、国民はその三権（立法府・行政府・司法府）の執行者に、損害賠償を請求することができるとした。

(2) そして、その「基本的人権尊重」には、まず基本的に「生命を奪われない自由」「身体を拘束されない自由」があり、次いで「思想、信条・信教といった内心の自由」も保障されるとしてきた。

(3) 続いて、次に、人間は、社会的な生活を営むことから、それは、各種の社会生活の場面でも保障されるとして、集会・結社・表現、居住・移転・職業選択、家族生活においても、個人の尊厳と平等が認められ、教育を受ける権利、社会福祉・社会保障を受ける権利も認められ、現実に社会生活をするために労働する権利義務も保障されていることも明記された。

(4) 本条の「財産権」の規定は、前記のそうした保障の結果として、個人・法人が財産を得ることができるとする規定である。「財産」とは、広く有形・無形の金銭的価値を有するものの総体をいう。「財産権」とは、その財産を目的とする権利をいう。「財産権」には大別して、物権と債権と無体財産権がある。

(5) 物権とは、特定の物を直接支配することができる権利をいい、したがって、同一物について同一内容の物権が並立することはできない（物権の排他性）、所有権がその典型である。また、物権相互間では先に成立した物権が優先する。

(6) 債権とは、特定の個人または法人（債権者）が、他の特定の個人または法人（債務者）に対して、一定の行為ないし給付を請求することができる権利をいう。債権に対する義務が債務である。物権と債権との間では物権が優先する。物権の排他性に対して、債権は同一の債務者に対し複数の債権者が存在しうる。債権・債務関係が発生するのは、売買、贈与、賃貸借、消費貸借などの契約によるものがほとんどである。

(7) 無体財産権とは、知的財産権、知的所有権ともいう。権利の客体が、発明、考案、意匠など、人間の精神的、創造的、活動の所産であり、例えば、著作権、商号、商標、特許権、工業所有権など、産業活動における識別標識で非有体物であるので、一般に無体財産権ともいう。

(8) 本条①項は、「財産権は、これを侵してはならない。」と規定する。この言葉は、私有財産の保有を認めるか否かという点で重要である。中世の専制君主国家では国民に財産権が認められないこともあったが、近世になって人権に目覚めた国民が立ち上がり、専制君主に迫って国民の地位を認めさせ、次第に財産権の保有も認めさせるようになった。

例えば、現行のフランス憲法第十七条は「所有は、神聖かつ不可侵の権利であり、何人も、適法に確認された公の必要が明白にそれを要求する場合で、かつ、正当かつ事前の補償のもとでなければ、これを奪われない。」とする。ドイツ基本法第十四条も「所有権、相続権は保障する。……」と私有財産権を保障しており、日本国憲法も私有財産権を基本とする。

(9) しかし、近代国家になって、専制君主国家はなくなっても、なお私有財産権を原則としない国家が現存する。以前のソビエト憲法がそうであったし、現代でも、中国すなわち中華人民共和国憲法は、その第九条で「鉱物資源、水域、森林、山地、草原、未開墾地、砂洲は国家の所有である」との趣旨の規定があり、また同十条①項では「都市の土地は国家所有に属する。」と明記し、そうした制約の上での私有財産権に過ぎない。

(10) 日本では、北海道の水源地が中国人に買収されて問題になっているが、中国人からすれば中国では手に入らない水源地が、日本では私有財産制のために金さえ出せば手に入るので買い漁るのである。そうした日中の所有権の違いを調べないで、国際的に条約・協定は相互主義だからと思い込んで締結することの愚は、改めなければならない。

(11) 本条②項「財産権の内容は、公共の福祉に適合するように、法律でこれを定める。」は、現代になると、私有財産権も絶対のものではなく、社会福祉、公共の福祉の観念の向上から、「公共の福祉」による制約を受けることを、明記するにいたる。

(12) それが本条③項にある「私有財産は、正当な補償の下に、これを公共のために用いることができる。」である。

したがって、現行憲法第二十九条は、次のように表記すべきである。

清原淳平の改正案

第二十九条〔私有財産権の保障と公共の福祉による制約〕

① 私有財産権は、これを保障する。

② 財産権の内容は、公共の福祉に適合するように、法律でこれを定める。

③ 私有財産は、正当な補償の下に、これを公共のために用いることができる。

（第七節　国民の責務）

これまで、国民が行使できる多くの権利を見てきたが、先進諸国では「権利と義務は盾の両面」と見てきているので、ここに一節を設け、国民の責務について掲げることとした。

第三十条〔納税の義務〕の解説・問題点

> 現憲法の条文
> 第三〇条〔納税の義務〕
> 国民は、法律の定めるところにより、納税の義務を負う。

○問題点　現行憲法は「納税の義務」だけだが、近代福祉国家においては多くの責務が伴う

(1)　前条まで見てきたように、中世の専制君主国家では、その権力が君主に集中し、国民の犠牲は余りにも大きかった。それを、ヨーロッパでは、国民の永年のたいへんな努力によって君主側と交渉して、国民の基本的人権を認めさせ、国家権力（立法、行政、裁判所）への国民の参加をも認めさせた。

(2)　そして、さらに近代になり現代になるに従い、国家は、公衆衛生、社会福祉、社会保障の見地から、国民を積極的に保護すべきだ、という認識が次第に定着する。そして、さまざまな国民保護の法律が制定される。

(3)　その反面として、国家側は、国民を保護するのだから、国に税金を納めてくれといい、国民も、国が、生命の安全を保障し、身体の不当な拘束もされないこと。各種の人権を保障し、係争が生じれば裁判所が正しく判断してくれる。さらには、衛生設備を設け、各種の社会福祉や社会保障制度で保護してくれることに対し、国民側も、国家へ税金を納める義務を認める、という仕組みが確立したのである。

(4)　つまり、国民は、国家からそうした利益を得る権利がある反面として、それに相応する義務がある、というのが、現代国家の、国家と国民との権利・義務関係と論理構成されるようになる。そうした意味で、ヨーロッパ先進諸国では、「権利と義務は盾の両面」と理解されている。

(5)　しかし、わが日本では、長い歴史、特に江戸時代の幕府・藩制度から、藩を維持するには領民保護が必要であるとの認識が定着し、士農工商という身分制度はあったが、その工商も金銭的実力を持つに従い、士農工商がうまくバランスをとって、日本独特の近代化を進め発展してきた。また、明治維新も西欧近代化を見習って、まずは成功したといえる。

(6) そうして、わが日本では、中世ヨーロッパ諸国のように専制君主がその国民をひどく抑圧するといった体験がなく、したがって、国民が立ち上がって君主から権力を奪いとるといった革命的経験も生じなかったし、明治維新も国民が立ち上がったのではなく、武士階級の一部、薩摩・長州などいくつかの藩の藩士が主導したもので、明治二十二年にできた「大日本帝国憲法」も、明治維新の首脳陣が欧米の制度を視察して、主として当時のプロイセン（ドイツ）憲法を手本として、作成したものであり、国民からの声が高まって創られたものではない。

(7) そのため、日本の場合、国民の側からすれば、「大日本帝国憲法」も上から与えられたものであり、敗戦後の「日本国憲法」も前者の改正という形をとっているが、占領下にマッカーサー将軍の指示で、連合国軍総司令部（GHQ）の職員によって起案されたものを、日本側の僅かな修正は認められたが、そのほとんどのものはGHQ製で、それを上から与えられたわけで、日本国の憲法はいずれも、お上から与えられたもので、国民みずからが、勝ち取ったという経験ではない。

(8) そのため、日本国民は、欧米先進国のように、専制君主から人権はじめ諸権利を苦労して取り戻したという意識もないし、近代国家の理念としての国家は国民を守るためにあり、その反面として国民側にも納税はじめの義務が生じるという意識もなく、「権利と義務は盾の両面」という認識もない。そこで、日本では義務は国家からの強要と考えがちだ。

(9) また、日本人は、いわゆる明治憲法下で、その「第二〇条　日本臣民ハ法律ノ定ムル所ニ従ヒ兵役ノ義務ヲ有ス」とあって、その結果、特に第二次世界大戦では軍人・軍属二三〇万人、民間人八〇万人、合計三一〇万人もの人々が亡くなった経験から、「義務」という言葉に根強い嫌悪感・拒否感があるので、「義務」という言葉を止めて、その代わりに「責務」という言葉に代えたいと思う。

(10) そして、本条「納税の義務」も「納税の責務」とし、また、近代先進国の憲法に見られる幾つかの「義務」を、「責務」との言葉に替えて、ここに、列記したいと思う。

なお、外国の憲法例をみても、近代憲法としては、基本的人権尊重の理念がさまざまな形で具現化して、国家側が、国民に対して、環境衛生、社会保険、社会福祉、その他の社会保障を提供する責務があるとされるようになってきているのに伴い、国民側もそれに伴って、「責務」があるとする方向で、その憲法を改正するようになっているので、日本国においても、「国民の責務」はなにも「納税の義務」に限ることなく、いくつかの「国民の責務」を掲げる必要がある、と考える。

それらの条文は、それぞれ独立の条文とすべきだが、ここでは分かりやすく、第三十条の一、第三十条の二、第三十条の三、第三十条の四、……といった形で、以下に、新設すべき条文を表記しておく。

（国民の責務につき、本節内に六カ条を新設したい）

清原淳平の新設案

要新設の一条〔国民が得た各種権利の反面としての責務の原則〕

① 国民は、国権を執行する立法府、行政府、裁判所の三権に対し、法律の定める諸権利を行使できる権利を有するとともに、その反面として責務を負う。権利と責務とは、いわば盾の両面である。

② 国民は、この憲法に定める各種の権利を行使できるが、他人の正当な権利を害してまではその権利を主張することはできず、また公共の福祉に反してまではその権利を行使できない。

③ 国民は、この憲法に定める各種の権利を行使するに当たり、日本国が批准した国連憲章、世界人権宣言、国際条約、二国間の条約、協定、その他の外交取り決め、そして、日本国憲法およびこの憲法に基づいて制定された法律、そして政令、省令、規則、条例に、反しないよう、努めなければならない。

清原淳平の新設案

要新設の二条〔現行憲法第三〇条　国民の納税の責務〕

① 国民は、国から保障された諸権利に応え、税金を支払う責務を有する。

② 税には、国に支払う国税、地方自治体に支払う地方税があり、また、所得税、法人税、消費税など、各種の租税がある。なお、国民に特定の役務を提供する対価として徴収される料金・手数料を支払う責務がある。

清原淳平の新設案

要新設の三条〔文化財・公共財を保持・振興する責務〕

① 国民は、文化財その他の公共財を、毀損しないよう保守する責務を有する。

② 国は、科学、芸術、その他の文化の振興に努めるものとする。

清原淳平の新設案

要新設の四条〔環境保護に関する権利および責務〕

① 国は、国民のため、公衆衛生をはじめ良好な環境の維持および改善に努めなければならない。

② 国民は、良好な環境を享受する権利を有するとともに、良好な環境を保持し、かつわれわれに続

く世代に、それを引き継いでゆく責務を有する。

清原淳平の新設案

要新設の五条〔自然大災害、人為大災害などの緊急事態下における協力の責務〕

① すべて国民は、地震・山崩れ、火山噴火・火石流、大火事・山林火災、大津波、大洪水・大土石流など、大自然災害の発生にあたり、国から非常事態が宣言された場合には、内閣の指示に従い、これに協力する責務を負う。

② すべて国民は、原子力発電所事故・火力発電所大事故・天然ガス大爆発事故、重油や石油の貯蔵とその精製工場の大事故、その他、大規模工場の大事故が発生し、国から非常事態が宣言された場合には、内閣の指示に従い、これに協力する責務を負う。

③ 本条については、後掲の国家非常事態対処の章が併せ適用される。

これまで、国民が行使できる多くの権利を見てきたが、先進諸国では「権利と義務は盾の両面」と見てきているので、ここに一節を設け、国民の責務について掲げることとした。

本書の「第二章　日本国憲法の基本原則」の中で記したように、日本国は、他国を侵略することはしないが、万が一、他国から攻撃・侵略を受けたときは、「自分の国は自分で守るという独立主権国家の原則」から、国連憲章でも認められる自衛権の行使により、他国からの攻撃・侵略に対してこれを排除すべく、断固、戦うことになる。

そこで、この「他国からの攻撃・侵略」については、国家安全保障上の事態として、次のような条文を新設したい。

清原淳平の新設案

要新設の六条〔外国からの攻撃・侵略など、国家非常事態における協力の責務〕

① 日本国が、他国から不当に攻撃・侵略を受けた時は、独立主権国家として、内閣は、これに対処すべく、国家安全保障上の「国家非常事態」を宣言し、国民に対し、内閣の指示に従うよう指示することができる。

② 国民は、日本国を防衛するため、内閣の指示に応ずる責務を負う。

（第八節　立法権、行政権、裁判権の三権分立原則における立法権への参加）

○問題点　現行憲法に欠如している「立法権」「行政権」「裁判権」への国民参加規定

(1)　近代以降の国家において、国民には各種の権利が保障され、その反面としての責務があることを、これまで、明らかにしてきたが、その上でさらに大切なことは、立憲主義の中身として、国民には、立法を司る国会の構成員として立候補する権利、あるいはその者を選出するため投票権を行使する権利義務があること。

(2)　また、その国会議員で構成される政党活動の結果選出される者を中心として行政を執行する内閣（議院内閣制）の構成員となることができること。

(3)　さらに、やはり国家の統治権の一種として、国家対国民（法人を含む）ないし国民（法人を含む）相互間で紛争が生じた場合に、公正な立場から裁断をくだす裁判所の構成員にもなり得る。

　以上、この三つの権利義務が保障されるのが、近代国家の原則である。

(4)　ところが、現行「日本国憲法」を見ると、前掲の「納税の義務」の次に、いきなり裁判所の手続規定が出てきて、上述の立法における国民の権利責務、そして行政における国民の権利責務の両原則が欠落している。

(5)　これまで、日本を軍事占領したマッカーサー連合国軍総司令官の命令によって、その連合国軍総司令部（GHQ）の職員の中から選抜された『日本国憲法』の起案者たちは、西欧的な、それも近代憲法学の構成理論をよく踏まえて起案した、と称賛してきたが、この箇所にいたって、国民の立法府および行政府への権利と責務を欠落しているのは一体なぜなのか？に、私は悩んだ。

(6)　この問題については、後世の学者によって当時の連合国軍総司令部の新しい資料が発掘されることを期待している。いまの時点で、私の推測では、一つには、この「日本国憲法」なるものは、すなわち日本の立法や行政はすべて連合国軍総司令官たるマッカーサー将軍の専権であり、この憲法は、日本人には言えないが、実はマッカーサー将軍が日本を間接統治するための「日本占領管理法」なのだから、立法と行政については、ここに書かないでもよい、と考えていたと思う。

(7)　したがって、国政についての立法と行政は、日本が独立したあかつきに、日本人が改めてみずから考えればよい。ただ、裁判権については、占領軍としても、統治する上で必要だから、裁判関係だけは細かく規定しておこう、ということで、第三十一条〔法定の手続の保障〕以下、第四十条まで、実に細かく規定を置いたもの、と私は考えている。

そこで、私は、すでに、占領下を脱して、独立主権国家となったという以上、立法（国会）への国民参加について二カ条と、行政（内閣）について一カ条、そして裁判に関して二カ条を、新設すべきだと考える。以下、その条文を掲げる。

なお、後述するように、現行憲法第三十三条以下第四十条は、現行『刑事訴訟法』に同文の規定があり、そちらに譲るので、この間の八カ条が空くので、逐次、条文を詰めてゆくことにする。

その新設すべき条文は、次のとおり。

清原淳平の新設案

要新設の七条〔国民の立法権への参加〕

① 国民は、法律に基づく正当な選挙を経て、国会議員に立候補することができる。

② 当選した国会議員は、日本国およびその国民のため、立法はじめそれに関する職務を忠実に審議し法制化する。

③ 国民は、国政に立候補した候補者につき、その思想・信条・政見・活動力を判断し、投票する権利を有する。また、この投票権は国民の責務である。

④ 国民は、投票する国会議員を、合法的に支援する権利を有し、またその活動を監視する責務を有する。

清原淳平の新設案

要新設の八条〔政党の結成とその活動の保障〕

① 国民は、正当な選挙を経た国会における代表を通じて、国政に参与する。

② 政党の結成は、国民の政治的意思の集約、形成、および国政への反映を図り、もって健全なる議会制民主主義を実現するものとして、これを保障する。

③ 政党の要件は、法律でこれを定める。

④ 政党は、その資金の出所および用途について、ならびにその財産について、公的に報告しなければならない。

⑤ 政党で、日本国の存立を危うくすることを目指すものは、違憲である。

（注） この政党条項は、ドイツ連邦共和国基本法第二十一条を参考とした。

清原淳平の新設案

要新設の九条〔地方自治体の議員に立候補する権利、投票する権利〕

①国民は、この憲法の「第四章　国会」および「第八章　地方公共団体」の各章、およびその下位の地方公共団体法をはじめとする関係法規に基づき、地方議会議員に立候補する権利を有する。

②①項に伴い、選挙権を有する国民は、その居住する地域の地方議会の候補者に投票する権利を有する。

③国民は、その地域の選出議員を、合法的に支援する権利を有し、またその活動を監視する責務を有する。

（第九節　三権分立原則における行政権への参加）

前節「立法権への国民の参加」規定のところでも述べたように、この「行政権への国民の参加」規定についても、日本の敗戦・降伏により、日本の占領・統治に当たったマッカーサー元帥のもと、その占領政策執行のための連合国軍総司令部（GHQ）の職員の中から選任された「日本国憲法起草委員会」のメンバーとしては、本来、立法、行政、裁判という三権分立原則に基づく明文があるのは当然という認識はあったであろうが、その起草委員会としても、現行日本国憲法なるものは、日本人には日本のためにアメリカが誠心誠意作ってくれたものと思わせる必要があるが、その実、彼らとしては、この「日本国憲法」は、マッカーサー将軍による日本占領統治政策がうまく成功するためのいわば「占領政策基本法」なので、この立法と行政に関する事項は、もし書けば、占領政策の足を引っ張るおそれがあると考えて、この部分は、日本が講和条約を締結してから、日本人みずからが考えればよい、と考えて、あえて、明文を置かなかったもの、と思う。

しかし、講和条約も締結され、ともかく、形式的には、独立主権国家となった現在の日本において、「国民の行政権への参加」規定を置くのは重要な課題なので、ここに御参考までに、筆者の改正（新設）案を、次に掲げておく。

清原淳平の新設案

要新設の十条〔国民が、国家公務員ないし地方公務員になる権利〕

①国民は、立憲主義の内実である立法・行政・裁判の三権分立原則の中の行政権へ、前節の立法権に基づいて立候補する権利、投票する権利のほか

に、次項以下に記す公務員となることができる。

② 国民は、国家公務員法をはじめとする法律の定めるところにより、資格を得て国家公務員として行政に参与することができる。

③ 国民は、地方公務員法をはじめとする法律の定めるところにより、資格を得て地方公務員として地方行政に参加することができる。

清原淳平の新設案

要新設の十一条〔議院内閣制の採用、国民の間接的参加〕

① 日本国は、これまでの歴史的経緯に従い、議院内閣制を採用する。すなわち、国民は、国民の代表として選出された国会議員の中から選出される内閣の構成員となって、日本国の行政権を担当する。

② したがって、国民は、まず国会議員を選出することにより、その国会議員を中心として構成される行政権（内閣）へ、間接的ながら参与することができる。

清原淳平の新設案

要新設の十二条〔国家公務員ないし地方公務員の職務に対する心得〕

国家公務員は、国民全体の奉仕者として、公共の利益のために勤務し、かつ、職務遂行に当たっては、全力を挙げてこれに専念しなければならない。したがって、一般職国家公務員は、職務につき政治的中立を要求される。地方公務員もその職務の範囲内において、同様、政治的中立を要求される。

（第十節　三権分立原則における裁判権への国民参加）

▽ 現行憲法は、国民の、立法権への参加や行政権への参加については、上述したように、マッカーサー元帥の日本占領・統治下においては、書けば、かえって占領行政にさわりがあると考えてか、書かなかったが、裁判権については、占領行政下でも、日本人を統治するために必要と考えて、二カ条を置いている。

まずは、その二カ条を掲げた上で、裁判制度につき解説し、問題点を検討して行こう。

第三十一条〔法定の手続の保障〕の解説・問題点

> 現憲法の条文
> 第三一条〔法定の手続の保障〕
> 何人も、法律の定める手続によらなければ、その生命若しくは自由を奪われ、又はその他の刑罰を科せられない。

第三十二条〔裁判を受ける権利〕の解説・問題点

> 現憲法の条文
> 第三二条〔裁判を受ける権利〕
> 何人も、裁判所において裁判を受ける権利を奪われない。

○問題点　法定手続保障の内容　罪刑法定主義、法的三段論法、英米法系判例の尊重

(1)　現行憲法第三十一条〔法定の手続の保障〕は、中世ヨーロッパにおいて、武力を有する実力者が、一定の地域を囲い込み国をつくり、その地域に住む住民を人民として、専制君主国家を創立し、その人民を酷使し使役したので、人民の中から、人権思想家が現れ、専制君主に人民との契約としての憲法を制定することを迫り、人民の国政への参加を求める革命的な国民主権思想が動き出した（近世への胎動）。

(2)　そして、一七八九年には、それに応じない専制君主国家を人民が打倒するフランス革命が起きて、専制君主国家を排除し、国民によって選ばれた指導者が国政を執行・運営する共和制国家も出現するにいたる。

(3)　それは、専制君主国家において専制君主の一存で、生命を奪われたり、牢屋へぶち込まれるなど身体を拘束されたのを、何よりも無くそうとの切実な思いであり、それがまず、当時の国民のなによりの願いであった。その点でこの第三十一条〔法定の手続の保障〕は、むしろ、前掲の現行日本国憲法第十二条の箇所に掲げてもよい条文といえる。

(4)　しかし、現行日本国憲法がこの箇所に掲げており、それはまた、次の裁判関係の条文へ続く原則規定ともいえるので、第三十一条〔法定の手続の保障〕はそのまま存続させることにした。しかし、現行憲法の第三十二条〔裁判を受ける権利〕の方は、以下に掲げる理由により、後掲のように、改正をしたい。

(5)　では、次に、これら現行条項の中身の検討に入る。第三十二条〔裁判を受ける権利〕は、読んで字のごとしでこれで良いとして、第三十一条〔法定の手続の保障〕は大いに問題がある。まず、この条文「何人も、法律の定める手続によらなければ、その生命若しくは自由を奪われない。」には問題がある。

なぜか？　それは、もし独裁的権力者が出て恣意的に「法律」を制定して処罰する場合を考えておかなければならないからである。そのため、近代諸国の憲法を見るとほとんどが「適正な法律の定める手続によらなければ……」と、「適正な」という言葉を入れている。そこで私は本条にも、「国会の定める適正な法律によらなければ……」と、「適正な」を入れたい。

(6)　次に、この第三十一条〔法定の手続の保障〕の文言は、ドイツをはじめヨーロッパ大陸諸国が採る大陸法系でいう近代刑罰論の基本原則である「罪刑法定主義」を掲げたのか明瞭でない。はっきり「罪刑法定主義」と明記すべきである、との主張がある。

因みに、「罪刑法定主義」とは、具体的にどのような行為が犯罪として処罰されるのか、その場合どのような刑罰が科されるのかを、事前に法律（成文法）によって定めておく立法上の主義をいう。

(7)　さらに、具体的にいうと、裁判において、まずその被疑者の言動が、あらかじめ条文化された法文に明記されている文言（構成要件という）に該当するかを判断し、その構成要件に該当するとなると、次にその言動に違法性があるかどうかを判断し、違法性もあるとなると次は、その言動者に責任能力があるかを三段にわたって判断する方式をいう。これを裁判における法的三段論法ともいう。

(8)　例えば、「刑法第一九九条〔殺人〕人を殺した者は、死刑又は無期若しくは五年以上の懲役に処する。」とある。その場合、裁判では、まずAがBを殺したことは事実があるかどうか（構成要件該当）を判断し、Aが実は犯人ではないとなれば、Aは免訴となって釈放される。次にAがBを殺したのは間違いないとして、しかしそれはBがAを殺そうとして襲ってきたため止むを得ず正当防衛として殺したということが判断されれば、Aに違法性はない（違法性阻却）として、釈放される。さらにAにそうした違法性阻却事由もないとなれば、次にAに行為の時に責任能力があったかどうかの判断に入る。そしてもしAについて生来意思能力に欠如していたことが判れば、刑事上責任を問うこうことはできず、Aは病院なり厚生施設送りとなる、といった三段の判断がなされる。

(9)　学者の中には、本条（第三十一条）について、〔法定の手続の保障〕などと曖昧な表現にせずに、なぜ端的に「罪刑法定主義」と書かないのか、という異論がある。

それは一理あるが、私としては、日本を占領・統治したマッカーサー将軍がその連合国軍総司令部（ＧＨＱ）の職員に「日本国憲法」を起案させた時、その職員たちが「罪刑法定主義」と明記せず、「法定の手続の保障」と書いた理由がよく分かる、と考える。

なぜか？　それは、前述したドイツをはじめとする厳格な「罪刑法定主義」を採用する大陸法系の考え方と、イギリスをはじめとする裁判所の判例の積み重ねによる判例法・英米法系との違いにある、と考えている。そこで、次に両者を比較しておこう。

⑽　まずヨーロッパにおいて、周知のように古代にはバルカン半島南部のアテネとかスパルタなどの都市国家が成立するが、年数を経るに従い、ヨーロッパの中央部に武力を蓄えた実力者が出現して、土地を囲い込んで王国を創り、そこの住民を支配して、専制君主国家がいくつも創られて行く。

その専制君主国家は、専制君主を守るため西洋剣士による騎士団を固め、その人民を過酷に支配するようになる。そこで、その人民は、専制君主の恣意によっていつ生命を奪われたり、身体を拘束されるか分からない不安に陥り、それも限界に達して行った。

⑾　人民がそうして専制君主に虐げられていた時、フランスに啓蒙思想家として、「人間は自由なものとして産まれた。しかし、いたるところで鉄鎖で繋がれている」などと唱えて、『社会契約説』『エミール』などの書籍を著し、人間の人権回復を啓蒙するジャンジャック・ルソーや、ヴォルテールなどの理論家・思想家が現れ、人民は結束して専制君主に掛け合い、その契約書としての「憲法」を創る動きが始まった。

⑿　こうして、ヨーロッパでは、専制君主の人民に対する人権侵害が切実で、人民が必死の思いで立ち上がり、専制君主から「人間は生まれつきの人権を持っている」（天賦人権）を勝ち取ったという歴史がある。そして、その憲法を設けるという立憲主義は、その内実として、立法・行政・裁判という三権が分立するとし、その三権に人民が参加することを要求し、実現するにいたる。もし君主側がそれを認めないならば、フランスに見られるように、その君主制を実力で打倒（革命）し、共和制国家を創るにいたる。

⒀　そうした歴史から、ゲルマン王政（ドイツ）では、法律で予め明確な構成要件を明記して、それに当たる場合にだけ、次に、違法性が認められる場合にだけ、さらに責任性も認められる場合にだけ、刑罰を科すことが許される、というシステムを創ったわけである。

⒁　これに対して、ヨーロッパでも、島国イギリスは事情が異なる。イギリスでは、国王と人民との対立がそれほ

どではなく、王政がみずから王政裁判所を構成して、その裁判所が人民に対しても公正な判断をしたことから、その判例が累積し、イギリス国民もそれで納得してきたので、イギリスでは、ドイツなどの大陸法系を採らず、判例重視の裁判システムで今日にいたっている。アメリカもそれに従い、この方式を「英米法系」という。

⒂ それでは、日本の制度はどうか？ わが日本は、古代にすでに天皇制があり、例えば、第十六代仁徳天皇は、「高き屋に 登りて見れば 煙立つ 民のかまどは にぎわいにけり」と和歌を詠じておられるように、常に人民のことを思い慈しんでこられた。

また、源平対立以降、武家が実権を握っても、その政治が悪ければ、天皇の名において討つという、システムが働いてきた。また、武家による幕府下の藩制においても、領主はお百姓をはじめ人民が暴動を起こさないよう善政につとめてきた。それが藩を存続させるために必要であったからである。

そして、先の第二次世界大戦でも、もし天皇がおられなければ、日本は、まさに軍部が言うように「一億玉砕」していたことだろうが、昭和天皇が「堪えがたきを堪え……」の終戦の御詔勅のおかげで、軍部も矛を納め、ともかくも、今日の日本がある。

すなわち、日本においては、ヨーロッパでの中世の専制君主時代のような、堪えがたい圧政・暴虐はなかったのである。

⒃ この日本の歴史は、いろいろあったとはいえ、全体的に見れば、全世界でも、珍しいケースである。すなわち、近世に相当する江戸幕府から明治維新により明治二十二年に「大日本帝国憲法」が制定されたが、これも、ヨーロッパのように、国民が圧政に堪えかねて立ち上がって獲得したものではなく、明治政府の中枢が、欧米諸国に対抗できるような近代国家を創るために、欧米諸国を視察した結果、主としてプロイセン（ドイツ）王国の憲法を見習って創ったものであり、いわば、お上から与えられた憲法である。

そして、その「大日本帝国憲法」を一度も改正しないままにきて、第二次世界大戦に破れ、今度は、その占領軍から与えられた憲法がいまの「日本国憲法」で、これも後生大事に七十余年、一度も改正しないまま、今日にいたっている。日本人は、これまで一度も、国民の側から憲法を改正したこともないのである。

⒄ ところで、話を戻すとして、日本は、法律的には、敗戦・占領政策下で利点もあったと思う。それは、占領政策前の「大日本帝国憲法」での裁判制度は、前述のように、ドイツ流の厳格な罪刑法定主義（構成要件該当——違法性——責任性の判断）であった。

ところが、占領政策の中心であったアメリカが判例重視の英米法系であったため、その影響によって、日本の裁判にも判例重視の判断が取り入れられるようになった。

その良い例が、平成二十九年（二〇一七年）六月五日夜、東名高速の神奈川県内道路での「あおり運転」により、被害者夫婦二人が死亡した事件である。その裁判の公判で、検察側は平成二十五年十一月二十七日制定された「自動車の運転により人を死傷させる行為等の処罰に関する法律」第二条および第三条の「危険運転致死傷罪」に当たるとして、被告人に対し懲役二十三年を求刑した。⒅

これに対して、被告人の弁護士は無罪を主張して争った。この弁護士の無罪主張の根拠は、正に大陸法系の考えで、「危険運転致死傷罪」の構成要件を見ると、自動車運転中の事件であるのが当然と読めるのに、この「あおり運転」の場合は、加害者が被害者の車の前に回り込んで追い越し車線に停車させ、しかも加害者は自分の車から降りて、被害者の車のドアを開けさせて、被害者の夫を引きずり出そうとしていた。そうした情況では、自動車走行中とはとても言えないので、「危険運転致死傷罪」構成要件に該当せず、また検察官がいう監禁罪も被告が被害者の車を留めさせ、それに後ろから来たトラックが追突して夫婦が死亡するまでの間が僅か約二分であることから、短時間すぎて監禁罪の構成要件に該当せず、したがって被告人は無罪である、としたのである。大陸法系で構成要件を厳格に解すれば、そうなる。

しかし、そうとなると、亡くなった被害者夫婦は余りにも気の毒で、社会感覚にも反する。そこで、十二月十四日の横浜地方裁判所の判断に注目が集まったのである。当日の判決は、この「あおり運転」のケースについて、被告人が、被害者の車の前に四回も割り込んで追い越し車線に無理に駐車させたこと等々から判断して、被告人の行為と被害者二人の死亡とは「因果関係がある」として、被告人に懲役十八年の有罪判決を下した。⒆ 裁判所が、こうして因果関係を認めたことは、いわゆる英米法の判断に基づくものであり、弁護士側が厳格な大陸法系の考えを採ったのに、検察官および裁判所が英米法系を採って判断したものといえる。

こうして、わが国は、敗戦前の厳格な構成要件該当——違法性——責任性の判断という大陸法系の立場から、戦争に負けて、アメリカの統治下にあったことから英米法系の認識が入ってきて、原則は大陸法系であるが、構成要件該当を厳格に適用すると上述のように犯罪が成立しなくなるので、そうした場合は、因果関係を判断する英米法系を適用することができることを認めた点で、この「あおり運転」のケースは、貴重な判断であった、と思う。

そこで、日本国民に、日本国憲法が制定されて以降の法律の仕組み、裁判の構造を知ってもらうために、現行憲法第三十一条と第三十二条を併せて一カ条にするとともに、③項に大陸法系の法的三段論法を記し、④項には英米法の特色たる判例法についても、掲げておきたい。

したがって、改正案は次のようにしたい。

清原淳平の新設案

要新設の十三条〔国民は、裁判官・検察官・弁護士となる権利を有する〕

国民は、立法府の定める法律、および最高裁判所の定める規則・手続に従い、資格を得て、裁判官、検察官、弁護士になり、裁判に関与することができる。

清原淳平の新設案

要新設の十四条〔裁判を受ける権利、大陸法系の法的三段論法理論、英米法系判例も尊重〕

① 何人も、裁判所において裁判を受ける権利を奪われない。

② 何人も、適正な法律の定める手続によらなければ、その生命もしくは自由を奪われ、またはその他の刑罰を科せられない。

③ 特に刑事事件においては、法的三段論法、すなわち構成要件該当→違法性→責任性の三段にわたる判断を基準とする。

④ 右のほか、事例に応じ、英米法系に基づく判例をも尊重する。

清原淳平の新設案

要新設の十五条〔裁判所の構成、裁判官の兼職禁止〕

① 裁判所の構成は、憲法（最高）裁判所を頂点とし、高等裁判所、地方裁判所、簡易裁判所、家庭裁判所などを置く。

② 裁判に関する事項は、法律のほか、最高裁判所が制定する規則による。

③ 裁判官は、公正を保障するため、在任中、国会議員、地方議員となり、および職務上、政治運動をすることはできない。また、在任中、商業を営み、その他金銭上の利益を目的とする業務を行うことはできない。

（注）以上、国民の、立法権、行政権、裁判権に参加できる権利を記したが、これらは、一部、国会の章、内閣の章、裁判の章と重複するように思われるかもしれないが、それらの章は、それぞれに必要であるが、この第三章に

おいても国民の権利として記載する必要があろう。

注記　現行憲法第三十三条～第四十条は削除する

○問題点　現行憲法の第三十三条から第四十条まで削除する理由

(1)　現行日本国憲法は、前記の第三十一条〔法定の手続の保障〕、第三十二条〔裁判を受ける権利〕のあと、第三十三条〔逮捕の要件〕、第三十四条〔抑留・拘禁の要件、不法拘禁に対する保障〕、第三十五条〔住居の不可侵〕、第三十六条〔拷問及び残虐刑の禁止〕、第三十七条〔刑事被告の権利〕、第三十八条〔自己に不利益な供述、自白の証拠能力〕、第三十九条〔遡及処罰の禁止・一事不再理〕、第四十条〔刑事補償〕と八カ条の条文が続いている。

(2)　しかし、これら八カ条は、改正案では割愛することにした。けだし、これらの条項は、日本国の刑事訴訟法に、ほとんどそのまま、記載されているからである。

なお、日本を占領したマッカーサー将軍の命令で、現行日本国憲法の案文を起草した連合国軍総司令部（ＧＨＱ）の職員たちが、刑事案件についてなぜこれほどまで詳しく条文を掲げたか？　その理由である。

それは、いろいろと説があるが、私は、かれら起案職員たちが、日本国民は敗戦後の混乱期で、生活苦に追われて、犯罪的意識がかなり鈍麻していると写り、そのため、刑事犯罪について細かく憲法に書いておく必要がある。それはまた、連合国に対して反抗する空気を抑止し、この憲法の実態である占領下管理法としても、連合国軍の統治にとっても必要である、と考えたからだと思う。

(3)　しかし、日本は、戦前からドイツの厳格な刑事訴訟法を踏襲しており、戦後の混乱期を脱し、ともかく独立国家となり、また刑事訴訟法が整備されて、この憲法に掲げた各条項は、ほとんど刑事訴訟法に明記されているので、これらの条項は割愛してよいと考える。

第四章　「国会の章」の解説・問題点

第四章 「国会の章」の解説・問題点

○問題点 「国会の章」も、改めるべき問題点が多い。「憲法」はなぜ生まれたか？

(1) 古代にはスパルタやアテネなど都市国家が生まれたが、それが、西欧の中世になると、各地域で財力・武力に優れた者が土地を囲い込み、自己の領土として、いわゆる「専制君主国家」の成立を宣言し、その域内の住民から税金を取り立て、戦争をするときには兵士として駆り立てる、などの圧政を行った。

(2) 永年、その専制君主の圧政に苦しみ堪えかねたその地域の国民は、近世に入って「人間は生まれながらに、天から与えられた人権がある」（天賦人権思想）を説く近代思想家の論拠に励まされて立ち上がり、専制君主に迫って、国民の人権を守るため、人民との取決めを求めるようになる。この取決め・契約が憲法の始まりである。そして、君主と国民との間で取決めとしての憲法をつくることを「立憲主義」というが、しかし、そこにいたるまでも、専制君主との間に長い闘いがあった。

しかも、憲法をつくる（立憲主義）のはよいとして、むしろ、その国民の人権を具体的に守るためには、その憲法の内容に何を規定すべきかが重要な課題だ、と気がつくようになる。つまり、その内包概念に何を置くかが重要となる。

(3) そこで、専制君主国家において君主の権力とは何かを検討してゆくと、それは、命令・法律を発する権力（立法権）であり、次いでそれを執行する権力（行政権）であり、そして、それに反する者を処罰する裁判権、の三つであると考えた。

そして、専制君主国家においては、この三権力がすべて専制君主に属しているので、まさに、君主の専権・専横となって、国民が苦しむのである。

そこで、国民側は、その基本的人権を保障するためには、国民の代表がその立法権に参与する必要があり、次いで、それを執行する行政権（政府）へも国民側から参加する必要がある。さらに、その基本的人権を確保するためには、法に違反したかどうか、果たして刑罰に値するかどうかを判断する裁判権にも国民側が参加する必要がある、と考えたわけである。

そうした近代思想家たちの論理に従い、国民側は、その立法権、行政権、裁判権という三権への参加を、専制君主側に求め、当初は専制君主側の激しい弾圧にあったが、そうした犠牲・悲劇を体験しつつ、国民側は少しずつそれらの権利を取得していったのである。

(4) 西欧において、以上のように、国民側が永年にわたり大きな犠牲を払って、やっと闘い取り手に入れたこれら立法、行政、司法（裁判所）の三権であるだけに、西欧の国民たちは、それを、近代憲法の粋として、憲法の中に誇らしげに掲げているわけである。それは、西欧の歴史を体験してこなければ、なかなか理解しかねるところである。

(5) 東洋、特に日本においては、遠く古代に、稲作文化が入り、それには部落民の共同作業が必要なことから、「和」の精神が生まれ、この稲作文化を持ち込んだともみられる天皇家は、稲を貨幣化して狩猟部落との物々交換をするなどして、西欧での狩猟部族同士の闘いというのではなく、比較的穏健に他部族を取込み、中央集権国家を築いていったのである。

そして、その政治制度も、天皇家が、その権力を独占集中するのではなく、太政官、関白といった分権制度を採り、中世には、武士が政治の実権を握ったが、その実権を持つ将軍も、不届きがあれば、他の武士が天皇の勅を得て討つという浄化装置が働き、将軍の下の各地の領主たちも、悪政をすれば改易されたために、善政を心掛けた。

(6) こうして、日本においては、古代から、権威と権力とが分かれており、天皇家は政治の実権は将軍などに委ねても、その権威だけは、ほとんど終始、保持していた。

西欧において、近世に台頭した天賦人権思想をもとに、

専制君主国家の国民たちは、上述したように大変な苦労をして、専制君主との契約（憲法）の制定を求め、次には立法・行政・裁判の三権への参加を求め、それに応じない君主に対しては革命を起こして、君主制を打倒し、フランスのように、人民による共和制を実現したが、そのフランスでも、当初の共和制では、その人民の代表が君主のような専横を始めたことから、政治の権力執行者のほかに、権威の象徴としての大統領を置くようにしている。

わが日本では、すでに古代～中世から、権力と権威とを分離してきていることを、ぜひ、日本国民も認識していただきたい。

○問題点の二　「国会の章」には、不備な箇所が多い。追加条文の必要もあるので、本書では、「国会の章」を、「第一節　現行各条項についての改正すべき箇所」と「第二節　二院制を一院制に改正するよう提唱する」と「第三節　木村睦男元参議院議長が会長時代に新設した条項」の、三節に分けて、以下、解説することにする

（第一節　現行各条項について改正すべき箇所）第四十一条〔国会の地位・立法権〕の解説・問題点

> 現憲法の条文
> 第四一条〔国会の地位・立法権〕
> 国会は、国権の最高機関であって、国の唯一の立法機関である。

○問題点の一　「国権の最高機関」を削除する

(1)　けだし「国権の最高機関」という表現は、共産主義国の憲法には見られるが、自由主義国の憲法には一般に、見られない法文である。

(2)　なぜ、共産主義憲法の文言を置いたかは、日本を占領し統治したマッカーサー連合国軍総司令官から、日本占領下憲法の起案を命ぜられた総司令部（ＧＨＱ）の起案委員たちは、それまで経験したことのない作業なので、戦勝国側の憲法を参考にしたために、ソビエト社会主義国憲法を取り込んだ、とみる見解もある。

(3)　また、明治憲法が、内閣や国会よりも軍部の統帥権が上にあったことにかんがみ、そのためあえて、国会を最高機関と明記した、とも考えうる。

(4)　しかし、近代自由主義憲法は、立法・行政・司法の三権の平等分立が原則である。現行憲法では、この法文から、国会議員は行政・司法を超えて一番偉いのだとの認識を生み、三権分立の原則に反する様相でもあるので、自由主義先進諸国並に、この「国権の最高機関」なる文言は削除すべきである。

(5)　すなわち、特定の国家機関を「国権の最高機関」とすることは、他の国家機関を、当該国家機関に従属せしめることを意味し、三権分立を重視する自由民主主義国の憲法にはみられない。これに対して、権力を集中する共産主義はじめ社会主義国憲法にはほとんど例外なく掲げている文言であるので、自由民主主義憲法を標榜するわが国では、ぜひ削除してもらいたい。

○問題点の二　「国の唯一の立法機関である。」の法文も改めるべきである

国会は、確かに「法律」をつくる機関であるが、「立法」形式は、法律だけではなく、政府がつくる「政令」、地方自治体がつくる「条例」、裁判所がつくる「規則」等々がある。したがって、「国の唯一の立法機関である。」との文言は、これも早急に削除すべきである。

そこで、この第四十一条〔国会の地位、立法権〕は、次のように改めたい。

清原淳平の改正案

第四十一条〔国会の地位、立法権〕
国会は、国民代表の府であり、立法権を行使し、予算案を議決し、国政を監督し、その他この憲法および法律の定める権限を行う。

第四十二条〔両院制〕の解説・問題点

現憲法の条文

第四二条〔両院制〕
国会は、衆議院及び参議院の両議院でこれを構成する。

○問題点　現行憲法は、衆議院と参議院の二院制を採るが、多くの不都合がある

(1)　というのは、明治憲法では衆議院と貴族院の二院制を採っていたが、敗戦・降伏後、日本を占領・統治したマッカーサー元帥が、その連合国軍総司令部に命じて起案させた最初の日本国憲法においては、衆議院だけの一院制であったが、引き続き貴族院を置くことを考えていた占領下日本政府は、総司令部に頼んで参議院と衆議院の二院の存在を許してもらったという、日本側から申し出て許された数少ない事例である。

(2)　しかし、第二次世界大戦終了後に、敗戦国では一院制が増えて行き、また次々と独立国が誕生するが、それはほとんどが一院制である。私どもの「自主憲法」でも、岸信介元総理のあとを継いだ木村睦男参議院議長は、名議長として知られた方であったが、当団体の会長となってから、参議院議長体験者の経験として、一院制論者であった。

そうしたことから、当「自主憲法」は一院制を採るが、それは、この章の後ろで詳述することとして、ここでは、現行憲法上の国会二院制にしたがって、まず、その解説を続けて行くこととする。

▽したがって、現行の第四十二条は、読んで字のごとしで、一院制に改正するまでは、このまま、置いておく。

第四十三条〔両議院の組織〕の解説・問題点

現憲法の条文

第四三条〔両議院の組織〕
①　両議院は、全国民を代表する選挙された議員でこれを組織する。
②　両議院の議員の定数は、法律でこれを定める。

○問題点の一　現行憲法は、衆議院と参議院の二院制を採るが、多くの不都合がある

(1)　というのは、明治憲法では衆議院と貴族院の二院制を採っていたが、敗戦・降伏後、日本を占領・統治したマッカーサー元帥が、その連合国軍総司令部（ＧＨＱ）に命じて起案させた「日本国憲法」の当初案は、衆議院だけの一院制であったが、貴族院の復活を考えていた日本側は、マッカーサー元帥に頼んで、二院制（衆議院と参議院）にしてもらった。

(2)　しかし、第一次世界大戦、そして第二次世界大戦の結果、敗戦国となった国々では、戦争責任を問われてその国の王政が崩壊し、貴族制も廃止されたことから、また、第二次世界大戦終了後、植民地が解放されて、たくさんの独立国が誕生してゆく過程において、国会の一院制を採る国がほとんどとなっている世界の趨勢からしても、日本国においても、一院制にすべきである。

(3)　岸信介元総理を継いで、「自主憲法制定国民会議」（＝新しい憲法をつくる国民会議）会長となった木村睦男元参議院議長も、名議長と謳われた方だが、その参議院議長体験から、一院制を主張され、以来、当「自主憲法」としても、一院制を採っている。

その経過や理由は、この章のうしろで詳述することとし、ここでは、現行憲法が、衆議院と参議院の二院制なので、二院制を前提とした、第四十三条から以下の各条文について、まず、解説を進めることにする。

○問題点の二　「議院の組織」とは、一般に「議会制度」ないし「議会政治」をいう

(1)　「議会制度」とは、民主主義政体においては、国民から選挙されたその議員が国民の代表者として、公開の議場で討議・審議し、最終的に多数決によって意思決定を行う政治制度をいう。この方式を「議会政治」といい、また「代議政治制」「間接民主政治制」ともいう。

(2)　また、「議会」とは、民主主義政体においては、「公選された議員の全部または一部を構成員とし、立法の中心的機関として権能を持つとともに、行政権の行使を監視あるいは牽制する権能を持つ合議機関」である。一院制と二院制（両院制）とがある。

明治憲法下では「帝国議会」と呼ばれたが、現行憲法下では「国会」と呼ばれる。また、地方公共団体の議事機関は「議会」と呼ばれるのが一般的である。

こうした方式の機能を、きちんと備えている議会を「近代議会制」という。

(3)　なお、右の説明の中で、「民主主義政体においては」とことわっているが、それは、国家において「国民から選挙によって選ばれた議員によって行われる政治制度」

は、世界的に認められた政治制度となっているが、しかし、形の上ではそうした形をとっていても、一党独裁の共産主義国家や社会主義国家、また、旧態依然たる独裁国家においては、それは形だけのことで、実際は、一党独裁のリーダーが牛耳っている場合があるので、単に形をみるだけではなく、その実態にまで立ち入って観察する必要がある。

○問題点の三　近代議会制において重要な「強制委任禁止の原則」

(1)　ここにおいて、重要なのは「強制委任禁止の原則」である。「強制委任禁止の原則」とは何か？　それは、一般にある程度の国土を有する国では、その国土内に複数の選挙区を設け、その選挙区から複数の立候補者が名乗り出て、その選挙区内の選挙権を持つ住民が、その複数の立候補者の中の特定者に投票し、その当選定数に入った候補者が当選する仕組みであることは、御承知の通りである。

(2)　そこで、「強制委任禁止の原則」だが、その選挙区で当選した議員は、その選挙区ないしその選挙母体の住民の代表ということではなく、その議員（当選者）は、「全国民の代表者である」という仕組みであり、したがって、当選した議員は、そうした「全国民から選ばれた」という自覚をもって、国会（議会）において活動しなければならないという大原則のことである。

　しかし、このことは、選挙区民とその地区で当選した議員との間で、収賄・贈賄的な事件が絶えず、日本国においては、この点、投票した選挙区民も、当選した議員も、この原則を十分理解していないように思われるので、この原則を、一層認識していただきたい。

▽そこで、現行憲法第四十三条〔両議員の組織〕の規定は、以上に解説した問題点の一、二、三の各内容を理解していただければ、二院制を続ける限り、当面、現行の条文のままでよいことにしたい。

　以上を踏まえた上で、次に問題になるのは、議会の構成員たる議員の選出方法である。

第四十四条〔議員及び選挙人の資格〕の解説・問題点

現憲法の条文

第四四条〔議員及び選挙人の資格〕
　両議院の議員及びその選挙人の資格は、法律でこれを定める。但し、人種、信条、性別、社会的身分、門地、教育、財産又は収入によって差別してはならない。

○問題点　近代民主主義憲法における選挙の要件、①普通選挙、②平等選挙、③直接選挙、④秘密選挙、の四つの原則がある

(1)　中世において専制君主の専横に苦しんで、専制君主と長年にわたり交渉した結果、住民側から選挙という方法によって、立法府に国民の代表を送り込むことに成功した西欧社会においては、次に、この方式が上手く機能するためには、いかなる方法を採ればよいのか、国民の意向が正しく議会に反映されるためには何が必要か、その要件は何か、が大きな課題となった。

そして、長い年月をかけた経験から、考え出されたのが、①普通選挙、②平等選挙、③直接選挙、④秘密選挙、という四つの原則であった。以下、順次、説明していこう。

(2)　まず、「普通選挙」の原則であるが、これは、「制限選挙」に対するものである。

専制君主国家において、住民がその代表者を選挙で選ぶについても、専制君主側は、すべての住人に選挙権を認めたわけではない。

当初は、その土地に生まれ育った人種に限って選挙権を与えるとか、キリスト教の信者に限るとか、女性を除いて男性にのみ与えるとか、社会的に認められる地位・身分の者とか、専制君主の子孫・係累（門地）であるとか、ある程度の教育を受けた者とか、あったようであるが、近代になると、財産がいくら以上ある者、税金をいくら以上納めている者、といった基準を設け、その者だけに投票権・選挙権を与えた。

(3)　日本の明治憲法下でも、当初、納税額を決めてその額以上の者に選挙権を認めていたが、大正十四年に「普通選挙法」ができてこの年の衆議院議員選挙から納税額によることが廃止された。しかしなお、二十五歳以上の男子という年齢制限があった。それでも、普通選挙といわれていた。

しかし、成年のすべての男性と女性に選挙権が認められたのは、マッカーサー将軍の占領・統治下の昭和二十年末の選挙で、日本はこのときに本当の「普通選挙」となったといえる。

(4)　次に、「平等選挙」であるが、これに対するものが、「不平等選挙」で、これは、例えば、納税金額に応じて、一人の選挙人に二票以上の投票権を与える場合などである。

これに対して、「平等選挙」は、投票権に一切の差別を認めない制度である。

(5)　次に、「直接選挙」の原則だが、これに対するのが「間接選挙」であって、これは、国民が議員を直接選挙するのではなく、まず、議員選挙人を選出して、その選出された選挙人が本来の議員を選出するという方式である。つまり、有権者が議員選挙人を選び、その議員選挙人が議員を選ぶというワンクッション置く選出方法を採る。アメリカ大統領選挙もそうだが、一般には、中国など社会主義国家に多く見られる。

しかし、西欧型の近代民主主義国家においては、一般に直接選挙が行われている。ところが、日本国憲法では、この第四十三条で「選挙された議員」とだけあって、直接選挙制を採るのか、間接選挙制を採るのか、その点が明らかでない。なぜ、明文がないのか？その原因は、この日本国憲法を起案した連合国軍総司令部の起案委員会としては、参考にしてきたアメリカ憲法の大統領間接選挙制のことが頭にあって、これからできる日本の国会の事情も分からないので、明記しなかったものと思われる。

一般に二院制を採っている国では、第一院では直接選挙制とし、第二院は間接選挙をとるケースも多いが、占領軍による起案委員会の案文では一院制であったのを、懇願して二院制にしてもらった日本では、これまでは衆議院、参議院とも基本的に直接選挙制を採ってきている。しかし、現行憲法上、明文の規定がない以上、衆議院議員選挙はともかく、参議院議員選挙においては、直接選挙を行わず、例えば、推薦制とか任命制といった間接選挙を行うことも可能であることを、付言しておく。

(6)「秘密選挙」の原則、これに対するのは「公開選挙」である。後者・公開選挙とは、選挙人が誰に投票したかが、第三者にも分かる形でする投票である。例えば、旧ソ連は、憲法上は一応秘密選挙が保障されていたが、実際は典型的な公開選挙であった。

旧ソ連の、その公開選挙の仕組みは、各選挙区から自由に立候補することはできず、「代議員候補者推薦制度」という制度があって、その選挙区内の共産党組織と軍の組織と労働組合組織の幹部が集まって、「代議員候補者推薦委員会」を設け、この委員会が推薦した者だけが立候補できる、という仕組みであった。

しかも、立候補できる者は一人だけであり、したがって、立候補した人物は当然、共産党員または共産党シンパサイザーであり、また、投票場においても、立候補者に賛成票を投ずる箱と、反対票を投ずる箱とが別々に置かれていて、そのどちらに投票するかを、前掲の党や軍や労組の幹部を中心とする選挙管理委員がずらっと並んで、観察しているので、反対票の箱へ投票すれば反体制派とみなされることから、それは、かなり勇気がいることであった。

したがって、旧ソ連においては、選挙制度、投票制度、そして憲法上「秘密選挙」の条項はあったが、上記の実態から、反対票を投ずる者はほとんどなく、どこの選挙区も九十九％が賛成票で、立候補者はすべて全員当選という、いわば「信任投票」制であったので、したがって、旧ソ連では、選挙の結果、政権が変わるなどということは、全く考えられなかったわけである。

(7) これに対して、「秘密投票」とは「選挙人がいかなる候補者に投票したかが、第三者に知り得ない方法で、選挙が行われる方式」をいう。

日本においては、明治憲法時代は、当初、選挙権がある選挙人は、投票用紙に選挙人自身の氏名を書くこと（投票記名制）を要求されていたが、明治三十三年以降は、投票にあたって、選挙人自身の氏名を書くことは廃止された（無記名制）。これを、「秘密投票」と言った時代もあったが、筆者がすでに、民主主義選挙制度の四大原則、①普通選挙、②平等選挙、③直接選挙、④秘密選挙のところで前掲したように、明治憲法時代は、それら四大原則を完全に満たすものではなかった。

この四大原則がまずは（前記の直接選挙を除いて）満たされたのは、現行日本国憲法になってからである。現行憲法では、第三章〔国民の権利及び義務〕の第十五条に普通選挙と秘密選挙、平等選挙は同第十四条と国会の章の第四十四条に明記してある。

したがって、今日のわが国では、投票所へ行くと、投票に来たかどうかは入口の受付でチェックがあるが、投票用紙をもらい投票したい候補者の氏名を書いて投票するに当たっては、衝立などがあって、誰に投票したかは分からないようになっており、「秘密投票」が保障されている。

(8) 現行憲法第四十四条は、選挙人と被選挙者とを同じ条文の中に書いているが、これだと国民も混乱するので、この両者は、条文を分けて記載したい。

▽ **以上の論拠から、第四十四条は、選挙人だけの条文にして、次のように改めたい。**

清原淳平の改正案

第四十四条〔選挙人・投票者の資格〕

① 国会議員選挙における選挙人の資格は、法律でこれを定める。ただし、普通選挙・平等選挙の保障により、人種、信条、性別、社会的身分、門地、教育、財産または収入により差別してはならない。

② 投票の方法は、秘密選挙の原則を保障する。

要新設　第四十四の二条〔被選挙資格とその制限〕の解説

清原淳平の新設案

第四十四の二条〔被選挙資格とその制限〕

①　国会議員の選挙において、候補者となり当選人となりうる資格は、法律でこれを定める。

②　刑事法上、有罪の確定判決を受けた者、ならびに民事法上、偽造、詐欺、横領、背任、および詐欺的破産などで有罪の確定判決を受けた者は、議員としての被選挙権を有しない。

③　選挙に関して、買収、強要、脅迫などの腐敗行為を行い、有罪の確定判決を受けた候補者は、その犯罪の行われた選挙区から選出される権利を永久に失い、他の選挙区からは五年間、立候補できないものとする。

④　候補者の選挙責任者が、前項の行為を行った場合は、その候補者は当該選挙区から選出される資格を五年間失うものとする。

○その理由　選挙の場合の選挙人と候補者とは立場が違うので、これを同じ条文に規定する現行憲法は不親切なので、被選挙人・立候補者についての条文を、新しく立てることにした

(1)　なお、ここに新設する条文に、制限事由として②、③、④各項をおいたが、これらは、公職選挙法などに同様の規定があるが、国会議員の候補者となりうる要件は、特に重要といえるので、やはり、憲法に規定を置くべきだ、と考えてのことである。

(2)　なお、①項に「候補者となり当選人となりうる資格は、法律でこれを定める。」としたが、その主たるものは、立候補者となりうる年齢である。公職選挙法などで、衆議院議員の被選挙者年齢は満二十五歳以上、参議院議員の被選挙者年齢は満三十歳以上と決められている。地方自治体の議会の議員は、法律で選挙権を制限されている者を除いて、選挙権を有する満二十五歳以上の日本国民なら、被選挙権・立候補することができる。

(3)　この新設すべき条項を第四十四の二条としたのは、西欧諸国が憲法に新設規定を置く場合の例にならったものであり、現行日本国憲法第四十四条〔議員及び選挙人の資格〕について、筆者は選挙人と被選挙人とを別の条文としたので、前掲の選挙人のみについて記した第四十四条の次に被選挙人についての規定を置くのが相応しいと考えたからである。そうした理由から、ここでは、この条文を「第四十四の二条」と表記しておくが、憲法全体を見直す全面改正案をつくる場合は、順を追って新しい

条文番号を付することになる。

第四十五条〔衆議院議員の任期〕の解説・問題点

現憲法の条文

第四五条〔衆議院議員の任期〕
　衆議院議員の任期は、四年とする。但し、衆議院解散の場合には、その期間満了前に終了する。

○問題点の一　解散権を認めての四年は短いので、諸外国の例に従い、任期を五年に改めたい

　近代国家の憲法では、議会に解散制を採用する場合、任期四年制は「短任期制」に属するとされ、任期五年以上を「長任期制」としている。わが国の政治では、内閣総理大臣による解散権の発動が比較的多いことを考えると、政局の安定を考慮して、国会議員の任期を、世界の趨勢に合わせ、五年制の「長任期制」に代えた方がよい、と考える。

○問題点の二　近代諸国憲法にならい、非常事態が発生した場合の任期延長を考えたい

(1)　現在、この任期満了による総選挙は、公職選挙法第三十一条により、任期が終わる日の前三十日以内に行われることになっている。

(2)　しかし、問題は、なにか非常事態が発生し、総選挙が行えなくなったときに、一体、どうするのか？　諸外国の憲法にはそうした場合の法文があるのに、日本国憲法にはその場合に対処する定めを何ら持っていない。それでよいのか？　法文を置くべきである。

　それを、公職選挙法で規定することも考えられるが、国会議員の任期に関することは、重要事項なので、これはやはり、憲法を改正して、法文を追加すべきである。

(3)　私は、現行法を第一項とし、そのあとに、二つの項を追加すべきであると考える。

　すなわち、第二項には、その非常事態の発生が、衆議院議員の任期満了の前であれば、国会を開き、その決議によって、非常事態の継続中、任期を延長する法文を置く。

(4)　また、その非常事態が、任期満了後または解散後に発生した場合は、新国会が成立するまで、前国会が引き続きその権限を行う、とする法文を置くべきだと考える。

　そこで、現行憲法第四十五条の条文は、次のように改めたい。

清原淳平の改正案

第四十五条〔衆議院議員の任期、非常事態発生の場合

の国会の機能〕

① 衆議院議員の任期は、五年とする。
② 衆議院議員の任期は、衆議院議員の総選挙を行うに適しない非常の事態が発生した場合においては、国会の可決で、非常の事態の継続中、これを延長することができる。
③ 衆議院議員の任期満了後、または衆議院の解散後、総選挙を行うに適しない非常の事態が発生した場合には、新国会が成立するまで、前国会が引き続きその権限を行う。

第四十六条〔参議院議員の任期〕

現憲法の条文

第四六条〔参議院議員の任期〕
参議院議員の任期は、六年とし、三年ごとに議員の半数を改選する。

▽この第四十六条は、衆・参の二院制を残す限り、このまま置いておいてよい。

一院制を採るならば、この規定はいらなくなる。

第四十七条〔選挙に関する事項〕の解説・問題点

現憲法の条文

第四七条〔選挙に関する事項〕
選挙区、投票の方法その他両議院の議員の選挙に関する事項は、法律でこれを定める。

○問題点　この条文は、すべて法律任せの規定で、不親切なので、以下に少し説明する

(1) 選挙区、投票方法、選挙に関する事項といっても、いろいろある。例えば、わが国が日本国憲法施行後に採用した選挙区制・投票方法、選挙関係について、古い順から簡潔に説明しておくと、大選挙区・単記投票制、中選挙区・単記投票制、小選挙区・単記投票制があり、また、後者ではそれに比例代表制が加わり、その場合でも、その投票の委譲に当たって、名簿式とか拘束名簿式とか厳正拘束名簿式などがある。

(2) まず、「中選挙区制」とは、明治憲法下の大正十四年から行われた方式で、各都道府県をそれぞれ数区に分け、一選挙区の議員定数を三～五人とする方式である。しかし、敗戦後の選挙で、後述する大選挙区制へ代えられたが、昭和二十二年の選挙から、再び中選挙区制に戻っている。

(3) 「大選挙区制」とは、一つの県なら県のかなり広い選挙区から選出される議員定数が二名以上の複数となる選挙区をいう。

(4) 「小選挙区制」とは、選挙区の地域を比較的小さくして、そこから選出される議員定数を一人とする方式である。したがって、地域が小さいほど多くの当選者が生まれることになる。

わが国では、平成六年から、中選挙区制に代えて「小選挙区制」が採用されている。この「小選挙区制」は、国政の場において各地域の個別的利益が反映されやすいという利点がある反面、一人しか選出されないため、少数党に対する投票が死票となり、多数党の政権の安定に資するといわれている。

「小選挙区制」からすれば、前記の中選挙区制も大選挙区制に属するとする説もある。

(5) 「単記投票制」と「連記投票制」とは、まず「単記投票制」は、一枚の投票用紙に候補者一名の氏名だけを記載してする投票であり、これに対して、複数の候補者名を記載できる投票方式を「連記投票制」という。現行の公職選挙法では、単記投票制を採用しており、したがって、一枚の投票用紙に候補者名二名以上書いた場合は、無効とされる。

(6) 「比例代表制」とは、有権者が投じたその支持票を、その票の数に比例して、各政党（各会派）に割り振り、当選議員を選出する方式である。

なお、この「比例代表制」と前記「小選挙区制」とを、どう組み合わせるかにより、「小選挙区比例代表併用制」と「小選挙区比例代表並立制」「拘束名簿式比例代表制」などに分かれる。

(7) 「小選挙区比例代表併用制」とは、比例代表制による選挙により、各政党の獲得議員数が決定され、その獲得議員数の枠内で個々の議員は、小選挙区制選挙により当選した者から優先的に議員となる仕組みをいう。

(8) 「小選挙区比例代表並立制」とは、小選挙区比例代表制選挙により選出される各政党（各会派）の議員の一定数の名簿をあらかじめ定めておき、その選挙の得票数により、当選者を決める方式である。わが国では、平成六年の衆議院選挙から、この方式が導入されている。

(9) 「拘束名簿式比例代表制」とは、各政党（各会派）が、当選人となるべき順位をあらかじめ定めた候補者名簿を提出しておき、選挙人がその各政党（各会派）に投票した、その得票数に応じて各政党（各会派）に議席が配分されたあと、その名簿の順位にしたがって当選人が決定される方式をいう。

この方式は、昭和五十七年八月の参議院比例代表選出議員の選出方法として採用された。また、平成六年二月の衆議院比例代表選出議員の選出にも採用された。しかし、前者の参議院比例代表選出については、平成十二年十一月の選挙から、次に記す「非拘束名簿式比例代表制」方式に変わっている。

(10)「非拘束名簿式比例代表制」とは、各政党（各会派）が提出する候補者名簿には、当選人となるべき順位は記載しないが、名簿に登載された候補者間での当選する順位は、当選者たちの中での得票数の多寡に応じて決定する方式で、平成十二年の公職選挙法の改正により、導入された。

この方式により、選挙人側は、名簿登載者の個人名か、これに代わる政党名を記載して投票する。そして、各政党（各会派）に対する議席配分は、その名簿に登載された候補者個人名への得票と政党（会派）名による投票とを合わせた得票数に応じて決定されるという方式である。

(11)以上のように、選挙における投票の割り振りはかなり複雑なので、それをどこまで憲法に条文化するか、が問題になる。しかし、この問題は、これまでも、選挙情況を観察した上での試行錯誤によって「非拘束名簿式比例代表制」に到達したわけで、これからもどうなるか分からない面があり、以上のすべてを憲法で決めるわけにも行かないと思うので、詳細は、やはり法律に委任するしかないと思う。

ただ、著者としては、民主主義選挙の基本である「普通選挙」「平等選挙」「秘密選挙」については、憲法に明記することとし、ただ、「直接選挙」にするか「間接選挙」にするかは、最も民意を反映する「直接選挙」を原則とするが、必要に応じて「間接選挙」を採用することがありうる、ということにしたい。

したがって、現行憲法第四十七条は、次のように改めたい。

清原淳平の改正案

第四十七条〔選挙に関する事項〕

① 選挙区、投票の方法その他両議院の議員の選挙に関する事項は、民主主義の原則により、普通選挙、平等選挙、秘密選挙を原則とする。

② また、直接に民意を反映する直接選挙を原則とするが、選挙情況によっては間接選挙をも採用することができる。

③ その他の詳細は、公職選挙法など法律でこれを定める。

第四十八条〔両議院議員兼職の禁止〕

現憲法の条文

第四八条〔両議院議員兼職の禁止〕
何人も、同時に両議院の議員たることはできない。

○問題点　両院制をとる限り、これは当然規定。後述の一院制を採った場合には廃止となる

第四十九条〔議員の歳費〕の解説・問題点

現憲法の条文

第四九条〔議員の歳費〕
両議院の議員は、法律の定めるところにより、国庫から相当額の歳費を受ける。

○問題点の一　「歳費」とは、国会議員が受ける給与をいう

(1)　国民から選挙された国会議員が、その務めを果たすためには、生活ならびにその政治活動ができるよう、保障する必要があるとする規定である。

(2)　この憲法上の規定に基づき、昭和二十二年法律第八〇として、「国会議員の歳費、旅費及び手当に関する法律」により、国庫から支給されている。その額は、一般職の国家公務員の最高の給料額より少なくない額となっている（国会法第三十五条）。

(3)　この条文は、このまま置いておいてよい。もし、後述するように、一院制を採る場合は、「両議院の議員は、」とあるのは、「国会議員は、」と改めることになる。

○問題点の二　この歳費について、国会議員がお手盛り増額することを防ぐ必要がある

(1)　国会議員は、法律を創ることを役目とするが、それだけに、お手盛り増額するおそれがあり、この歳費も国民の税金であることから、ある程度の制約を課す必要がある。

また、国家も、その時代時代で、経済上昇期はよいとしても、経済後退期に入って国家財政が厳しい時代も考えられる。現行第四十九条だけだと、増額する一方で、減額できないとも読めるので、ここは、歳費を減額できることも明記しておきたい。

(2)　その場合、国会決議にも条件を設けておきたい。なぜなら、一般の法律なら、出席議員の過半数で成立するが、この国会議員の歳費については、みずからの給与の額をみずから決めることになるので、やたらと増額できない

よう、可決条件を厳しくしておく必要があると考え、過半数可決ではなく、三分の二以上の可決にしておくことにしたい。

以上の問題点を勘案して、この第四十九条は、次のように改めたい。

清原淳平の改正案

第四十九条〔議員の歳費〕

① 国会議員は、法律の定めるところにより、国庫から相当額の歳費を受ける。

② 給与の額は、国会の議決でこれを増減することができる。ただし、増額の議決は、出席議員の三分の二以上の多数の賛成を必要として、かつ、国会の総選挙を経て、次の国会の議員から効力を生ずるものとする。

第五十条〔議員の不逮捕特権〕の解説・問題点

現憲法の条文

第五〇条〔議員の不逮捕特権〕

両議院の議員は、法律の定める場合を除いては、国会の会期中逮捕されず、会期前に逮捕された議員は、その議院の要求があれば、会期中これを釈放しなければならない。

○問題点　不逮捕特権の有する意義

(1) 日本人は、この規定の意義につき十分な理解がないが、西欧においては、大層、重要な規定である。というのは、西欧では、実力をもつ人間が、土地を囲い込み、これを領土とし、そこの住民を酷使した歴史があり、近世になって、住民が大きな犠牲を払いつつ、なんとか領主に迫って、その取り決めとしての憲法を創らせ、それを実質的に保障させるために、議会（国会）を設けて、君主側と住民側の協議によって、法律を創り、それに基づいて国政を行ったが、それでも、君主の意向に沿わない代議士が、国王側から逮捕され、拘束されたり、命を奪われたりすることが多々あった。

その体験から、近代憲法は、国民から選ばれた代議士が、君主側から不当に逮捕されたり、生命を奪われたりすることがないとの、明文の規定をおくのである。

(2) ただ、日本国憲法では、逮捕されないとしながら、逮捕された場合の釈放要件とを、同じ一条中に書いているが、これは、二の項に分けた方がよいと思う。

したがって、現行第五十条は、次のように改正したい。

清原淳平の改正案

第五十条〔議員の不逮捕特権〕

① 国会議員は、法律の定める場合を除いては、国会の会期中逮捕されない。

② 会期前に逮捕された議員は、国会の要求があれば、会期中これを釈放しなければならない。

第五十一条〔議員の発言・表決の無責任〕の解説・問題点

現憲法の条文

第五十一条〔議員の発言・表決の無責任〕

両議院の議員は、議院で行った演説、討論又は表決について、院外で責任を問われない。

○問題点　表決とはなにか、議決の違いは?

(1) 条文中の演説と討論は誰でも分かるとして、表決については、議決との差を説明しておく。「表決」とは、国会の審議の対象となる一定の課題について、国会議員それぞれ個人が、賛否の意思を表明する行為をいう。

(2) 賛否の意思を表明する「表決」には、衆議院規則、参議院規則の規定により、起立表決、記名投票表決、そして近年では押ボタン表決の三種がある。

(3) なお、この「表決」と区別されるものとして「議決」がある。「議決」とは、個々の表決を集計した結果としての「合議体の意思決定」をいう。国会において多くの場合は過半数だが、重要議案について三分の二以上を要求する場合がある。

したがって、「議決」の結果は、「可決」となるか、「否決」となるか、のいずれかとなる。現行憲法の条文には、序章に記したように、「可決」というべきところを「議決」とするなど、こうした法律用語の誤りが多い。

(4) 上記のように、国会議員は、法案を成立（可決）させるか、不成立（否決）させるか、重要な役割を有するので、前条の第五十条〔不逮捕特権〕が議員の不当な身体拘束を許さない趣旨であり、この第五十一条〔議員の発言・表決の無責任〕は、国会議員の議院内での演説、討論、表決については、それが、民間では侮辱罪や名誉毀損罪にあたる場合でも、裁判所に提訴することはできないとする趣旨で、国会議員の発言・表決は、国政のために、ここに、保障されているのである。

▽ したがって、現行第五十一条は、このままでよいが、ただ、後述するように、世界の趨勢に従って一院制とするならば、主語は、「国会議員は、」となる。

第五十二条〔常会〕の解説・問題点

現憲法の条文

第五二条〔常会〕　国会の常会は、毎年一回これを召集する。

○問題点の一　国会の常会を、現在の年一回制から、年二回制に改める

(1)　現行憲法は、国会の常会について、一回制を採用している。まず「常会」とは、国会において、毎年一回定期に召集される集会をいう。「通常国会」または「通常会」ともいう。

(2)　しかし、今日のように、国会で処理しなければならない案件が増大している情況下では、常会一回制は適当ではない。

(3)　事実上も、年の後半秋には、臨時国会がほとんど定期的に開催され、常会二回制のごとき情況を呈している。

(4)　世界的にも、常会二回制を採用する国家が増加してきている。

○問題点の二　常会の年二回制を採用するに当たり、その会期を憲法上、明記したい

(1)　常会の年二回会期制を、憲法上に明記して置いた方が、国会や行政府の運用、特に外交政策上も、予定が立てやすい。

(2)　現に、議会制度を採用する近代国家において、年二回の常会の会期を、憲法上に明記する国家が増えている。

(3)　しかし、この常会の会期を、限定すると、運用が硬直化して、かえって不便となるので、その会期は、衆・参両議院の一致した可決があれば、延長することができる、としたい。

○問題点の三　「常会」という表現はわかりにくいので、「通常国会」と表記したい

▽　そこで、憲法第五十二条の条文は、次のように改めたい。

清原淳平の改正案

第五十二条〔通常国会の二回制。会期制、その延長または短縮〕

①　通常国会は、毎年二回、これを召集する。

②　前期の通常国会は、一月の第四週から三月の末日までとし、後期の通常国会は、九月の第三週から十一月の末日までとする。

③　ただし、右会期は、国会の可決をもって、延長しまたは短縮することを妨げない。

第五十三条〔臨時会〕の解説・問題点

現憲法の条文

第五三条〔臨時会〕
内閣は、国会の臨時会の召集を決定することができる。いづれかの議院の総議員の四分の一以上の要求があれば、内閣は、その召集を決定しなければならない。

○問題点　内閣は、臨時国会の召集を決定することもできる

(1)　現行憲法下では、常会年一回なので、秋に開催される国会は臨時国会とされている。前条第五十二条の箇所で、論じたように、もし、常会（通常国会）を年二回制に改正されれば、この臨時会はなくてもよいとも言える。しかし、現行憲法のままであれば、この第五十三条〔臨時会〕の規定を置いておく必要がある。

(2)　また、筆者が主張するように、常会（通常国会）を年二回制にしたとしても、例えば、大きな自然災害が発生し、そのための各種対策が必要な場合などを考えると、この臨時会の規定を引き続き置いておいてもよいと思う。

(3)　また、前条の「常会」を「通常国会」と表記するようにしたのに合わせ、「臨時会」も、国民にもすぐ分かるように、「臨時国会」と表記したい。

(4)　なお、この第五十三条の規定は、その一カ条の中に、内閣が臨時会を召集する場合と、国会議員四分の一以上の要求で召集する場合とを、併せ規定しているが、主体者が異なるので、これは、①項と②項とに分けるべきである。

▽　以上の論拠から、現行第五十三条は、次のように改めたい。

清原淳平の改正案

第五十三条〔臨時国会の召集〕
①　内閣は、国会の臨時国会の召集を決定することができる。
②　前項の場合のほか、国会の在籍議員の四分の一以上の要求があったときには、内閣は、臨時国会の召集を決定しなければならない。

第五十四条〔衆議院の解散・特別会、参議院の緊急集会〕の解説・問題点

現憲法の条文

第五四条〔衆議院の解散・特別会、参議院の緊急集会〕

① 衆議院が解散されたときは、解散の日から四十日以内に、衆議院議員の総選挙を行い、その選挙の日から三十日以内に、国会を召集しなければならない。

② 衆議院が解散されたときは、参議院は、同時に閉会となる。但し、内閣は、国に緊急の必要があるときは、参議院の緊急集会を求めることができる。

③ 前項但書の緊急集会において採られた措置は、臨時のものであって、次の国会開会の後十日以内に、衆議院の同意がない場合には、その効力を失う。

○問題点　衆議院の解散・特別会、参議院の緊急集会の内容について

(1) 一般に「解散」といえば、人の集団が分散してばらばらになることをいうが、衆議院や地方公共団体の議会における解散とは、その議員全員の任期満了前に、その議員たる地位・資格を失わせる行為をいう。

(2) 国会において「特別会」とは、法文にも書いてあるように、衆議院において、解散によって総選挙が行われた場合、その総選挙の日から三十日以内に召集しなければならない国会のことをいう。

(3) つまり、「特別会」とは、現行憲法第五十二条〔常会〕＝通常国会、第五十三条〔臨時会〕＝臨時国会とは別に、衆議院が解散され、総選挙があり、その当選者で新たに組織された国会のことをいう。これも単に「特別会」と表示しないで、「特別国会」と表示した方が、国民には分かりやすいと思う。

(4) なお、この「特別国会」は、前述の「通常国会」と併せて召集することもできる。

(5) 一般に「緊急集会」というときは、事態の急変などへの対処のため急遽開催される集会をいうが、「参議院の緊急集会」というときは、現行第五十四条に書かれているように、衆議院が解散されたときは、参議院は同時に閉会となるが、その解散中に緊急に対処すべき事態が発生したときは、内閣は、参議院議員を召集し、参議院をして、国会の権能を代行させることができる、という制度である。

(6) この「参議院の緊急集会」で決めた措置は、臨時的なものなので、次の国会開会ののち十日以内に、衆議院の同意を得なければならない。もし、その同意が得られない場合は、緊急集会で行われた決定は、その効力を失うことになる。

(注) 現行法のままならば、この規定はそのまま置いてお

いてよい。しかし、後述するように、二院制をやめて一院制を採る国が多くなっていることから、もし、憲法を改正して一院制を採った場合は、この条文の②項と③項はいらなくなる。その場合、緊急事態の場合に困るのでは、という意見も出ようが、その場合は、内閣が、政令で処理して、総選挙後に新しくできる特別国会にかければ、済むことである。

▽もし、一院制を採るとすれば、現行第五十四条は、次のような規定になる。

清原淳平の改正案

第五十四条〔国会の解散・特別国会〕

① 国会が解散されたときは、解散の日から四十日以内に、国会の総選挙を行い、その選挙の日から三十日以内に、特別国会を召集しなければならない。

② 国に緊急の事態が生じたときは、内閣がこれに対処する。ただし、その内閣の措置は、臨時のものなので、特別国会を召集したのち、十日以内に、国会の同意を得る必要がある。もし、同意が得られない場合は、その効力を失う。

③ 「特別国会」は、前述の「通常国会」と併せて召集することもできる。

第五十五条〔資格争訟の裁判〕の解説・問題点

現憲法の条文

第五五条〔資格争訟の裁判〕
両議院は、各々その議員の資格に関する争訟を裁判する。但し、議員の議席を失わせるには、出席議員の三分の二以上の多数による議決を必要とする。

○問題点　三権分立、国会自律権の表明である

(1) 西欧において、中世から、財力・武力を有するものが、土地を囲い込み、そこの住民を支配して圧政を行ったことから、人間には天賦人権があるとする思想家の理論を根拠に、住民たちが立ち上がり、その専制君主に迫って、国王と住民との契約としての「憲法」を定めさせ、さらに、この憲法を実効あらしめるため、住民たちは、国政（議会）への参加、行政への参加、裁判所への参加を求め、それらを徐々に勝ち取ったという西欧の歴史がある。

(2) 裁判をすることは、一般には、三権のうちの裁判所であるが、この場合は、三権の中の議会の問題であるので、議員個人についての資格争訟に関しては、議会の自律権を尊重して、議会の判断に委ねたのである。

しかし、「裁判する」というと、裁判所の権限を国会

も行使すると受け取られ、また裁判所の裁判と同じ方式を踏む必要があるとも受け取られるので、前述の三権分立の建前から、ここは、「裁判する」ではなく、「審査する」に変えた方がよい。

(3) 現行法は、その場合に、「議員の議席を失わせるには、出席議員の三分の二以上の多数による議決を必要とする。」と言っている。議員が国内の地区から選ばれ、国民を代表していることからして、慎重にする必要があるので「出席議員の三分の二以上の多数による」ことはよいとして、その下の「議決する。」は不当である。

前述したように、「議決」には「可決」と「否決」があるので、ここは、「可決」と改めるべきである。

(4) なお、議員の資格争訟を同じ議会ですることは、国会内のことは国会内でするという三権分立の原則を宣言したものであるが、この条文の後半の、その議員の資格を失わせる問題とは中身が違うので、現行憲法のように、一カ条の中に押し込めるのではなく、別の項にすべきである。

▽ したがって、現行第五十五条〔資格争訟の裁判〕の条文は、次のように改めたい。

清原淳平の改正案

第五十五条〔資格争訟の審査〕

① 国会は、所属する議員の資格に関する争訟を審査する。

② 国会議員の議席を失わせるには、出席議員の三分の二以上の多数による可決を必要とする。

第五十六条〔定足数、表決〕の解説・問題点

現憲法の条文

第五十六条〔定足数、表決〕

① 両議院は、各々その総議員の三分の一以上の出席がなければ、議事を開き議決することができない。

② 両議院の議事は、この憲法に特別の定のある場合を除いては、出席議員の過半数でこれを決し、可否同数のときは、議長の決するところによる。

○問題点 本条にいう「総議員」とは何か、法定定員か、現在出席数か、在籍議員なのか？

(1) 「総議員」とは何か、学会でも説が分かれ、当初、国会内でも意見が分かれた。もし、法律で決められた法定定員数とすると、亡くなられた議員が出て、後任がまだ選出されない場合に不都合な結果となる。また「現在出

席数」とすると、病気のため欠席した人を算入しないのもどうかという疑問もでる。

(2) そこで、ここは、現行法の「総議員」という表現を止めて、「在籍議員数」を基準とするのが妥当と考える。

(3) なお、本条文に「決する」との表現を使っているが、これは「議決」という意味であり、したがって、「可決」または「否決」ということになる。

▽ したがって、現行第五十六条は、次のように改めたい。

清原淳平の改正案

第五十六条〔定足数、表決〕

① 国会は、在籍議員の三分の一以上の出席がなければ、議事を開き議決することができない。

② 国会の議事は、この憲法に特別の定めある場合を除いては、在籍議員の過半数でこれを決し、可否同数のときは、議長の決するところによる。

第五十七条〔会議の公開、会議録、表決の記載〕の解説・問題点

現憲法の条文

第五七条〔会議の公開、会議録、表決の記載〕

① 両議院の会議は、公開とする。但し、出席議員の三分の二以上の多数で議決したときは、秘密会を開くことができる。

② 両議院は、各々その会議の記録を保存し、秘密会の記録の中で特に秘密を要すると認められるもの以外は、これを公表し、且つ一般に頒布しなければならない。

③ 出席議員の五分の一以上の要求があれば、各議員の表決は、これを会議録に記載しなければならない。

○問題点　内容としては基本的によいが、いくつか整理する必要がある

(1) まず、①項には、会議公開の原則を掲げ、その後半に秘密会についての規定があるが、この原則と例外の内容を同じ項内におかないで、項を分けた方が妥当である。

(2) 公開しないで「秘密会」としても、だれかが漏らす可能性があり、秘密会を置くことそのものが疑問だが、将来、そういう事態の必要があるかもしれない、ということで存置しておいてもよいだろう。

(3) ①項内、「両議院の会議は、」とあるが、一般に国会（議院）内の公式の会議は「議事」と呼ばれており、「会議」というと、「議事」とは別の、あるいはその下にある会

合をいうのかと誤解されるので、この項の「会議」は「議事」に改めたい。

また、当初、マッカーサー元帥をトップとする連合国軍総司令部（GHQ）の職員による「起案委員会」の原案では、国会一院制であったのを、受け取った日本側が、将来、貴族院の復活を考えたせいか、懇願して二院制に戻してもらった経緯があり、そのために、「両議院」を強調しているが、ここは、「国会」でよいと思う。当団体では、後述するように、世界の趨勢に応じて、一院制を主張してもいる。

なお、現行①項内の「議決」は、「可決」と改正するのが正しい。

(4) ②項内に「以外は」という表現があるが、この言葉は、その前提となる○○を含むのか含まないのか問題となる。厳密に解すれば、「○○を以て外」であるから、○○も入ることになる。しかし、一般には、「その○○を除く」意味で使われている。すると、全く逆の意味に解されるので、厳格な解釈を必要とする法文の中では、この「○○以外は」という用語は、使わない方がよい。ここは、「○○を除いては」という用法に改めたい。

(5) ③項に「表決」という言葉が出てくるが、「表決」とは、国会・議会などにおいて、個々の構成員（議員）が賛否の意思を表明する行為をいう。「議決」との違いは、「議決」の方は、そうした個々の表決の結果として出てくる合議体としての意思決定をいう。

(6) また、③項に、「会議録」といっているが、これは「議事録」と変わりがないと解せられるので、④項に移した上で、「議事録」と改めたい。

▽ 以上の論拠から、現行第五十七条は、次のように改正したい。

清原淳平の改正案

第五十七条〔会議の公開、議事録、表決の記載〕
① 国会の議事は、公開とする。
② 前項にかかわらず、出席議員の三分の二以上の多数で可決したときは、秘密会を開くことができる。
③ 国会は、その議事の記録を保存し、また、秘密会の記録の中で特に秘密を要すると認められるものを除き、これを公表し、かつ一般に頒布しなければならない。
④ 出席議員の五分の一以上の要求があれば、議員の表決は、これを議事録に記載しなければならない。

第五十八条〔役員の選任、議院規則・懲罰〕の解説・問題点

現憲法の条文

第五八条〔役員の選任、議院規則・懲罰〕

① 両議院は、各々その議長その他の役員を選任する。

② 両議院は、各々その会議その他の手続及び内部の規律に関する規則を定め、又、院内の秩序をみだした議員を懲罰することができる。但し、議員を除名するには、出席議員の三分の二以上の多数による議決を必要とする。

○問題点　立法・行政・司法の三権分立制に基づき、立法（国会）の自律権を規定している

(1) ①項は、立法・行政・司法の三権分立制に基づく、国会の自律権により、議長はじめその他の役員を選任する規定である。

(2) ②項は、この一項目の中に、三権分立の原則に基づいて、国会の自律権としての規則制定権があること、秩序を乱した議員を懲罰する問題、そして議員を除名する要件とが、一緒くたに書いてあり、学生さんが記憶するのも大へんなので、これらを各項に整理したい。

(3) ②項に国会内の秩序を乱した議員の懲罰は、国会の自律権として当然であるが、国会外で刑事事件を起こし、裁判で有罪判決を受けた議員についても、国会議員としての品位を傷付けたものとして、外国の例にならい、国会においても懲罰できることを、規定しておきたい。

▽ 以上の論拠により、現行第五十八条は、次のように整理・改正したい。

清原淳平の改正案

第五十八条〔役員の選任、議院規則・懲罰〕

① 国会は、議長を選任し、その他の役員を選任する。

② 議事その他の手続、および国会内部の規律に関する規則を定める。

③ 国会内の秩序を乱し、あるいは刑事裁判において有罪が確定した議員について、これを懲罰することができる。

④ 前項の場合、議員を除名するには、出席議員の三分の二以上の多数による可決を必要とする。

第五十九条〔法律案の議決、衆議院の優越〕の解説・問題点

現憲法の条文

第五九条〔法律案の議決、衆議院の優越〕

① 法律案は、この憲法に特別の定のある場合を除いては、両議院で可決したとき法律となる。

② 衆議院で可決し、参議院でこれと異なった議決をした法律案は、衆議院で出席議員の三分の二以上の多数で再び可決したときは、法律となる。

③ 前項の規定は、法律の定めるところにより、衆議院が、両議院の協議会を開くことを求めることを妨げない。

④ 参議院が、衆議院の可決した法律案を受け取った後、国会休会中の期間を除いて六十日以内に、議決しないときは、衆議院は、参議院がその法律案を否決したものとみなすことができる。

○問題点の一　内閣から、国会へ対して、法律案を発案し提出できるのか？　明文がない

(1)　第五十九条①項は、「特別の定のある場合を除いては、両議院で可決したとき法律となる。」とはどういうことか。法律案を審議し、議決（可決か否決）するのは国会の主たる役割であるから、特別の定めがない限り、国会議員、その集団としての政党・派閥などに発案権があるのは当然である。

それでは、行政府たる内閣に法律案の発案権があるのかどうか？　明文の規定がないため、学問的に疑義が提起されている。

(2)　しかし、私は、内閣からも、法律案を発案・提起できると解する。けだし、内閣は行政府として、法律を執行する役割があり、その執行に当たって、社会・現場での情報も得られるので、法律を執行する側の内閣からも、法律案を発案・提出できる、と解するのが合理的である。

(3)　また、日本は議院内閣制を採り、行政府たる閣僚の多くは、総理大臣はじめ国会議員であることからも、行政府たる内閣にも法律案の発案権・提出権があると解する。現に今日では、内閣からも法律案を提出できるのが慣例となっている。

しかし、学問的疑義が生じないよう、まずは、行政府たる内閣にも、法律案の発案権・提出権があることを、憲法を改正して明記すべきである。

(4)　この問題は、日本の敗戦・降伏後、日本を占領統治したマッカーサー元帥が、その連合国軍総司令部（ＧＨＱ）の職員により、日本国憲法の原案を創らせたとき、一院制であったのを、受け取った日本側が懇願して二院制を

認めてもらったために、占領軍の起案委員会も予想しておらず、二院制を認めてもらった日本側も、急いで付け加えたために、現行憲法の二院制の諸条項には、こうした欠陥が生じている。

(5) さらに、内閣の専権として、付け加えたいのは、租税に関する法律と予算を伴う法律案とは、それらが、いずれも内閣から提起するのが合理的であり、現実にもそうなっているので、これらの事項も、併せ、新設規定に掲げておきたい。

◎ そこで、現行憲法第五十九条の条文は、まず、現行の第一項を、第三項に移し、第二項には、前記③の租税に関する法律、および予算を伴う法律は、内閣に発案権があることを、明記しておきたい。

いま、この第五十九条全体の改正案は、この解説の最後に掲げるとして、「問題点の一」に述べた現行憲法上、欠如している「法律案の発案権」を新設するべく、その改正案を分かりやすく掲げておくと、次のようになる。

清原淳平の改正案

第五十九条〔法律案の発案権〕

① 法律案の発案権は、各議院の議員および内閣に属する。

② ただし、租税に関する法律および予算を伴う法律案の発案権は、内閣に属する。

○問題点の二　衆議院の優越性の規定にも、数々の問題がある。その問題点

(1) 現行日本国憲法は、衆議院と参議院の二院制を採っているので、この両院の意見が異なる場合に、どちらの院にどの程度の優位性を認めるか、の問題が出てくるわけで、第五十九条の①②③④の各項は、この問題を規定している。

(2) 両院制では、広く国民の意見を聞くという点では良いとして、現実には、両院で意見が異なる場合が多く、そのために国政を麻痺させるという二院制の欠陥がある。

(3) 両院の意見が異なり、そのため、いつまでたっても法律が成立しない、といった国政の麻痺をできるかぎり、少なくするためには、その調整条件をできるだけ軽減すべきである。

(4) 現行第五十九条の②項は、「衆議院で可決し、参議院でこれと異なった議決をした法律案は、衆議院で出席議員の三分の二以上の多数で再び可決したときは、法律となる。」と規定しているが、この可決条件は、世界の趨勢からも高すぎるので、「衆議院で総議員の過半数の賛成で再び可決したときは、法律になる。」と改める。

(5) また、同項内の「総議員」とあるのは、第五十六条の箇所で述べたのと同様の理由により、「在籍議員」と改めたい。

◎ そこで、改正すべき第五十九条の条文は、前記のように、①項に法律の発案権を新設するので、現行の①項を②項に移し、②項が③項となるという具合に、項が移動することになる。

▽ なお、国政を迅速に進めるため一院制を採る国が増えている趨勢に従って、わが国も一院制に改正した場合は、本条内の③④⑤⑥の各項は不要となる。

▽ 二院制を維持したままでの、第五十九条全体の改正案は、次のようになる。

清原淳平の改正案

第五十九条〔法律案の発案権、議決権、衆議院の優越〕
① 法律案の発案権は、各議院の議員はもちろん、内閣からも提起できる。
② ただし、租税に関する法律および予算を伴う法律の発案権は、内閣に属する。
③ 法律案は、この憲法に特別の定めある場合を除いては、両議院で可決したときに法律となる。
④ 衆議院で可決し、参議院でこれと異なった議決をした法律案は、衆議院で在籍議員の過半数の賛成で再び可決したときは、法律となる。
⑤ 前項の規定は、法律の定めるところにより、衆議院が、両議院の協議会を開くことを求めることを妨げない。
⑥ 参議院が、衆議院の可決した法律案を受け取った後、国会休会中の期間を除いて六十日以内に、議決しないときは、衆議院は、参議院がその法律案を否決したものとみなすことができる。

第六十条〔衆議院の予算先議、予算議決に関する衆議院の優越〕の解説・問題点

現憲法の条文

第六〇条〔衆議院の予算先議、予算議決に関する衆議院の優越〕
① 予算は、さきに衆議院に提出しなければならない。
② 予算について、参議院で衆議院と異なった議決をした場合に、法律の定めるところにより、両議院の協議会を開いても意見が一致しないとき、又

は参議院が、衆議院の可決した予算を受け取った後、国会休会中の期間を除いて三十日以内に、議決しないときは、衆議院の議決を国会の議決とする。

○問題点　国会で、年度内に予算が成立しなかった場合の規定が、現行憲法には無い

(1) 大日本帝国憲法では、その七十一条に「帝国議会ニ於テ予算ヲ議定セス又ハ予算成立ニ至ラサルトキハ政府ハ前年度ノ予算ヲ施行スヘシ」との規定があったが、現憲法には、そうした規定が全くない。そのため、第三項を新設し、規定を設ける。

(2) ただ、現行法では、こうした場合に対処するものとして、財政法第三十条〔暫定予算〕として、

「① 内閣は、必要に応じて、一会計年度のうちの一定期間に係る暫定予算を作成し、これを国会に提出することができる。

② 暫定予算は、当該年度の予算が成立したときは、失効するものとし、暫定予算に基く支出又はこれに基く債務の負担があるときは、これを当該年度の予算に基いてなしたものとみなす。」

との規定を置いているが、国会において、国家予算が成立しないことは、国家として重要課題であるから、下位の財政法ではなく、やはり、憲法に明記すべきである。

(3) なぜ、予算不成立の場合の規定が欠如したのか、それは、連合国軍総司令部の職員が日本国憲法を起案したとき、戦勝国の憲法を参考としたが、アメリカ憲法にはそうした規定がなかったので、置かなかったのかもしれない。

しかし、アメリカの場合、予算編成権は、大統領にはなく、アメリカ議会に属するので議会の自律権に任せているが、日本など議院内閣制を採る場合は、予算編成権は行政府たる内閣にあるので、やはり、予算不成立の場合の対処規定は、憲法に明文を置くべきである。

(4) そこで、著者は、ドイツ連邦共和国基本法第一一一条〔暫定的予算運営〕の規定を参考に、日本国憲法では、この第六十条の一項、二項の法律用語の誤りを補正し、その後の第三項に、次のような条文を、新設したい。（一、二、三、は号）

▽ 以上の論拠から、現行第六十条は、次のように改正したい。

清原淳平の改正案

第六十条〔年度内に予算不成立の場合の対処規定――新設〕

① 予算案は、さきに衆議院に提出しなければなら

ない。

②　予算案について、参議院で衆議院と異なった議決をした場合は、法律の定めるところにより、両議院の協議会を開いても意見が一致しないとき、または参議院が、衆議院の可決した予算案を受け取った後、国会休会中の期間を除いて三十日以内に、議決しないときは、衆議院の可決を国会の可決とする。

③　会計年度の終了までに、次年度の予算案が成立しない場合には、内閣は、予算が成立するまでの間、左の目的のために必要な一切の支出をなすことができる。

一　法律によって設置された施設を維持し、ならびに法律によって定まっている行為を実行するため。

二　法規上、国に属する義務を履行するため。

三　前年度の予算で、すでに承認を得た範囲内で、建築、調達、およびその他の事業を継続し、またはこれらの目的に対して補助を継続するため。

第六十一条〔条約の承認に関する衆議院の優越〕

現憲法の条文

第六一条〔条約の承認に関する衆議院の優越〕

条約の締結に必要な国会の承認については、前条第二項の規定を準用する。

○問題点　衆・参の両院制を継続する限り、この規定はそのまま存置しておいてよい

現行条文の中に「第二項」とあるのは、一般に項までは書かないので削除する。

ただし、後述するように、世界の国々で、両院制の弊害が認識されてきており、日本でも将来、憲法を改正して一院制にした場合には、この規定は不要となる。

第六十二条〔議院の国政調査権〕

現憲法の条文

第六二条〔議院の国政調査権〕

両議院は各々国政に関する調査を行い、これに関して、証人の出頭及び証言並びに記録の提出を要求することができる。

○問題点　衆・参の両院制を継続する限り、この規定はそのまま存置しておいてよい

ただし、日本でも将来、憲法を改正して一院制にした場合には、この条文の冒頭部分は「国会は国政に関する調査を行い、……」と改正することになる。

第六十三条〔閣僚の議院出席の権利と義務〕の解説・問題点

現憲法の条文

第六三条〔閣僚の議院出席の権利と義務〕　内閣総理大臣その他の国務大臣は、両議院の一に議席を有すると有しないとにかかわらず、何時でも議案について発言するため議院に出席することができる。又、答弁又は説明のため出席を求められたときは、出席しなければならない。

○問題点　衆・参の両院制を継続する限り、この規定はそのまま存置しておいてよい

ただ、この条文の前半は、総理大臣その他の国務大臣が議案について、発言するという自動的な場合であり、後半は、答弁又は説明のため出席を求められた、という受動的な場合なので、前半は①項、後半は②項に、書き分けた方がよい。

なお、日本が、将来、憲法を改正して一院制にした場合には、この条文の中の、「両議院の一に議席を有すると有しないとにかかわらず、」の箇所は不要となる。

しかし、国会議員でない人も、国務大臣に任命されることがあるので、そこで、それは、「国会に議席を有すると有しないとにかかわらず、」という表現で残すことにした。

▽したがって、第六十三条の条文は、次のように、改めたい。

清原淳平の改正案

第六十三条〔閣僚の議院出席の権利と義務〕

① 内閣総理大臣その他の国務大臣は、国会に議席を有すると有しないとにかかわらず、何時でも議案について発言するため国会に出席することができる。

② 内閣総理大臣その他の国務大臣は、答弁または証言のため、国会に出席を求められたときは、法律の定める場合を除き、出席しなければならない。

第六十四条〔弾劾裁判所〕の解説・問題点

現憲法の条文

第六十四条〔弾劾裁判所〕

① 国会は、罷免の訴追を受けた裁判官を裁判するため、両議院の議員で組織する弾劾裁判所を設ける。

② 弾劾に関する事項は、法律でこれを定める。

○問題点　この規定は、立法、行政、裁判所の三権分立原則の例外・牽制の規定である

(1)　すでに、序論などでも述べたように、中世紀、西欧では、財力・武力を有する者が、土地を囲い込み領土として専制君主国家を宣言し、その領土内の住民を酷使したため、近世に入ると、それに堪えかねた住民が、思想家たちの「人間には天賦人権がある」との考えに則って立ち上がり、専制君主との間に取決め書(憲法)を締結した。

(2)　そして、さらに、それが実効あらしめるため、専制君主の権力を、立法、行政、裁判の三つに分け、住民がこの三権に参与できることを、約束させた。当初は、この三権はそれぞれに独立し、完全な自律権を持つべきだと考えたが、そうすると、その立法・行政・司法〈裁判〉の間で、意見の相違や対立が生じた場合、その三権のどこを優先するかで、国政に混乱が生じることに気付いた。

例えば、住民から選ばれた国会議員は、国民の代表として重要な地位にあるが、専制君主側が、その国会議員(代議士)を嫌って、専制君主側がまだ強権をもっていた裁判権を行使して、その国会議員に罪を着せて拘束し、議会へ出席させない、といったケースである。

(3)　そこで、その立法・行政・司法(裁判)は、基本的に自律権を有するとしながらも、三権が抵触した場合の規定を置くようになった。例えば、現行日本国憲法においては、第五十五条〔資格争訟の裁判〕で、国会議員の「資格」に関しての争訟については、その属する衆・参の各議院が裁判するとして、裁判所には委ねないで、立法府の自律権に委ねている。

(4)　また、現行日本国憲法第五十条〔議員の不逮捕特権〕で「両議院の議員は、法律の定める場合を除いては、国会の会期中逮捕されず、会期前に逮捕された議員は、その議院の要求があれば、会期中これを釈放しなければならない。」とまで、国会議員を保護している。これは、住民が完全な三権分立の権利を確保するまでは、専制君主側が、その気に入らない代議士を、逮捕拘束することがあったからである。

なお、現行第五十一条〔議員の発言・表決の無責任〕の規定も、同様な理由である。

(5)　しかし、それほど保護されている国会議員も、国会外で、世間一般の刑事事件を起こしたりした場合は別である。そのときは、国会議員といえども、司法（裁判所）によって、裁判にかけられることになる。

(6)　ところが、その裁判官が大きな犯罪を犯し、裁判官罷免の訴追を受けた場合は、どうするか、の問題がおこる。その場合、裁判所の判断に委ねると、裁判官同士の情が絡んだりして、正しい判断ができないおそれがあるので、その場合は「国会内に、国会議員によって構成される弾劾裁判所を設ける。」として、三権間の自律権の例外・牽制規定を置いたのが、この第六十四条の規定である。

▽　よって、六十四条はこのままでよいが、一院制を採用すれば、①項の「両議院の……」は「国会議員の……」となる。

（第二節　二院制を一院制に改正するよう提唱する）

その一、二院制を採る国は少なくなっている

（総論）　衆議院と参議院の二院制を採る制度は、上述してきたように、法律案などで、両院の意見が一致しない以上、法律が成立せず、条約の批准もできず、国政に停滞・麻痺が生ずる弊害がかなり大きい。

いま、世界は、たくさんの国家ができて、国際条約、多国間条約も増えており、複雑な処理事案が増え、迅速な対処が要求されてきている。そうした趨勢（すうせい）から、世界の多くの国は一院制を採っている。かつて二院制であった国々も、憲法を改正して、二院制を廃し、一院制を採る国々が増えている。

戦後の日本国憲法とほぼ同時期に大改正をして、ドイツ連邦共和国基本法を制定したドイツでは、この七十年間で、時代の変遷に合わせて、六十数回もその基本法を改正してきているのに、わが国は、一度も改正しないという、その硬直性からして、いま急に、ここで、世界の趨勢に倣って、二院制を一院制にせよと提案しても、理解されず、抵抗があると思われるので、これまでは、上述してきたように、現行憲法の二院制を維持しつつ、現行憲法の二院制の条文に基づいたまま、その中での改正箇所を提案してきた。

しかしながら、当「自主憲法制定国民会議」（別称「新しい憲法をつくる国民会議」）の岸信介初代会長の跡を継いだ第二代会長・木村睦男元参議院議長は、「名参議院議長」と謳われた方であったが、参議院議長を務めた

経験を踏まえ、平成八年五月初版の御著書『平成の逐条新憲法論』（善本社刊）の中で、日本はいずれ、二院制を廃して、一院制を採るべしとされ、当団体の起案委員会を経て作成された平成十五年版「自主憲法・全面改正案」でも、それを採用して、当団体では以降、一院制を主張してきている。

現行日本国憲法は、国会の章の第四十二条で「国会は、衆議院及び参議院の両議院でこれを構成する。」として、二院制を採っているため、以下「国会の章」の最終条文の第六十四条まで二十四カ条には、両院制に伴う文言が並んでいるが、これを、一院制にすれば、国会の章の条文は半減することができ、ずいぶんとすっきりする。

いわゆる新憲法制定までの旧体制の下では、一般国民の代表としての衆議院とは別に、明治維新の元勲や旧藩主などによる公・候・伯・子・男などの爵位を得た貴族階級が存在し、その厳格な立憲君主制の下に、衆議院と貴族院の二院制があったのも、それなりの意義があった。

しかし、現行「日本国憲法」では、国民主権主義・民主主義の理念の下、貴族制度を廃止し、衆議院と参議院が、すべて同じ国民から選挙されているので、二院制を採る意義も無くなったといえる。

二院制を維持すべしとする勢力は、審議の慎重性・安全性を挙げるが、そのために、二院制の仕組みが政争の具に供され、法律の成立や条約の批准が遅れたり、審議自体が遅れる、という弊害も少なからず見受けられる。

特に、たくさんの国が生まれた戦後の国際社会では、国内的にも国際的にも、国会が処理すべき事項が多く、現に、戦後、たくさんの国ができたが、ほとんどは一院制であり、二院制であった国も、一院制に変えている国もある。

その二、岸信介元総理と木村睦男元参議院議長

さて、当「自主憲法」の団体では、岸信介会長の跡を継いだ木村睦男元参議院議長が、二院制を廃止し、一院制にすべきことを提唱され、その木村睦男会長のもとでつくられた平成十五年五月三日の国民大会で発表された当団体『日本国憲法全面改正案』以降、そしてその後の第二次案、第三次案も、国会一院制を提唱している。

岸信介会長の跡を、木村睦男元参議院議長が継ぐにあたっては、エピソードがある。

これまで、憲法改正案の説明が続いたので、ここで、閑話休題、その歴史的経過を、以下に、記しておくことにする。

(1)　私（清原淳平）は、岸信介内閣（昭和三十二年二月

二十五日から、昭和三十五年七月十九日）が、日米安保条約の改訂を志し、これに反対するデモ騒動が激しかったころに、西武グループの創立会長・堤康次郎衆議院議員（元衆議院議長）の総帥秘書室に勤務していて、堤総帥（内部では、大将と呼ぶ習わしであった）のお供で、陳情のため、総理官邸で岸信介総理の謦咳に接した。また、堤康次郎元議長が、吉田茂元総理と岸信介現職総理を特に尊敬していたことから、傘下の「箱根湯の花ホテル」に、両先生をお招きし、毎月一回程度ということで会談をする「清談会」へ、堤会長からお供を命ぜられて随行したこともあり、この堤康次郎西武グループ会長の秘書時代、私は、吉田茂先生と岸信介先生という日本の大物の謦咳に接する機会があった。

(2)　降って、昭和五十三年秋、岸信介元総理が国会議員を引退する声明を出され、向後は、いずれも、岸信介先生が会長を勤める財団法人「協和協会」と、憲法改正運動の「自主憲法期成議員同盟」と「自主憲法制定国民会議」の活動を本格化したいとして、その実務執行者を捜しておられるとき、当時、哲学者・教育評論家として活動していた私が、岸内閣当時の閣僚経験者の御推薦により、岸事務所に同伴され、岸信介元総理にお目にかかり、その場で、それら団体の執行を命ぜられて、今日にいたっている。

(3)　岸信介会長は、亡くなるまで、上記の各団体の会合に実に熱心に参加されたが、昭和六十年秋、岸信介会長から呼ばれて参上すると、岸先生は「私も、満九十歳となって、身体の衰えを感ずるので、「協和協会」や「自主憲法」の後任会長を決めたいと思って来てもらった」といわれる。

私は、「いえ、お歳はとられてもお元気ですから、ぜひ引き続きお願いいたします。それに、後任会長となると、トップ人事ですから、私が意見を申し上げる立場ではありません。」と申し上げると、岸信介会長は、呵々大笑され、「それでは、私が独り言（ひとりごと）を言おう。」といわれ、やや考えられてから、「自主憲法の議員同盟と国民会議だが、これは、法律・憲法が分かる改憲に熱心な人物でないといけないな。うーん、福田赳夫君と言いたいところだが、彼は憲法改正には熱心ではないなぁ。それでは、『財団法人　協和協会』の方は、福田赳夫君にしよう。」

(4)　「さて、『自主憲法』の方だが、総理大臣経験者がいいのだが、うーん、総理経験者には適任者がおらんな。それでは、議長経験者の中から考えよう。うーん、そうなると、木村睦男君だな。彼は、東京帝大の法学部卒業で、法律もよく分かり、憲法改正にも熱心だからな。いままだ、現職の参議院議長だが、来年には辞任すると言っていたから、木村睦男君にしよう。」と、独り言をいわれた。

そして、私の方を向いて、「福田赳夫君と木村睦男君には、近く、私から頼んでおくから、頃合いをみて、君も、挨拶に出向いてくれ」と言われた。

(5) そこで、十日ほど置いて、まず、福田赳夫元総理を赤坂プリンスホテル脇の事務所に訪ねると、「岸先生からお話があった。岸先生は、健康なうちは会長を続けるが、そのあとは頼むといわれた。そういうことで、引き受けるよ」とすぐ応諾された。

その三、「上院何の用ぞ、もし下院と一致せば無用の長物たらん。一致せざれば有害たらん」（シェイエスの言葉）

(1) 次に、参議院議長公邸に、木村睦男参議院議長をお訪ねすると、すぐ面接下さり、やはり「岸先生から、お話があった。そこで、私は、岸先生がお元気な間は、会長代行ということにしていただいた。」と言われた。
そして、そのとき、木村睦男参議院議長は、一枚の色紙を、私に下さった。その色紙を拝見すると、『従善如流　参議院議長　木村睦男』と大書してあった。

すなわち「善きに従うことは、水の流れるが如し」ということ。つまり「岸先生のされてきた憲法改正運動は、全く正しい善いことですから、その流れをそのまま引き継いでまいります。」ということであり、私は、感動した。

(2) 岸信介会長は、翌昭和六十二年春、病を得て療養されたが、五月三日の「自主憲法」の国民大会には、参加できないことを詫びた上で、かなり長い丁寧な挨拶文を書かれ、それを、側近秘書の堀渉氏に託してこられたので、国民大会当日に、堀渉秘書に壇上に上がって、代読してもらった。

(3) 昭和六十二年八月七日、岸事務所から「岸信介先生が危篤に陥られた」との報に接し、私も急ぎ、病室へ駆けつけ、御親族方の後ろの方、壁際に立って、回復を念じていたが、医師の「御臨終です」との声に、涙が溢れ、まさに、巨星落つ、の思いであった。こうして、岸信介先生は、この憲法改正運動の行く末を心配され、御自身の御他界を知っていたかのように、あとあとの配慮もされて亡くなられた。本当に立派な方であった。

(4) さて、前述のように、岸信介会長から会長代行に任命されていた木村睦男先生は、三年間、参議院議長を務められたあと、任期満了に伴い、昭和六十一年七月二十二日に参議院議長を退任されると、早速、当「自主憲法」の毎月の勉強会「自主憲法研究会」へ出席され、憲法問題の勉強を始められた。そして、その結果、昭和六十二年の春に、憲法改正についての御自身の考えをまとめられたので、それに『憲法改正に対する私の考え』とのテーマを付け、「自主憲法期成議員同盟」と「自主憲法制定国民会議」の会長代行・木村睦男著として、この両団体出版部から刊行。同年五月三日開催の「自主憲法制定国民大会」（＝新しい憲法をつくる国民大会）当日を発行日として、この大会でも配付した。

(5) そして、同昭和六十二年八月七日、上述したように、岸信介会長が逝去されたあと、前記の「自主憲法期成議員同盟」と「自主憲法制定国民会議」の会長に就任していただいた、という経緯である。なお、そのほか、岸信介元総理会長で昭和五十六年設立した、志ある評論家・学者・有識者・科学者、民間有志による「時代を刷新する会」の方も、木村睦男元参議院議長に会長になっていただいた。

木村睦男会長は、派閥としては、田中角栄派の重鎮であったが、そうした派閥を超えて、岸信介元総理を尊敬しており、そこに、岸信介先生も立派だったが、木村睦男先生も素晴らしい方であり、木村睦男会長も、岸信介先生の跡を継いで、実に熱心に憲法改正運動に努力して下さった。

(6) 平成に入っても、木村睦男会長は、毎月の「自主憲法研究会」に参加されるのはもちろん、私や憲法学者の竹花光範教授等を、折りにふれ、御自分の事務所に招かれ、昼食にはカレーライスをとって、朝から夕方まで、熱心に改憲案創りに、取り組まれた。

木村睦男先生は、大層な文章家で、その人生体験をまとめた著書をたくさん出版されている。例えば、昭和六十二年に『参議院改革を考える――参議院を去るにあたって――』を、昭和六十三年に『春来秋逝』（上下二巻）、また、平成八年にはその改憲案構想『平成の逐条新憲法論』、平成十三年七月には『輝く星の黙示あり』、同年八月には『山河を超えて』等々、多くの著述がある。

(7) 特に、平成八年の『平成の逐条新憲法論』は、憲法学を学ぶ者は一読に値する。この本の九十一頁には、三年にわたり参議院議長を務め、名議長と謳われた方であるが、その木村睦男元参議院議長が、現行の二院制を一院制に改正すべし、と主張し、その根拠として、先に掲げた第五十九条二項の条文を挙げて、次のように述べている。以下に引用しておこう。

「衆議院で可決し、参議院でこれと異なった議決をした法律案は、衆議院で出席議員の三分の二以上の多数で可決したときは、法律となる。」と規定し、救済の道を開いているが、三分の二という壁を越えることはなかなか容易なことではなく、これが越えられなければその法案は廃案の憂き目に遭い、参議院が国政を麻痺させるという危険性は十分にある。

逆に、衆参両院ともに政権政党が絶対多数を擁する場合は、ことごとく第一院に賛成する第二院となり、第二院は無用の長物となる。

フランス革命当時、シェイエスという論者が、「上院何の用ぞ、もし下院と一致せば無用の長物たらん。一致せざれば有害たらん」と喝破しているが、まことに言い得て妙なる一言である。

こんにち、参議院が第二衆議院あるいは衆議院のカーボンコピーなどと批判されるのは、このためである。

（第三節　木村睦男元参議院議長が会長時代に新設した条項）の解説・問題点

(1)　岸信介会長の跡を継いで、「自主憲法期成議員同盟」と「自主憲法制定国民会議」の会長を引き継いだ木村睦男元参議院議長は、上述したように、実に熱心に憲法改正に取り組んで下さった。右両団体共催の「自主憲法研究会」（別称「新しい憲法をつくる研究会」）の毎月の研究会へ必ず出席されて議長を務めるのはもちろん、平成に入ってからは、別に日を決めて、私と憲法学者の竹花光範教授、その他、時には数人を、ご自身の事務所へ招かれ、特にその長年にわたる国会体験を踏まえて、現行憲法にはないが、新設したいと思われる条項の問題提起をされ、検討の結果、まとめたのが、次の四カ条である。

いま、その条題を、左に列記すると、

新設の一　国会議員の被選挙資格の制限規定
新設の二　国会議員当選者の就任宣誓義務規定
新設の三　国会議員の欠格事由
新設の四　国会議員の選挙に関する事項、第三者機関の設置

(2)　こうして、憲法を改正して、新設規定を置く場合に、その形式をどうするかについては、大別して三つに分かれる。

例えば、アメリカ合衆国憲法は特殊で、イギリスをはじめとしフランスなどの植民地であったアメリカ大陸の植民地が、ヨーロッパの本国（宗主国という）が課税を強め貿易を制限したことから、当初十一（やがて十三）の植民地が結束して、各植民地を州として合衆国として独立し、軍隊を派遣した宗主国と闘って勝利して、遂には五十カ州をも抱える巨大な独立主権国家を形成した。そこで、アメリカ合衆国憲法は、当初の憲法を歴史的意義があるものとしてそのまま存続させ、改正・修正した条項は、そのあとに列記している。

(3)　しかし、ドイツ・フランスなどヨーロッパ大陸諸国の憲法は、既存の条項を改正するに当たって、全面改正する場合はもちろん全条項の配列を改めるが、部分改正の

場合は、その条項を改め、さらに、その条項に追加する規定を設ける場合はその「条項の二」とか「条項の三」として本条の次に掲げる方式を採っている。

(4) そこで、このたびの改正についてみると、その改正点は、現行日本国憲法第四十四条〔議員の資格〕に関係するものなので、ここでは、大陸法の原則に従って、それぞれ、「第四十四条の二」「第四十四条の三」「第四十四条の四」という形で記載することにする。

▽ 新設したい四カ条の条文を、以下に列記する。

要新設の一　第四十四条の二〔国会議員の被選挙資格の制限〕の解説・問題点

木村睦男元参議院議長の改正新設案

第四十四条の二〔国会議員の被選挙資格の制限〕

① 刑事法上、有罪の確定判決を受けた者、ならびに民事法上、偽造、詐欺、横領、背任、および詐欺的破産などで有罪の確定判決を受けた者は、議員としての被選挙権を有しない。

② 選挙に関して、買収、強要、脅迫などの腐敗行為を行い、有罪の確定判決を受けた候補者は、その犯罪の行われた選挙区から選出される権利を永久に失い、他の選挙区からは五年間、立候補できないものとする。

③ 候補者の選挙責任者が、前項の行為を行った場合は、その候補者は当該選挙区から選出される資格を五年間失うものとする。

○その理由　国会議員への立候補者に対し、その立候補資格要件を明示する

(1) 岸信介元総理から、当団体の後継会長に指名された木村睦男元参議院議長は、長年の選挙体験から、立候補できる要件を厳格に掲げるべきであり、そうしないと、当選してから、いろいろと犯罪歴などが出た場合の対処が難しくなるとして、本条の新設はじめ、三カ条の新設規定を設けることを、提唱された。

(2) まず、新設すべき条項の最初には、議員となる被選挙資格について、予めその要件を明示する規定を憲法上に明記して、その立候補者が、国政に参加するに当たって、しっかりした自覚・認識を持ってもらいたい、と念願されてのことである。

(3) そこで、これら三カ条を、国会の章の中のどの位置に置くかが問題となるが、第四十四条が、国会議員を選挙し投票する側の選挙人について、その要件を規定しているので、立候補する側の被選挙人の資格は、その後に列

記するのが、妥当と考えた。

将来、日本国憲法を全面改正する場合は、当初から、通し番号で条項を揃えるが、もし、これらの規定を、日本国憲法を部分改正によって挿入する場合には、ドイツはじめ大陸法系の方式に従って、第四十四条の次に、それぞれ、「第四十四条の二」「第四十四条の三」「第四十四条の四」という形で記載することになるので、ここでは、取りあえず、その方式にて、列記することにした。

要新設の二　第四十四条の三〔国会議員当選者の就任宣誓義務〕の解説・問題点

木村睦男元参議院議長の改正新設案

第四十四条の三〔国会議員当選者の就任宣誓義務〕

① 両議院の議員は、その就任に際し、左の宣誓を行わなければならない。

「私（氏名）は、憲法および法律を尊重擁護し、何人からも職務に関して贈与を受けずまたは不正の約束もせず、常に全力を尽くし、日本国の発展と国民の利福の増進に努めることを誓います。」

② 右の宣誓を行うことを拒否し、または条件付の宣誓を行う場合は、議員の地位を放棄したものと見なす。

○その理由　この〔国会議員当選者の就任宣誓義務規定〕を置く理由

(1) 国民から選挙された国会議員が、憲法および法令を順守し、国のため国民のためにその職務を行うべきことは、明文の規定がなくとも、立候補する時点から当選して議員の職についている間、当然、本人が自覚していなければならない事柄のはずで、それは教養の分野と言えるが、現実には、それが守られない以上、こうした政治倫理について宣誓する規定を設け、それに違反した場合の処罰規定を置くことも、必要な措置といえる。

(2) 議員としても、当選して国政への決意も新たにした時点で、政治倫理について宣誓すれば、それは「良心」となり、将来、その宣誓に違反するような誘惑にぶつかったときに、その「良心」がとがめて誘惑を回避する、といった心理的効果を期待できる。

(3) 諸外国では、キリスト教の影響もあって、大多数の国が、議員に就任宣誓義務を課しており、そのうち、単に法律ではなく、憲法で就任宣誓を義務づけている国家だけでも、その半数（約五十カ国）に近い。これを見ても、議員の就任宣誓義務を明記することは、世界の趨勢と言える。

(4) 因みに、アメリカ合衆国憲法は、その第六条の中で「上院・下院の議員及び各州議会の議員、並びに合衆国及び各州のすべての行政官及び司法官は、宣誓または確約により、この憲法を支持すべき義務を負う」として、大統領の就任についてはもちろん、立法府・行政府・司法府の役人には宣誓義務が課されている。

(5) イギリスは、明文の憲法を持たないが、やはり議員の就任宣誓が行われている。

ただ、イギリスの場合は、その長い君主制の歴史から、その宣誓内容は次のような表現になっている。

「私（各議員の氏名）は、エリザベス女王陛下、法の定めるその相続人及び承継者に対し、誠実である。かつ、真の忠順を保持することを、全能の神にかけて宣誓いたします。さらば神よ　助けたまえ」

(6) なお、条文として掲げた「憲法及び法律を尊重擁護し、」との文言を使うと、わが国では、「憲法を改正する議論をすることさえいけないのだ」と考える人がいるが、これは、日本人の法律知識の乏しさである。

現に、平成元年、昭和天皇崩御のあと、今上陛下（現在の上皇陛下）が「朝見の儀」のお言葉の中において、「現行憲法を順守する」旨を仰せられたのをとらえ、野党や報道の一部が、新陛下は憲法改正反対派の立場を鮮明にされた、と論評したが、これは誤りである。

けだし、天皇も、首相や閣僚はじめ役人はもちろん国民も、現行の憲法を順守することは当たり前であり、陛下は当然のことを言われたにすぎない。現行憲法を守りつつも、「立法論として」現行憲法を改正して、より現実的・合理的なものに改めよう、ということは、諸外国では、それこそ当たり前、常識の範疇であることを、認識していただきたい。

要新設の三　第四十四条の四〔国会議員の欠格事由〕の解説・問題点

木村睦男元参議院議長の改正新設案

第四十四条の四〔国会議員の欠格事由〕

① 国会議員は、次に掲げる事由により、その地位を失う。

一　直接間接に、公有財産を購入または賃借すること。

二　直接間接に、国またはその機関と、土木請負契約、物品納入契約またはその他法律が禁ずる契約を結ぶこと。

三　国またはその機関と契約関係にある営利企業の役員または法律顧問となること。

四　国またはその機関を相手とする訴訟事件にお

いて、訴訟代理人または弁護人となること。
五　第三者の利益を図るために、国またはその機関の事務の負担となるべき交渉をなし、または交渉をなさしめること。
六　正当な理由なくして、会期中、三分の一以上欠席すること。

○その理由　こうした欠格事由を憲法に明記することは、事故防止に貢献する

立法を役目とする（法律をつくる）国会議員は、できればすべて法律のなにがしかの資格を有していることが望ましいが、国民の代表はいろいろな分野から立候補すべきなのも現実なので、国会議員となった人が事故を起こさないよう、その具体例を掲げておくことも、事故防止に貢献すると考えてのことである。

要新設の四　第四十四条の五〔国会議員の選挙に関する事項、および第三者機関の設置〕の解説・問題点

木村睦男元参議院議長の改正新設案

第四十四条の五〔国会議員の選挙に関する事項、および第三者機関の設置〕

①　選挙区、投票方法、その他国会議員の選挙に関する事項は、法律でこれを定める。
②　なお、選挙法の原案を作成するため、法律の定めるところにより、公平な第三者機関を設置しなければならない。

○その理由　現行憲法には、こうした選挙に関する事項、特に、第三者機関の設置が欠如しているので、右の条文を新設したい

▽注　岸信介元総理の跡を継いで会長となった木村睦男元参議院議長は、岸信介会長時代の当団体改憲案については、あえて手を付けようとはされなかったが、以上のように、その参議院議長時代の体験を踏まえて、「国会の章」や「内閣の章」に、その国会議員や閣僚についての倫理規定を新設することについて、特に熱心であった。

当団体としても、そうした木村睦男会長の熱心な御提案を、毎月の自主憲法研究会で検討・審議し、さらに役員会にも掛け、当団体の正式な新設提案として採択した。

また、木村睦男会長時代、地方会員たちから、「自主憲法制定」というと、年輩の人にはすぐ分かるが、戦後生まれの若い人たちには分からず、そういう若い人たちに、実は、日本とアメリカが大戦争をして、結局、日本が降伏して、アメリカのマッカーサー元帥が、占領統治

した時代に、今の日本国憲法がつくられた、という経緯をいちいち説明しなければならないので、団体名を考えてほしいとの陳情があり、それを審議して、最後に木村睦男会長の決裁を求めた。

しばらく考えた木村睦男会長は、「自主憲法制定国民会議」という名称は、すでに歴史的意義がある名称なので、それを止めることはできまい。では、この名称のほかに、分かりやすく『新しい憲法をつくる国民会議』という名称を、併称することにしたい、と裁断され、以来、当団体は、この二つの名称を、併記することにしている。

私は、その当時、当団体は、当面、全面改正ではなく、部分改正を国会へ求めてゆくことであったので、この併称名では、全面改正を国に要請する団体と誤解されるのではないか、と心配したが、会長一任なので、私もこの裁定に同意した。

しかし、その後、私は、引き続き、現行憲法の内容を検討して行くうちに、今の憲法は、占領下で外国が起案したものだけに独立主権国家の体裁ではないという問題、この憲法が施行されて数十年間一度も改正されないため、国際的にも国内的にも時代に合わなくなっていること等々から、ここは、本書解説で列記しているように、学問的に改正・新設の箇所がたくさんある。本来は、全面改正する方がよいが、個々の箇条について毎年改正して行く方法でもよい、それは国民ご自身にお任せしよう、という心境である。

なお、その木村睦男会長も亡くなられて、何年か経ってから、当団体の会長就任をお願いしたいと考えた有力元国会議員がおり、そのために、その元有力議員と週二回ほど何週も会って、当団体の当時の改憲案について、その内容の説明をしたが、その有力議員は、それら木村睦男会長当時の新設案をすべて廃止するなら等々、注文がついたので、私は、これら新設案は、すでに当団体として採用することに決めたことですから、廃止することはできませんと申し上げ、結局、その方に会長になっていただくことは、断念した、という経緯もある。

第五章　「内閣の章」の解説・問題点

第五章　「内閣の章」の解説・問題点

○問題点　「内閣の章」も改めるべき箇所が多い。内閣の章はなぜ国会の章の次か

(1)　国会の章の冒頭で詳論したように、中世の西欧において、財力・武力に優れた実力者が、一定の土地を囲い込んで領地とし、そこの王（専制君主）であると称して、そこの住民に税金を課し、他国と戦争する場合は兵士として動員するなど、一方的・恣意的に権力を行使したので、住民（国民）はその圧政に苦しんだ。

(2)　近世に入って、いわゆる近代思想家が現れ、人間は生まれながらに人間としての権利がある（天賦人権思想）と唱えたのに、理論的根拠を得て、住民たちが立ち上がり、専制君主に迫って、天賦人権を保障するよう契約（憲法）を結ぶことを迫って、これを実現した。

そして、その天賦人権を保障する具体的方法として、専制君主が独占していた立法権、行政権、裁判権の三権に、国民側が参加することを求めた。そして、まずは、法律を定める権力（立法権）に参加することを要求した。

それがほぼ実現すると、次は、その法律に基づいて、執行する権力（行政権）への参加を求めた。その執行権を有する組織（機関）が「内閣」である。

そうした理論的経緯から、行政権を執行する中心となる「内閣の章」が、立法権を行使する「国会の章」の次に置かれるのが、近代憲法の理論的な仕組みである。

(3)　ところが、わが日本国の場合は、古代から稲作文化が育っており、主要食料となる米の生産が共同作業を必要とすることから「和の精神」が生まれ、またその米によって、狩猟部族との取引きを行うなど、物々交換の方式によって、すでに古代から、天皇家による中央集権国家が成り立っていた。

また、日本では、海、山、川、樹木、さらには岩にも神が宿るとする多神教思想が成立していたことから、権力独占ではなく、権力分権思想が芽生えており、したがって、天皇による直接親政の時代は短かく、天皇家は、権威は保持したが、実際政治は太政大臣や関白などに任せた。

(4)　中世に入って、武士が台頭し、武士が政治の実権を握り、将軍政治が行なわれたが、その将軍家の行政に不届きがあれば、他の武将が天皇の権威・名において討つなどの是正機能が働き、将軍から領地を与えられた領主たちも、悪政をすれば改易されたので、領主も極力、領民への善政に務めた。

そうしたことから、中世の西欧が専制君主の専横・独善に苦しんだのに比べ、日本の中世期、例えば、源平合戦を経ての北条執権時代、その末期に南北朝の混乱期はあったが、その後の足利将軍時代などはむしろ安定して、文化・芸術・芸能が花開いている。

　そして、戦国時代に入ったが、「関が原の合戦」後、安定した徳川十五代将軍時代があって、近世においても、西欧時代が国王同士の戦争に明け暮れたのに比べると、日本は、大層安定していた、といえる。

(5)　明治維新も、欧米文化をいち早く吸収した点で優れていたが、明治の元勲たちが欧米を視察した結果、西欧の専制君主国家の流れをくむプロイセン憲法の当時の立法・行政・司法（裁判）への国民の参加は認めたが、当時の専制君主が軍隊の指揮権だけは絶対譲らないとする第四の権力といえる「統帥権の独立」の保持を取り入れ、かつ天皇親政制度の「大日本帝国憲法」を創った。
　しかし、英邁なる明治天皇は、日本は古来、天皇家が国民と対立したことはなかったといわれ、君主と国民との対立を前提とするこの憲法原案に難色を示された。しかしながら、元勲たちから、西欧での憲法とは本来そういうものです、と説得され、そこで、明治天皇は、その本文（各条）については是認したものの、憲法の条文の前に、古代からの天皇家の在り方について長い勅語（上諭）を書き加え、さらに、憲法発布とほぼ時を同じくして五カ条の御誓文と教育勅語を発布されている。

(6)　その結果、この大日本帝国憲法(いわゆる明治憲法)は、その制定後五十五年ほどで、悲惨な敗戦によって崩壊した。筆者は、明治の元勲たちが手本としたドイツの「プロイセン帝国」が、一九一四年七月に始まった第一次世界大戦の結果、四年後の一九一八年（大正七年）には、連合国側に敗戦して、同帝国は崩壊・消滅しており、したがって、その皇帝による統帥権独立を明記したプロイセン帝国憲法も廃止されている。
　そして、翌年（一九一九年）には、ドイツの王政は廃止され、ドイツ共和国となり、その帝国憲法にあった統帥権も排除されているのだから、日本は、その手本としてきた「プロイセン憲法」が廃止されたことを、時代の教訓として、この時にこそ、「大日本帝国憲法」の改正を考えるべきであったと思う。

(7)　この第一次世界大戦後には、戦争に勝利した民主主義国家の時代となり、日本でも、いわゆる「大正デモクラシー」時代となった。
　しかし、日本では、この大正デモクラシーに危機感を覚えた軍部の中から、五・一五事件や二・二六事件など内乱が起こり、当時の首相や天皇の信任厚い重臣を殺害したので、政治家たちも腰が引け、日本は結局、軍部独裁へと走り、前掲の「立法・行政・司法」の三権を骨子とする政治体制の外にあった「軍部の統帥権独立」という第四の権力によって、日本は極端な軍国主義へと走り、やがて、天皇の威光を利用したこの「統帥権独立」のために、軍人・軍属だけで二三〇万人、民間人八〇万人を加えると、合計で三一〇万人という大犠牲を経て敗戦・崩壊したのである。

昭和天皇も、戦後、侍従や側近に、「旧軍閥式の再台頭は絶対いやだ」と述懐されている。（令和元年八月に公表開示された、昭和天皇と戦後の初代宮内庁長官・田島道治との対話を記した同長官の日記の記載から）

○問題点の二　「内閣の章」の条文も、不備な箇所多く改正が必要。また新設も必要である

そこで、内閣の章について、章を「第一節　内閣の章の現行章内各条文の解説・問題点」と「第二節　内閣の章の中に、新設すべき条項の解説・問題点」の二つの節に分けて、以下、説明することにする。

（第一節　内閣の章の現行章内各条文の解説・問題点）

第六十五条〔行政権〕の解説・問題点

現憲法の条文

第六五条〔行政権〕
行政権は、内閣に属する。

○問題点　この条文は、余りに不親切なので、内閣は何をやるところなのか、定義を置く

(1)　現行日本国憲法は、まず「国会の章」、次に「内閣の章」があり、続いて「司法の章」を置き、まずは、近代憲法の原則たる「三権分立制」をとっていることを示している。

(2)　この条文は「行政権は、内閣に属する。」と、たった一行実にあっさり書いてある。本来、内閣の章の冒頭にある条文は、日本がどういう政治制度をとっているのか、内閣とはなにをやるところか、の定義があってしかるべきだ、と考える。

そこで、無味乾燥なこの第六十五条を、次のように改めたい。

清原淳平の改正案

第六十五条〔内閣の地位・行政権〕
①　日本国は、立法府（国会）、行政府（政府）、司法府（裁判所）、の三権分立制をとりつつ、行政府（政府）存立を国会の信任に依存する議院内閣制をとる。
②　行政権の行使は、内閣に属する。
③　内閣は、立法府（国会）が制定した法律に基づき、その法律を執行する。

第六十六条〔内閣の組織、国会に対する連帯責任〕の解説・問題点

現憲法の条文
第六六条〔内閣の組織、国会に対する連帯責任〕
① 内閣は、法律の定めるところにより、その首長たる内閣総理大臣及びその他の国務大臣でこれを組織する。
② 内閣総理大臣その他の国務大臣は、文民でなければならない。
③ 内閣は、行政権の行使について、国会に対し連帯して責任を負う。

○問題点 「首長たる」の削除、国務大臣への統率権、国防軍在籍者の削除、閣議決定条件

(1) まず、①の内容はそのままでよいとして、内閣総理大臣に冠している「首長たる」を外したい。なぜか、内閣総理大臣が行政府の長たることは、すでに国民が認識しているし、それに、新聞等で見かけるように、知事とか市長・町長・村長とかも、報道は一般に「首長」と表記するので、それと一緒に内閣総理大臣をも首長と表記する必要はないと考え、この第六十六条一項にある「首長たる」は削除することにした。

(2) 次に、この第六十六条〔内閣の組織〕の中には、欠落している規定がある。それは、内閣総理大臣とその他の国務大臣との関係についてである。国民の年輩の方は気がついておられると思うが、日本が敗戦して連合国軍の統治下に入るまでは、内閣総理大臣のことを「首相」と言っていた。

しかし、今の日本国憲法の下では、行政府内や立法府内では「総理」という表現を使うのが一般的であるが、新聞はじめ報道では、旧体制時代のまま「首相」という言葉を使っている。この点、疑問をもっていただきたい。

(3) いわゆる明治憲法下では、総理大臣といえども、天皇から任命されたという点では同じで、同じ国務大臣の中の首席という点でまさに「首相」でよかった。

そこで分かりやすく例を挙げて説明すると、昭和十九年七月、日本の敗色が濃厚となり、時の岸信介商工大臣は、東条英機首相に対して、東条内閣退陣（首相辞任）を迫った。すると、東条首相は、「お前こそ、クビだ。やめろ」という。しかし、その時、岸商工大臣は、「私は、天皇陛下から国務大臣に任命されている。私は貴方から言われても、やめない」と言い、結局、東条首相の方が、天皇に辞表を提出した。

(4) しかるに、現行日本国憲法では、その第六十八条①項で「内閣総理大臣は、国務大臣を任命する。」と規定し

たほか、その②項で、「内閣総理大臣は、任意に国務大臣を罷免することができる。」と規定しているので、その権限は、大日本帝国憲法時代よりもずっと大きく、それはまさに「総理」という言葉にふさわしい。新聞はじめ報道も、そうした内包概念の違いを理解して、用語の使い方に、留意していただきたい。

(5)　そこで、当団体では、このことを明確にするためにも、第六十六条の中に新たにもう一項「内閣総理大臣は、国務大臣を統率する。」との規定を置くことにした。

(6)　次に現憲法第六十六条②として「内閣総理大臣その他の国務大臣は、文民でなければならない。」という、いわゆる文民規定、シビリアンコントロール規定がある。

　いまの現行憲法は、日本を占領統治した連合国軍総司令部（ＧＨＱ）のマッカーサー元帥の命令で、ＧＨＱの職員が起案したもので、戦前・戦時中に軍人であった者が、選挙に出て当選し国会議員になることまではよいが、軍人経験者は、国家指導者というべき内閣総理大臣はじめ国務大臣になることはできないとした。この規定は、現日本国憲法が、占領下に日本を占領統治した連合国軍総司令部（ＧＨＱ）の起案になることを示した証拠の一つ、といわれるものである。

(7)　しかし、この規定も、戦後七十年以上となり、戦争体験のない国民が大多数になって、分かりにくい規定なので、当団体としては、「内閣総理大臣およびその他の国務大臣は、現に自衛隊（国防軍）に属するものであってはならない。」と改正したい。（それは当団体は、後掲のように、自衛隊を国防軍と改正することが前提なので）。

　つまり、現職ではなれないが、いわゆる退役して国会議員を経たあとなら可となる。

(8)　なお、第六十六条三項「内閣は、行政権の行使について、国会に対し連帯して責任を負う。」は、国会に対する内閣の連帯責任規定で、これは、そのまま存置してよい。

(9)　ただし、内閣の連帯責任をより明確にするため、一つの項を新設し、「内閣の決定は過半数決とする。反対の意見を有する国務大臣は、辞職しない限り、内閣の決定に賛成したものとみなす。」の規定を置くことにした。

　したがって、第六十六条〔内閣の組織、国会に対する連帯責任〕についての改正案は次の如し。

清原淳平の改正案

第六十六条〔内閣の組織、国会に対する連帯責任〕

①　内閣は、法律の定めるところにより、内閣総理大臣およびその他の国務大臣でこれを組織する。

②　内閣総理大臣は、国務大臣を統率する。

③　内閣総理大臣およびその他の国務大臣は、現に国防軍に属する者であってはならない。

④ 内閣は、行政権の行使について、国会に対し連帯して責任を負う。
⑤ 内閣の決定は過半数決とする。反対の意見を有する国務大臣は、辞職しない限り、内閣の決定に賛成したものとみなす。

第六十七条〔内閣総理大臣の指名、衆議院の優越〕の解説・問題点

現憲法の条文

第六十七条〔内閣総理大臣の指名、衆議院の優越〕
① 内閣総理大臣は、国会議員の中から国会の議決でこれを指名する。この指名は、他のすべての案件に先だつて、これを行う。
② 衆議院と参議院とが異なつた指名の議決をした場合に、法律の定めるところにより、両議院の協議会を開いても意見が一致しないとき、又は衆議院が指名の議決をした後、国会休会中の期間を除いて十日以内に、参議院が、指名の議決をしないときは、衆議院の議決を国会の議決とする。

○問題点　①項の「すべての案件」は誤解を生むので改める

(1) 当団体では、この条文の①項は問題はないとしてきたが、近年、ある憲法学者の方が、「衆議院が解散され、総選挙により新しい衆議院議員が選出された後に召集される衆議院の特別国会では、議長の選出を初めとして、組織体・合議体としての衆議院の構成について決議することが先で、この第六十七条の①項中の『他のすべての案件に先立って、これを行う。』とあるのはおかしい」との趣旨が唱えられていた。

しかし、総選挙後の新しい衆議院で、議長の選出など組織体としての措置が先にあるのは当然のことで、そうした組織体としての衆議院の体裁が整った上で、その最初に、内閣総理大臣の指名が行われる、と解すればよいのではないかと思う。この点が気になるようであれば、「他のすべての案件に先立って、これを行う。」を「新国会の組織構成後、最初にこれを行う。」とすればよい。

(2) この条文の②項の内閣総理大臣の指名で、衆議院と参議院とが異なった指名の議決をした場合に、両院協議会を開くといっても、その手続をどうするのか等々、問題があるので、国会法第八十六条〔内閣総理大臣指名の通知と両院協議会〕として、「①内閣総理大臣の指名を議決したときは、これを他の議院に通知する。②内閣総理大臣の指名について、両議院の議決が一致しないときは、

参議院は、両院協議会を求めなければならない。」との規定を置いている。

(3) しかし、それでも、参議院が同意しない場合「衆議院の議決を国会の議決とする。」としているが、内閣総理大臣という地位について、「衆議院優越」で決めるのもどうか、といった問題が残り、その対策がむずかしい。

(4) そこで、筆者が「国会の章」で述べたように、国内事情・国際関係が複雑化した現代においては、迅速な行政処理が要求されており、両院の決議が一致すれば無用であり、その決議が異なれば有害であるとして、二院制を一院制にするのが世界の趨勢であることから、当団体も一院制を主張している。

したがって、日本も一院制に改正すれば、本条の②項は廃止することになり、二院間でごたごたが起こらず、すっきりと解決できることを、付言しておく。

そこで、本条は次のように改正すべきである。

清原淳平の改正案

第六十七条〔内閣総理大臣の指名〕
内閣総理大臣は、国会議員の中から国会の決議でこれを指名する。この指名は、新国会の組織構成後、最初に行う。

第六十八条〔国務大臣の任命及び罷免〕の解説・問題点

現憲法の条文

第六八条〔国務大臣の任命及び罷免〕
① 内閣総理大臣は、国務大臣を任命する。但し、その過半数は、国会議員の中から選ばれなければならない。
② 内閣総理大臣は、任意に国務大臣を罷免することができる。

○問題点　国務大臣を任命するにあたり、過半数とするのは多すぎるので、国会議員外からは三名までとする

(1) 戦前の明治憲法では、国務大臣は天皇が任命するので、首相といえども簡単に任命したり罷免したりできなかったが、前条の解説で述べたように、現行日本国憲法では、総理の国務大臣への任命権・罷免権は絶対的に保障されている。

(2) ただし、本条で「閣僚となる国務大臣の過半数は、国会議員の中から選ばなければならない。」としているが、過半数は多すぎ、議院内閣制の精神に反するともいえるので、これは、過半数ではなく、「三名まで」としたい。

どうして、過半数という数字が出たのか、それは、恐らく、この「日本国憲法」は、日本の敗戦・降伏後、その占領・統治のため乗り込んできたマッカーサー元帥が、日本側から提出させた憲法改正案は気に入らず、結局、その統治機関である「連合国軍総司令部」（ＧＨＱ）の職員の中から選抜した日本国憲法起草委員会に起案させたのだが、その起草委員たちは、急な命令のため、主として、アメリカ合衆国憲法を中心に考えたので、アメリカでは大統領がかなり自由に閣僚を決められることから、過半数という数値を考えたものと思われる。

(3)　アメリカ憲法の政治制度は、立法、行政、司法（裁判）の三権分立を厳格に適用しているので、大統領は、その閣僚を比較的自由に選任し罷免することができる。しかし、日本国憲法は、戦前の明治憲法が、西欧の専制君主国家時代の名残りであるプロイセン憲法を手本として議院内閣制をとっていた。日本を占領したマッカーサー元帥も、自分の統治を成功させるためには、天皇制を残し、国会・内閣・裁判所の存在も認め、その上で間接統治するのが良策と考えていたので、明治憲法を全く覆して、アメリカ流の厳格な立法、行政、司法（裁判）の三権分立制を導入することは避けた、と思われるので、議院内閣制は存続させたが、その起草委員たちも、議院内閣制のなんたるかの認識がなかったせいで、過半数なる数値を置いたのであろう。

(4)　国民から選挙された代表者たる議員の中から、閣僚を選ぶ議院内閣制となれば、行政府（内閣）の閣僚の多くが国会議員から選ばれるのが合理的である。

そうした議院内閣制をとる日本では、その議院内閣制の原理によって、閣僚は原則として国会議員を当て、議員でないものは、例外と考えるべきである。しかし、民間からの人材登用も、考えてよいことなので、議院内閣制の原則との兼ね合いから、筆者は、国会議員でない閣僚は、三名までぐらいに制限するのが妥当である、と考える。

したがって、現行第六十八条は、次のように、改正したい。

清原淳平の改正案

第六十八条〔国務大臣の任命および罷免〕

①　内閣総理大臣は、国務大臣を任命する。ただし、国会議員外から選任することもできるが、その員数は三名までとする。

③　内閣総理大臣は、任意に国務大臣を罷免することができる。

第六十九条〔内閣不信任決議の効果〕の解説・問題点

現憲法の条文

第六九条〔内閣不信任決議の効果〕

内閣は、衆議院で不信任の議決案を可決し、又は信任の決議案を否決したときは、十日以内に衆議院が解散されない限り、総辞職しなければならない。

○問題点　本条は、実際に不都合が生じたので、不信任案の議決には四十八時間の間をおく

⑴　この第六十九条〔内閣不信任決議の効果〕の条文は、一見、これで良いように思われたが、実際の政治の上で、これだけではいけない事態が発生したので、当団体では、この条文の他に、②項をおくことにした。

それは、大平正芳内閣の時で、その経過の概略を記すと、一九七〇年代は、佐藤栄作総理退陣のあと、自民党政権は、田中角栄派、三木武夫派、福田赳夫派、大平正芳派、中曽根康弘派の五派がしのぎをけずり、まず総理となった田中角栄氏がロッキード事件で退陣し、そのあとの三木武夫内閣も二年で退陣する。そのあとを争った福田赳夫派と大平正芳派の対立は特に激しく、次の福田赳夫内閣が二年近く過ぎた昭和五十三年十一月二十七日の自民党総裁選挙の予備選挙で、大平派と田中派とが連合軍を組み福田赳夫総理を総理の座から引きずりおろして、大平正芳内閣が出現するが、そうしたことから派閥抗争が激化している最中、昭和五十五年五月十六日の衆議院本会議にて、野党の社会党が内閣不信任案を提出した。

そこで、議長は、各党・各派が協議するための時間をとるべく、本会議を一旦閉会し、いずれ、内閣不信任案の議決（可決か否決か）をするため、再開のベルを鳴らす段取りをとった。

ところが、誰が本会議開催のベルを押したのかは不明だが、ともかく急に本会議開会のベルが鳴ったので、国会内で会議していた大平派や田中派、そして野党も本会議場に入ったが、福田派はじめ一部の他派は国会の外で会議を開いていたため、そのベルを聞けず本会議場に入れなかった。

そのため、野党社会党が出した大平内閣不信任決議案が賛成多数で可決されてしまったというケースである。これに対し、大平正芳総理は国会解散を宣言したが、その後の総選挙の遊説中、心臓発作を起こし虎の門病院に入院し、六月十二日に急性心不全のため逝去される、という事態があった。

(3) そうした実例から、当団体では、内閣不信任決議案が提起された場合、各党・各派も、それにどう対処するか協議するための時間が必要であり、それを前例のように、同じ日にすぐ審議に入ると同様な事態を招きかねないし、なによりも、内閣不信任決議案が提起されたような事態では、冷却期間が必要と考えるので、当団体は、この条文に②項を設け、内閣不信任決議案が出た場合には、四十八時間（丸二日間）の時間を置くことを提唱したい。

(4) 外国の例をみても、例えば、ドイツやフランスも、明文の規定はなくても、慣例として、四十八時間の間を置いている。しかし、日本では、上記のような混乱を経験しているので、改憲を機に、この条文の②項に、明文の規定を置くことにした。

そこで、本条を、次のように改正する。

清原淳平の改正案

第六十九条〔内閣不信任決議の効果〕

① 内閣は、衆議院で不信任の議決案を可決し、または信任の議決案を否決したときは、十日内に衆議院が解散されない限り、総辞職しなければならない。

② 内閣に対する信任または不信任の議決は、それが国会に提出されてから、四十八時間を経過した後でなければ、これを行うことができない。

第七十条〔総理の欠缺・新国会の召集と内閣の総辞職〕の解説・問題点

現憲法の条文

第七〇条〔総理の欠缺・新国会の召集と内閣の総辞職〕

内閣総理大臣が欠けたとき、又は衆議院議員総選挙の後に初めて国会の召集があつたときは、内閣は、総辞職をしなければならない。

○問題点　本条の表題の中に「欠缺」（けんけつ）という難しい文字が使われているので、「不存在」に変える

その他は、このままの規定でよいものとする。

清原淳平の改正案

第七十条〔内閣総理大臣の不存在、新国会の召集と内閣総辞職〕

内閣総理大臣が欠けたとき、または衆議院議員総選挙の後に初めて国会の召集があったときは、内閣は、総辞職しなければならない。

第七十一条〔総辞職後の内閣〕の解説・問題点

現憲法の条文

第七一条〔総辞職後の内閣〕
前二条の場合には、内閣は、あらたに内閣総理大臣が任命されるまで引き続きその職務を行う。

(1) この条文について、この内閣総理大臣が不存在の内閣で、国会の解散ができるかについて、解散権を、内閣総理大臣の専権とするか内閣にあるとするか、学説の争いがある。

日本では現在、解散権は内閣総理大臣の専権と解しているので、本条の内閣総辞職後の内閣には解散権はないとするべきであり、今後、誤解の生じないよう、②項を置き、このことを明記することにしたい。

○問題点　本条については、学説上、争いがあるので、争いがないよう、明確に規定したい

(2) また、憲法の条文の場合、ただ「前二条の場合」と書くのは誤解を生むので、ここは、明瞭に「第六十九条一項および第七十条の場合」と代えたい。「その職務を行う。」とあるのも、明瞭に「引き続き憲法に定める職務を行う。」としたい。

(3) なお、内閣総理大臣が不存在の内閣が、国会を解散することができるか、でも学説上、争いがあるので、ここは、②項をおいて、解散権は行使できないことを明確にしておきたい。

そこで、現行第七十一条は、次のように改正すべきである。

清原淳平の改正案

第七十一条〔総辞職後の内閣〕
① 第六十九条一項および第七十条の場合には、内閣は、あらたに内閣総理大臣が任命されるまで、引き続き憲法に定める職務を行う。
② 前項の場合、内閣は、国会を解散することができない。

第七十二条〔内閣総理大臣の職務〕の解説・問題点

現憲法の条文

第七二条〔内閣総理大臣の職務〕
内閣総理大臣は、内閣を代表して議案を国会に提出し、一般国務及び外交関係について国会に報告し、並びに行政各部を指揮監督する。

○問題点　内閣総理大臣の職務内容を、誤解のないよう、より明確に表記したい

(1)　この条文で、「議案を国会に提出し、」となっているが、国会は法律を創る場なので、この箇所は「法律案はじめ、その他の議案を国会に提出し、」と改めたい。

(2)　なお、気になることとして、この①項には、法律案はあるが「予算案」がない。日本においては、議院内閣制をとるため、予算案は内閣がつくって国会へ提出するので、ここは「予算案および法律案はじめ、その他の議案を国会へ提出し、……」と改めたい。

「予算案」が欠落している理由としては、日本を占領・統治したマッカーサー元帥が、その執行機関である連合国軍総司令部（ＧＨＱ）の職員から選抜した日本国憲法起案委員会に命じて、案文を起案させた際、かれら委員は主としてアメリカ憲法を参考としたが、アメリカでは、三権分立が徹底しているため、予算案は国会自体が作成・提出することから、アメリカの法制に従って、この内閣総理大臣の職務から「予算案」を外したものと思われる。

(3)　さらに、厳格に言えば、前段は、法案を提出し、一般国務・外交関係について国会へ報告することであり、後段は、「行政各部を指揮監督する」こととなっているが、この両者は性質が異なるので、後段の「行政各部を指揮監督する」は、一行の中に書かないで、①項、②項と、項を分けて、明記したい。

▽　そこで、この第七十二条を次のように、改正したい。

清原淳平の改正案

第七十二条〔内閣総理大臣の職務〕

①　内閣総理大臣は、内閣を代表して予算案および法律案はじめ、その他の議案を国会へ提出し、また、一般国務および外交関係について、国会へ報告する。

②　内閣総理大臣は、行政各部を指揮監督する。

第七十三条〔内閣の職務〕の解説・問題点

現憲法の条文

第七三条〔内閣の職務〕

内閣は、他の一般行政事務の外、左の事務を行う。

一　法律を誠実に執行し、国務を総理すること。

二　外交関係を処理すること。

三　条約を締結すること。但し、事前に、時宜によっては事後に、国会の承認を経ることを必要とする。

四　法律の定める基準に従い、官吏に関する事務を掌理すること。
五　予算を作成して国会に提出すること。
六　この憲法及び法律の規定を実施するために、政令を制定すること。但し、政令には、特にその法律の委任がある場合を除いては、罰則を設けることができない。
七　大赦、特赦、減刑、刑の執行の免除及び復権を決定すること。

○問題点　この七項目の中で、問題が多い箇所を、一号から七号の順で解説してゆく

⑴　一号の文中「国務を総理する」とあると、内閣総理大臣のみが行うように誤解されるおそれもあり、ここは、内閣は行政権を行使するのだから、明瞭に「行政事務を統括管理する」と改めたい。

⑵　四号にある「官吏に関する事務を掌理すること。」も、問題である。なぜならば、旧明治憲法時代は「官吏」という言葉が使われたが、「官吏とは、当時、天皇のために尽くす役人」を意味したので、現行日本国憲法下では、国民のために尽くすことに変わったので、ここは、「官吏」を廃して、「公務員」と改めるべきである。

この点も、日本の敗戦・降伏後、日本の占領・統治に当たったマッカーサー元帥の指示で、連合国軍総司令部（GHQ）の職員から選抜された日本国憲法起案委員会のメンバーが、一週間程度の短時間であわただしく起案したので、「官吏」という言葉の意味を理解できず、そのまま、残ってしまったものと思われる。そこで、ここは、「公務員に関する事務」と改めたい。

⑶　五号に「予算を作成して国会へ提出すること。」とあるが、大陸法系では、法律用語の使用方法は厳格であり、「予算」というと国会で可決されたものをいうので、この場合は、決定前であるから、「予算案」とするのが正しい。

⑷　六号に「この憲法及び法律の規定を実施するために、政令を制定する」とあるが、法理論上、憲法の規定を実施するために政令を制定することはない。それは、近代法の大系には、「上位法・下位法の原則」があって、国家の基本法たる憲法の下に、まず立法府（国会）がつくる法律があり、それに基づいて行政府が政令をつくり、それに基づいて都道府県など自治体がつくる条例がある、という具合に、下位の法は上位の法に逆らえない。逆にいえば、上位の法の許す範囲内でしか、下位の法はつくれない、というのが、近代法制をとる国の原則である。

しかるに、この第六号のままだと、憲法の規定を実施するために、国会のつくる法律を乗り越えて、内閣が政令をつくることができる、と読めるので、そこで、当団体案では、「この憲法及び」を削除することにした。

(5) 次に七号に「大赦、特赦、」という言葉があるが、これも、例えば、旧憲法時代に、天皇陛下が勅令をもって特別に赦免することを大赦といったが、今日ではもはや、なくなっているので、これらの用語をひっくるめて廃止し、「恩赦」という言葉に代えたい。

(6) 同じ七号に「刑の執行の免除」の免除という言葉があるが、近代法の原則、立法・行政・司法の三権分立の原則からすれば、刑の執行は、司法すなわち裁判所の分野であり、裁判所の判決により刑務所に入れられていたのを、行政府（内閣）が勝手に刑の免除をすることはないので、当団体では、この「刑の執行の免除」という文言も削除することにした。

そこで、私は、この七号については、「大赦、特赦、減刑および復権などの恩赦については、その詳細は恩赦法による。」と改めたい。けだし、国の大本である憲法には、あまり細かいことまでは書けないが、しかし、憲法は、法律の勉強をしていない国民も読むので、せめて、その詳細は、どういう法律を見れば分かるのかぐらいは、示しておくのが親切というものだ、と思うからである。

(7) なお、当団体案では、規定がないが、この号の最後に、「八　栄典の授与を決定すること。」を入れることにしたい。けだし、「天皇の章」の第七条〔天皇の国事行為〕の七号に（天皇は）「栄典を授与すること。」とあるが、これは、春・秋の叙勲、褒章に当たって、上級の勲章の授与式の場合は、天皇の御前にて授与式が行われている。

しかし、誰にどの程度の勲章を出すかは、天皇ではなく、内閣府が決めているのが実態なので、当団体案では、この内閣の職務の最後に八号を新設し、「八、栄典の授与を決定すること。」を入れることにした。

▽そこで、第七十三条〔内閣の職務〕を、次のように改める。

清原淳平の改正案

第七十三条〔内閣の職務〕

内閣は、他の一般行政事務のほか、左の事務を行う。

一　法律を誠実に執行し、行政事務を統括管理すること。

二　外交関係を処理すること。

三　条約を締結すること。ただし、事前に、時宜によっては事後に、国会の承認を経ることを必要とする。

四　法律の定める基準に従い、公務員に関する事務を掌理すること。
五　予算案を作成して国会に提出すること。
六　法律の規定を実施するために、政令を制定すること。ただし、政令には、特にその法律の委任がある場合を除いては、罰則を設けることができない。
七　旧来の減刑、および刑の執行の免除ならびに復権は、内閣ではなく、裁判所の権限とする。
八　栄典の授与を決定すること。

第七十四条〔法律・政令の署名〕

現憲法の条文

第七四条〔法律・政令の署名〕
　法律及び政令には、すべて主任の国務大臣が署名し、内閣総理大臣が連署することを必要とする。

▽　右の第七十四条〔法律・政令の署名〕は、改正箇所はなく、現行のままでよい。

第七十五条〔国務大臣の特典〕の解説・問題点

現憲法の条文

第七五条〔国務大臣の特典〕
　国務大臣は、その在任中、内閣総理大臣の同意がなければ、訴追されない。但し、これがため、訴追の権利は、害されない。

○問題点　本条は、三権分立の中の、行政と司法（裁判所）との兼ね合いの問題である

(1)　すでに、「国会の章」や「内閣の章」の中で記したように、中世における西欧では、財力・武力を有する者が土地を囲い込み君主国家を宣言し、その地域の住民を支配し、圧政を行ったので、堪えきれなくなった住民が、近代思想家による「天賦人権思想」を根拠として立ち上がり、専制君主との間に契約（憲法）を結び、その実質的内容として、専制君主が独占していた立法権、行政権、裁判権の三権への参加を求め、大変な苦労・犠牲を経て、次第に三権それぞれに参加して行く政治体制を確立していった。
　当初は、この立法、行政、裁判の三権は、それぞれ分離・独立するのが正しいと考えたが、やがて、その完全なる分離・独立は、その三権のいずれかの独裁を招くことに気付き、三権分立を原則としながらも、相互に、バランスよく牽制する必要を学びとった。

(2) 本条も、その一つで、内閣を構成する国務大臣が、刑事事件に該当する犯罪を犯した疑いが強いときは、司法の側である検察官が、被疑者を訴追できることはその任務であるが、そうかといって、それだけの力を持つ検察官が、例えば、行政府たる内閣を打倒する意図を持って、国務大臣を勝手に訴追するような場合も考えられるので、そうした検察政治が行われないよう、本条にあるような規定を置いたわけである。

▽ **そこで、本条は、このまま存置しておいてよいが、上記解説内容も認識されたい。**

(第二節 内閣の章の中に、新設すべき条項の解説・問題点)

この章の冒頭に述べたように、現行「内閣の章」の中の各条文には、以上に挙げたように、改正すべき箇所がかなりあるが、その他、現行条項に、欠落していて、新しく条項を設けるべきである、と考えられる条項もあるので、それら条項を、以下に、掲げて置くことにする。

それら条項は、「国会の章」の末尾にも記したように、岸信介初代会長の跡を継いだ第二代会長・木村睦男元参議院議長の時代に、案文されたものもあるが、その他、私が会長就任以降の再検討で付け加えたものもある。特に、新設の六と七の「国家非常事態対処規定」は、私が大幅に補正している。

(注) 以下の条文新設が、憲法改正によって認められれば、もちろん、通し番号が付けられるが、ここでは、とりあえず、内閣の章に新設すべき条項はいろいろとあるが、大別して、「第一款 内閣の現条項に補充すべき条項の新設」、「第二款 国家非常事態における内閣の役割」を置きたい。

それら新設すべき条項には、どういう条項があるのか、「表題」部だけ掲げると、

第一款 内閣の現条項に補充すべき条項の新設
新設の一 内閣総理大臣の臨時職務代行者
新設の二 国務大臣の就任に際しての宣誓
新設の三 国務大臣の行為の制限
新設の四 国務大臣の欠格事由
新設の五 行政情報の公開原則

▽ **以下に、右の新設条項の具体的案文を掲げ、その解説をする。**

ただし、次の六と七は、後述する「第十章 国家非常事態」にて、詳述する。

第二款 国家非常事態における内閣の役割

新設の六　自然大災害・人為大災害・疫病大流行への対処
新設の七　他国からの攻撃・侵略に対する対処
第三款　新型コロナ流行という国家緊急事態
▽　以下、各新設条項につき、解説する。

第一款　内閣の現条項に補充すべき条項の新設

要新設の一〔内閣総理大臣の臨時職務代行者〕の解説

清原淳平の新設案

▽〔内閣総理大臣の臨時職務代行者〕
　内閣総理大臣は、内閣の成立と同時に、内閣総理大臣に事故のあるとき、または内閣総理大臣が欠けたときに、臨時に内閣総理大臣の職務を行う国務大臣を指定しなければならない。

○その理由　現行憲法には、内閣総理大臣が急逝した場合などの対処規定がない

(1)　過去に、内閣総理大臣が在職中に急逝され、その総理が事前に、後継者を指名していたか、いないかで問題になったケースがある。つまり、総理が欠けたあと、当面、誰が臨時内閣総理大臣になって残務処理をし、総辞職の手続をとり、さらには総選挙を行うかなど、問題があるからである。

(2)　具体例を挙げると、第六十八代〜六十九代の大平正芳内閣総理大臣が、昭和五十五年六月十二日、衆参両院選挙戦の最中、急性心不全のため逝去された。大平総理は副総理を指名しておらず、田中六助通産大臣に後を頼むと言っていたという説もあったが、文章としては残っておらず、結局、内閣官房長官の伊東正義氏が、臨時内閣総理大臣として総選挙を行った。

(3)　いま一つ例を挙げると、第八十四代の小渕恵三内閣総理大臣の時も、平成十二年四月一日夕刻、議員定数削減問題で党首会談が行われた後の記者会見の席上、小渕総理は体調の異常をきたし、御茶の水の順天堂病院に入院。脳梗塞発病と診断されたため、四月五日に小渕恵三内閣は総辞職した。このときも、小渕総理が後継者を指名していた気配がなかったので、その後継者をめぐりごたごたした。

(4)　上掲のように、現実に困った事態があったことから、当団体では、そうした事態を避けるために、内閣総理大臣は、内閣の成立と同時に、「内閣総理大臣の臨時職務代行者」を置くことを、義務づけることにした次第である。

(5) この場合、端的に「副総理」としてももちろんよいのだが、政治の世界では、政治的地位の設置にはいろいろとむずかしい事情もあるので、「臨時職務代行者」という名称にした。そうすれば、総理の「意思能力の欠如」などという重大な場合ばかりではなく、総理の諸外国歴訪など長期不在の場合にも、対応することができる。

要新設の二〈国務大臣の就任に際しての宣誓〉の解説

清原淳平の新設案

▽〈国務大臣の就任に際しての宣誓〉

内閣総理大臣およびその他の国務大臣は、就任に際し、次の宣誓を行う。

「私は、日本国の発展と日本国民の利福の増進のため、日本国の憲法および日本国が批准した国際条約・協定、および国会が制定した法律を尊重擁護し、全力をあげて職務に専念することを誓う。」

○その理由　国務大臣に就任した閣僚に、多々問題が生じるので、外国並みに宣誓を義務づける

(1) 当団体は、すでに「国会の章」の中に、国会議員に選出された者に対し「議員の就任宣誓義務」を新設することを提唱した。そこで、行政府たる内閣を構成する国務大臣に就任した者にも、やはり、宣誓する義務を求めるべきだ、と考えた。

(2) 現行憲法第六十八条は「内閣総理大臣は、国務大臣を任命する。但し、その過半数は、国会議員の中から選ばなければならない。」と規定しているが、その第六十八条についての解説の箇所で解説したように、大統領制ではなく、「議院内閣制」をとるわが国においては、過半数は多すぎるので、当改正案にては、国会議員外からの国務大臣の数を「三名以内」に減らしたが、そうして総理により選任された民間からの国務大臣に対しても、本条に掲げる宣誓を求めることは、当然である。

(3) 既述のように、当団体案では、選挙で当選した国会議員に宣誓義務を課したが、それは立法府における宣誓であるが、国会議員が国務大臣に任命された場合は、今度は、国務大臣という行政府の職務であるから、その点でも、宣誓は必要と考える。つまり国務大臣になったということは、立法府ではなく、今度は行政府に入って、実際に行政の執行にあたるのだ、という認識と決意を持ってもらうためにも、宣誓が必要だ、と考える。

(4) 内閣総理大臣はじめ国務大臣（副大臣・政務官も）は、漠然とそうした差異の認識はあると思うが、国民の側からみると、立法府から行政執行に入っても、なお、派閥のためや、自己の選挙を有利にするための言動、と見えることがあるからである。

(5) ちなみに、アメリカ大統領は、その就任にあたり、「私は、合衆国大統領の職務を忠実に遂行し、全力を尽くして合衆国憲法を維持し、保護し、擁護することを、厳粛に誓う、(または確約する。)」と宣誓している。またアメリカの下部行政においても就任にあたり、そうした類の宣誓が行われている。

(6) ドイツ連邦大統領の宣誓。ドイツ連邦共和国基本法第五十六条「私は、私の力をドイツ国民の幸福のために捧げ、その利益を増進し、国民を損害から免れしめ、連邦の基本法および諸法律を守りかつ擁護し、私の義務を良心的に果たし、何人にも正義を行うことを誓う。神よ、ご照覧あれ。」との宣誓を行う。

(7) これはドイツ連邦大統領ばかりではなく、連邦大臣も同様である。ドイツ連邦共和国基本法第六十四条〔連邦大臣の任免・宣誓〕「(1) 連邦大臣は、連邦首相の提案に基づき、連邦大統領によって任免される。(2) 連邦首相および連邦大臣は、その職務を引き受けるに際し、連邦議会の面前で、第五十六条に定める宣誓を行う。」との条項があることも参考に、日本国でも、こうした宣誓規定をおく改憲を、考えていただきたい。

要新設の三〔国務大臣の行為の制限〕の解説

清原淳平の新設案

▽〔国務大臣の行為の制限〕
内閣総理大臣およびその他の国務大臣は、その在任中、国会の章に新設した国会議員の欠格事由の他、品位を損なう行為を行ってはならない。

○その理由 日本国憲法にも、諸外国なみに、国務大臣の欠格事由規定を置くべきである

(1) 当団体は、すでに「国会の章」の中に、国会議員に選出された者に対し「国会議員の欠格事由」を新設することを提唱した。そこで、これと同様の規定を、内閣の国務大臣にも適用するのが、合法的・合理的であると考える。けだし、議院内閣制において、立法府の国会議員から選ばれて、行政府の国務大臣となり、実際に行政の執行に当たる国務大臣の地位・責任はより大きい、と考えるからである。

(2) 準用される欠格事由は以下のとおり。国会議員とあるのを国務大臣と読み替えた。

要新設の四〈国務大臣の欠格事由〉の解説

▽〈国務大臣の欠格事由〉

清原淳平の新設案

国務大臣は、次に掲げる事由により、その地位を失う。

一　直接間接に、公有財産を購入または賃借すること。

二　直接間接に、国またはその機関と、土木請負契約、物品納入契約またはその他法律が禁ずる契約を結ぶこと。

三　国またはその機関と契約関係にある営利事業の役員または法律顧問となること。

四　国またはその機関を相手とする訴訟事件において、訴訟代理人または弁護人となること。

五　第三者の利益を図るために、国またはその機関の事務の負担となるべき交渉をなし、またはは交渉をなさしめること。

六　正当な理由なくして、会期中、三分の一以上欠席すること。

(3)　この「国務大臣の欠格事由」については、当団体の初代会長・岸信介元総理の跡を継いで、第二代会長を務めた木村睦男元参議院議長の時に起案したものであるが、その時に、右に挙げた国務大臣の欠格事由のほか、「七、品位を損なう言動を行ってはならない。」という文言を、入れるか入れないかが問題となった。

木村睦男会長は、参議院議長を二期務めた経験から、当時、国会議員の品位が低下していることを憂え、この「品位を損なう言動を行ってはならない。」を入れることに積極的であったが、私は、申し訳ないが、これに反対し、外していただいた。

なぜかというと、「品位」という言葉は抽象的で、何をもって品位というか、よく分からないからである。例えば、当時でも、国会で総理大臣が野次を飛ばしたとかが問題になったが、国会での発言の駆け引きは微妙なものがあり、何をもって品位というか判断しかねる面があるので、議長や委員長の判断で注意する程度でよいのではないか、と考えたからである。

(4)　しかし、「品位」問題を除いては、質問する国会議員および答弁する内閣総理大臣はじめ国務大臣の発言において、あまりにもひどい言動があったときは、本条のような欠格事由を置き、地位を失格させる規定を置くことも、必要だと思う。

特に、木村睦男元参議院議長や何人かの元国会議員は、国会は法律をつくる場所であるにもかかわらず、法律の勉強をしたことのない方が議員に選出されてくる。議員となるからには、「上位法・下位法の原則」とか、「効力の不遡及の原則」とか、「構成要件該当→違法性該当→責任制存在という法的三段論法の原則」等々、法理論の基本ぐらいは勉強してきてほしいが、それもむずかしい以上、本条のように、憲法に明文を掲げ、違反すれば、議席を失うという欠格事項を、立法・行政に携わる者に、自覚を促す必要があるとの議論があったことを、当時の議論の場面を想い出しながら、付言しておく。

要新設の五〔行政情報の公開原則〕の解説

清原淳平の新設案

▽〔行政情報の公開原則〕

① 行政情報は、基本的に国民の所有に属する。

② 内閣は、次に掲げる場合を除き、その統括する行政各部の情報について、これを公開しなければならない。

一 国家の安全保障を脅かすおそれのあるとき。

二 公共の秩序を害するおそれのあるとき。

三 善良の風俗を害するおそれのあるとき。

四 関係当事者の人格を害し、その私生活上の利益を害するおそれのあるとき。

③ 行政情報の公開に関する手続は、法律でこれを定める。

○その理由

(1) 一九九〇年ごろから、世界中のコンピュータなどの情報機器を接続するネットワークの時代、いわゆるインターネット時代となった。これは、いまの日本国憲法が制定された当時には、想像もされなかった新しい社会システムである。

(2) 行政情報にはいろいろあるが、特に国家・国民にとって不利益となる情報の漏洩もある。この改憲案をつくった当時、防衛庁から陸上自衛隊十四万人の個人情報が、隊員のパソコンから漏出したとか、警視庁外事三課の外国人情報が流出したなどが報じられ、国民の一人として、大きな危機感を抱いた。

そして、そうしたインターネットを駆使して得た情報を、いかに早くかつたくさん取得できるかが、今や国家の運命を決する「5G、6G」の時代に入っている。現代はまさに「情報を制するものは、世界を制する」時代である。しかるに、わが日本は、とても、それに追いつかず、まだ一般的には4Gの世界で、この分野では、日本はIT後進国であることを憂えている。

(3)　日本国も、そうした時代の要請を認識し、真のイノベーション（技術革新）に取り組むとともに、国会でそうした情報システムに関する法律を早く整備する必要がある。

もっとも、わが国も、国会の運営に関する「国会法」を改正して、その「第十一章の四」として、〔情報監視審査会の設置〕〔政府からの報告〕〔情報監視審査会に対する特定秘密の提出又は提示の手続〕〔運用改善の勧告〕〔審査〕〔適性評価〕〔特定秘密を利用し、又は知ることができる者の制限〕〔準用規定〕〔情報監視審査会に関する事項〕と九カ条の規定を「国会法」の中にすでに置いてある。

(4)　しかし、「上位法・下位法の原則」によれば、憲法上に規定がなくて、その下位法たる国会法に九カ条もの規定があるというのは、この「上位法・下位法の原則」に反する恐れありといえるので、当団体では、国会法の規定の根拠を、憲法上に明文を新設したい、と考えた次第である。

すなわち、新設する〔行政情報の公開原則〕は、まず、内閣はじめ行政府の得た情報は、本来、国民のものであることを明示し、その一、二、三、四、の各号の場合を除き、公開すべきことを明らかにし、そして特に③項を置き、「行政情報の公開に関する手続は、国会法はじめ法律でこれを定める。」として、情報公開の重要性から、また法体系の原則から、法律や政令や条例だけで処理するのではなく、国内法体系の最上位にある憲法に、上掲のような、明文を置くべきである。

(5)　なお、近年、インターネット技術機能の向上は驚くほどで、いわゆる5G、6Gの世界へと進んでおり、いったんインターネットに打ち込めば、制約をかけても、技術が上であれば容易に見ることができる。まさに「情報を制するものは世界を制する」である。

その点で、日本は、時代の進化の趨勢が急速であることを認識し、インターネット技術の向上・開発に全力を上げるとともに、国家機密が漏洩しないよう、憲法上にも、明文を新設するなど、その対策を急がねばならないことを、重ねて、ここに付言しておく。

第二款　国家非常事態における内閣の役割

○問題点の一　日本国憲法には、独立主権国家にはある「国家非常事態」に関する条項がない

(1)　なぜ、ないのか？　それは、現行日本国憲法が、日本の敗戦・降伏後、マッカーサー元帥をトップとする連合国軍総司令部（ＧＨＱ）の占領・統治の下にあって、その職員から選抜された「日本国憲法起草委員会」によって起案されたことによる。

マッカーサーは、一九四六年（昭和二十一年）一月三十日、マッカーサーを表敬訪問した戦勝連合国政府代表よりなる「極東委員会」のメンバーに、「憲法改正について、なにが行われるにせよ、出来上がった憲法は、日本人の作成だと思わせる方策をとる」と表明しているように、マッカーサーとしては、自分の日本統治を成功させるためには、日本人には自分たちで良い憲法を作成したと思わせ、そして、天皇制も存置し、以前のように国会・内閣・司法制度を認めた上で、自分がその上に立って間接統治する方が、日本統治がうまくゆく、自分の統治能力が世界に認められる、と考えてのことである。

したがって「日本国憲法」の実態・内容は「植民地憲法」「属国憲法」の体裁である。

(2)　つまり、独立主権国家であれば、主権を持ち、統治権を持ち、外交権を持ち、自分の国は自分で守る軍隊を持つ、のが当然であるが、被占領国には、主権・統治権もなく、外交権もなく（諸外国にあった大使館・領事館なども閉鎖される）、自分の国は自分で守る組織（軍隊）も認められない。そうした主権は、すべて占領軍総司令官たる自分が執り行う、としたものである。

(3)　日本は、地震・津波、噴火・土石流、大台風など自然災害の国であるが、そうした大自然災害の場合にも、その救援・対策には、占領軍総司令官たる自分が指揮を執る。

また、もし、他国が、日本を攻撃したり日本へ侵入したりすれば、自分が占領軍を率いて反撃し、被占領国日本を守るのは、占領軍総司令官たる自分の役割である、と考えていた。（実際に、昭和二十五年六月二十五日、朝鮮戦争が勃発するや、マッカーサー元帥は、在日米軍を率いて、朝鮮戦争へ出兵した。）

そこで、日本の統治者・主権者となったマッカーサー元帥が、その連合国軍総司令部（ＧＨＱ）の職員に起案させた日本国憲法には、独立主権国家には当然あるべき陸海空軍を持つことも放棄させたし、「国家非常事態対処」の規定もないわけである。

○問題点の二　「国家非常事態」の態様

(1)　ヨーロッパ大陸においては、古い大陸だけに、日本のような大地震・大津波といった大自然災害は少ない。中世の西欧では、庶民たちは、専制君主による租税の取り立てや隣国との戦争に駆り出されるなど圧政に悩まされた。近世に入り思想家による「天賦人権思想」に励まされて専制君主と話し合い、少しずつ基本的人権を認めさせ、君主の絶対的権限とされた立法・行政・裁判への庶民の参加を認めさせていった。しかし、西欧君主国家が経済的・技術的に興隆していくとともに軍事技術・軍事力も向上して、近世〜近代になっても西欧諸国は戦争に明け暮れていた。

(2)　そのため、憲法ができても、「国家非常事態」というと、主として他国との戦争が中心と認識された。しかし、経済や科学がより発達した近代〜現代に入ると、例えば、石油精製工場や原子力発電所の大事故といった人為的大災害や、また大台風・ハリケーン、さらにはペストやスペイン風邪（実は新型のウイルス）など疫病大流行といった大災害なども、「国家非常事態」として認識されるに至った。特に、「スペイン風邪」は、第一次世界大戦の最中であり、欧州戦線でも、戦死者以上に、この「スペイン風邪」で亡くなった人が多く、戦勝国・戦敗国ともに、その恐ろしさを認識した。

(3)　そこで、近代憲法では、「基本的人権の保障」は、西欧人が勝ち取った侵すべからざる国家の大原則であるけれども、国家には、平時ばかりではなく、非常時があることも現実であるので、そうした事態が発生した場合は、国家のトップ（君主、大統領、首相）は、「国家非常事態に陥ったことを宣言」し（国民に広く知らしめ）、もし国民の住居からの移動を禁じたり、職業（営業）休業など制約を科した場合は、本来ならば全額を補償すべきだが、「国家非常事態宣言」を発した場合、それは、国民の生命・身体・財産を守るためなのだから、国民も全額補償といわずに、ある程度のお見舞い金で勘弁してほしい、との国民との約束ごととして、「国家非常事態宣言」があるわけである。

そうしたことから、筆者は古くから、憲法に「国家非常事態対処規定」そして「国家非常事態宣言規定」を置くことは、独立主権国家というならば、なんとしても、憲法に明文をおかなければいけないことなので、日本も、まず、この問題を、憲法改正事項として取り上げ、早急に憲法を改正し新設すべきである、と主張してきた。

例えば、『憲法改正入門』清原淳平著（一九九二年＝平成四年二月五日刊、ブレーン出版）九十九頁〜一〇四頁参照。『なぜ　憲法改正か?!　反対・賛成・中間派も、まず読んでみよう！』清原淳平著（二〇一四年＝平成二十六年五月三日刊、善本社）の三十三頁〜百四十三頁にわたる。また、毎年五月三日開催の「新しい憲法をつくる国民大会」（＝自主憲法制定国民大会）で、平成二十三年の国民大会、同二十五年の国民大会、同二十七年の国民大会においても、この国家非常事態対処規定の新設を憲法改正の早急の課題とすべきことを講演しており、また平成二十七年五月三日国民大会当日には『日本国憲法に　国家緊急事態対処規定を！』と題する一〇〇頁の小冊子を編集して、配布しているので、参考にしていただければ、幸甚である。

▽なお、「国家非常事態」には、「自然ないし人為による大災害対処規定」と「他国からの攻撃・侵略による国家非常事態」の二種類があるので、両者を書き分け、以下に、「新設の六　自然大災害・人為大災害・疫病大流行への対処」、そして「新設の七　他国からの攻撃・侵略に対する非常事態」の二カ条を、掲げることにした。

まず、『自然大災害・人為大災害・疫病大流行への対処規定案』を掲げた上で、解説に入ろう。

要新設の六〔自然大災害・人為大災害・疫病大流行への対処〕の解説

清原淳平の新設案

▽〔自然大災害・人為大災害・疫病大流行への対処〕

① 国は、大地震・大津波、大噴火・土石流、大台風・大雨など、自然大災害の発生に備え、緊急事態対処法制を整備し、また具体的な緊急事態対処の手段・方法を検討・設定するものとする。

② 国は、原子力発電、石油・ガソリン等の精製工場・貯蔵施設、その他、万が一事故発生の場合に、大災害が予想される大工場・貯蔵施設等について、事前に、危機管理法制を整備し、また具体的な緊急事態対処の手段・方法を、検討・設定するものとする。

③ 国は、急速に感染拡大する恐れのあるインフルエンザや新型ウイルスに備え、日ごろからその対処方法の研究を進めるとともに、万が一、発生・拡大した場合のため、医師・検査技師・看護師・介護士等、人員の補充・配置方法を考え、病室の用意、医療機器の増産・確保・管理方法につき検討し、特に医療従事者の感染や院内感染が発生しないよう、機器・設備・医務衣などの整備・補充に心がけ、また、治療薬・薬品の開発・貯蔵・補充につき、具体的な非常事態対処の手段・方法を、設定しておくことを要する。

④ 国は、世界的な経済恐慌・不景気・貨幣価値の大変動・株価の長期的大暴落、または日本国の財政破綻等々、経済的危機に遭遇する場合に備え、その対策について、その国民生活をどうするか、企業をいかに救済するか、日本経済をどう回復させるかについて、研究し、具体策を練っておく必要がある。

⑤ 上記各項の事態が生じた場合、内閣総理大臣は、

その情況を勘案・判断して、全国民に対して、「国家非常事態宣言」を発する。

⑥ 国民は、この「国家非常事態宣言」が発せられた時は、国が、国民の生命・身体・財産を守るために必要と考えて、非常事態宣言を発したことを認識し、内閣総理大臣の指示・命令に従うものとする。

⑦ 国民は、この「国家非常事態宣言」が発せられたことにより、その身体・財産・生活において、何らかの損害が発生しても、日本国憲法が規定する「基本的人権保障」の大原則に基づいて、その全額について損害補償を請求することはできず、国家のために相応なる額を、協力金として受け取るに留めることを承認する。

⑧ 国民は、この「国家非常事態」にあたり、内閣総理大臣の指示・命令に違反した場合は、その情況によって、本条に基づいて予め制定された法律に基づいて、身体の拘束、営業活動の停止もあり得るし、また罰金刑などに処せられることもありうることを、認識しなければならない。

⑨ 内閣総理大臣によって、上記の「国家非常事態宣言」が発せられた場合は、その総指揮権者は内閣総理大臣であり、また、「国家非常事態宣言」の解除権者も内閣総理大臣である。

⑩ 上記各号の場合、内閣総理大臣は、事前または事後に、国会の承認を得て、必要な範囲で、政令により、緊急の財政処分をすることができる。

ただし、この措置は、その公布後、国会開会中は一週間以内に、国会閉会中または国会解散中の場合は、次の会期において、国会の承認を求めなければならない。

⑪ その大災害の際、内閣総理大臣が欠けている場合ないし新たに内閣総理大臣を指名するいとまがないときは、副総理ないしあらかじめ指名された大臣が、臨時にその職務を行うものとする。

⑫ 内閣総理大臣は、被災者の人命救助をはじめ、避難先への輸送、障害物の撤去、災害拡大の防止等々のため、担当大臣および関係大臣に命じて、警察および消防ならびに医療・福祉関係者を動員し、また、災害発生地の地方自治体へはもちろん、隣接する地方自治体へも、救済のための人員を動員させ、また、救済のための機材・資材・医薬品・食料・衣料・避難先等々につき、命令し指示する権限を有する。また、被害情況に応じて、地方自治体に対し、法律の範囲内で、その権限の一部を委任することができる。

⑬　なお、内閣総理大臣は、災害の状況により、その迅速な救援のため、自衛隊（国防軍）へ出動を命ずることができる。この場合、内閣総理大臣は、この命令を国務大臣に委任することなく、みずから明瞭な方法で命令しなければならない。

○問題点　右の「自然的・人為的な大災害、疫病大流行など国内的大災害の場合の問題

(1)　この国内的な「国家非常事態対処規定」は、ここでは、ご覧のように、十三項目にもわたって列記したが、本来、憲法改正に際して、これら項目を条文化する場合は、例えば、「国内的な各種大災害の態様」とか、「国家非常事態宣言の意味するもの」とか、「国家非常事態を宣言するのは、行政府の長（日本では、内閣総理大臣）の専権事項」とか、「国家非常事態に際しての緊急財政処分」とか、「総指揮官たる内閣総理大臣が欠けた場合の対処」とか、「内閣総理大臣の地方自治体への指示・命令権、および委任事項」とか、「内閣総理大臣の専権事項としての自衛隊の動員」等々、それぞれについて、条文を立てることを考えているが、国民の皆さんに理解していただくためには、むしろ、列記しておいた方が分かりやすいと思い、ここでは、列記したままにしてある。

(2)　なお、内容的に詳細すぎるとの御指摘もあろうかと思うが、ドイツ連邦共和国基本法などは、まず近代憲法では、西欧の歴史的経過から、「基本的人権の保障」は本来侵すことのできない天賦人権の大原則との認識があり、それを、国家非常事態の場合は制約するのだから、その例外たる国家非常事態規定も、やはり同じ憲法（基本法）の中に書いておくべきだ、とする大陸法系法制度理論に基づいて、筆者も詳細に規定してある。

また、こうして詳しく書いておいた方が、日本では、中世西欧のような専制君主国家による圧政という体験がないため、日本人は、大陸法系制度理論に慣れていないので、詳しく記載しておいた方が、国民の理解を得やすいのでは、と考えてのことである。

(3)　なお、令和二年新春から発生した新型コロナウイルス対策について、政府は、憲法に明文の規定がないのに、「上位法・下位法の原則」に反して、二〇一二年（平成二十四年）のマーズ（ＭＥＲＳ）ウイルス流行の際に、当時の野田政権が、同年法律第三十一号として「新型インフルエンザ等対策特別措置法」を制定し、また、令和二年の「新型コロナウイルス流行」に際しても、安倍政権が、憲法に規定がないまま、上記特別措置法を補整・改正して法律で対処しようとしたが、これらは、厳格な大陸法系法制度理論からすれば、「上位法・下位法の原則」に反するといえるので、筆者としては、今の日本が独立主権国家だというのであれば、日本も早急に憲法を改正・新設して、「国家非常事態対処規定」「国家非常事態宣言規定」を置くべきことを、改めて、ここに、提唱したい。

けだし、上位の憲法に規定がないのに、下位の法律において、本来、自宅から出るなとか、営業停止を命ずれば、国はそれ相応な全額補償しなければならない。いわんや、その違反者を拘束したり罰金を科したりすれば、裁判に持ち込まれた場合、訴訟で勝てる保障はない。

(4) なお、令和二年の「新型コロナウイルス流行」に当たって、内閣総理大臣が「国家緊急事態宣言」をする前に、北海道はじめ幾つかの府県が「緊急事態宣言」をしたり、また、国も、都道府県など地方自治体に対処権限を移譲しているような様子が感じられるが、西欧主要諸外国では、そうした国家非常事態には、反乱・内乱、革命などが起こった経験から、この「国家非常事態宣言は、行政府の長（大統領や首相）の専権事項」であり、ともかく、国のトップの専権事項であり、かつ総指揮官であるのが、普通であることも、ここに付言しておく。

▽ 以上は、国内的非常事態の場合であるが、国家の非常事態には、外国からの攻撃・侵略の場合があり、この場合は、集団的自衛権や安保条約との関係が出てくるので、内容的にかなりの差異があるために、これについては、左のような新設条文を考えたので、ご覧いただきたい。

要新設の七〔他国からの攻撃・侵略に対する対処〕の解説

清原淳平の新設案

▽〔他国からの攻撃・侵略に対する対処〕

① 国が、他国から攻撃・侵略を受けたときは、内閣総理大臣は、既存の安全保障法制に基づき、直ちに会議を開き、国家非常事態の発生を宣言し、これに対処するべく政令を発することができる。この政令は、のちに国会の承認を得なければならない。

② 内閣総理大臣は、直ちに、総司令官として、自衛隊（国防軍）を指揮し、その出動を命ずる。

③ 内閣総理大臣は、そのために、政令を以て緊急の財政処分をすることができる。この財政処分はのちに、国会の承認を経なければならない。

④ 内閣総理大臣は、他国からの攻撃・侵略の状況・態様が重要であると判断したときは、既存の「日本国とアメリカ合衆国との間の相互協力及び安全保障条約」（＝日米安全保障条約）の第五条に基づき、アメリカとの共同防衛に入る。

⑤　また加盟する国際連合の憲章第五十一条に基づき、直ちに、国際連合安全保障理事会に報告する。
⑥　外国からの攻撃・侵略を受けた際、内閣総理大臣が欠けていた場合に、憲法の規定によって新たに内閣総理大臣を指名するいとまがなく、緊急を要するときは、副総理大臣またはあらかじめ指名された大臣が、臨時にその職務を行うものとする。
⑦　さらに、前項の大臣が欠けたとき、またはあらかじめの指名がなかったときは、緊急の場合に限り、衆議院議長がこれにあたり、衆議院議長も欠けたときは、参議院議長がこれにあたり、それも欠けたときは、最高裁判所長官がこれにあたる。

（注）　新設六の条項とこの新設七の条項とは、独立主権国家として、余りにも重要な問題であるので、本書では一括して、「国家非常事態対処」として、後掲に「第十章」として一章を置き、そこに、掲げることにした。

それは、前述したように、「国家非常事態対処」には、大別して、「自然的ないし人為的な大災害、あるいは疫病大流行災害」という対内的事態と、「他国からの攻撃・侵略にたいする国家非常事態」という対外的事態とがあり、いずれも、その総指揮官は、日本では内閣総理大臣であるが、ことの重要性から、本書では、（現行の「第二章　戦争放棄」を全面廃止する代わりに）「第十章　国家非常事態対処規定」を設け、そこに、この両者を規定するのが正しいと考えている。

しかし、説明の便宜上、ここでは、前者の「自然的ないし人為的な大災害、あるいは疫病大流行災害」は、この「内閣の章」において説明しておいた方が、国民の皆さまも分かりやすいと考えて、この章において説明した。

そして、本書の「第十章　国家非常事態対処規定」は、現行憲法「第二章　第九条戦争放棄」に変わるものであり、また、それは「国家安全保障の問題」でもあるので、その「他国からの攻撃・侵略にたいする国家非常事態」問題については、後掲の「第十章」の解説の中で、改めて、詳細に取り上げることにしたので、本書「第十章　国家非常事態対処」の方も、ぜひ、ご覧いただきたい。

第三款　新型コロナ流行という国家緊急事態

令和二年新春から始まった新型コロナウイルス流行への対処は、格好の具体例となるので、令和二年五月三日発表『第五十一回　新しい憲法をつくる国民大会に代えて』から、私の会長講話の内容を以下に転載する。

〈転載〉新型コロナ流行という国家緊急事態

中国武漢から始まった新型コロナウイルスは、いまや世界中に蔓延して多大の被害を生じており、わが国でも重大局面を迎えている。それに伴い、安倍総理が令和二年四月七日に発令された「緊急事態宣言」をはじめとする対処方法について、国内各方面から、甲論乙駁がある。

例えば、先進諸外国に比べて、日本の対応が遅いとか、政府の休業要請に応じたのだから、生活補償をしてくれ等々、いろいろと問題が噴出しており、また、それに対して報道でもさまざまな意見が出て、混乱が生じている。

そこで、私は四十年以上前から、法制度理論を重視するドイツをはじめとする「大陸法系の憲法学」を土台とする憲法改正学を続けて来たので、その立場から問題点を整理し、国民の皆さまの御参考に供したいと思う。

なお、ここに述べることは、大陸法系憲法学の立場からの論証であって、誰かを批判したり、誰かを擁護するものではなく、学問の見地から出てくるものであることを、最初にお断りしておく。

まず、国民の間からも出ている「政府の対応が遅い」との批判について、結論的に言えば、独立主権国家の憲法には「国家非常（緊急）事態対処規定」があるのが原則であるが、わが日本国憲法にはない、という問題がある。

すなわち、西欧諸国をはじめ、アジアでも中国憲法や韓国憲法には明文があるので、迅速対処ができるのに、日本国憲法にはないため、迅速対処がむずかしいという、わが国特有の問題があることを、認識していただきたい。

一、西欧諸国憲法には、なぜ国家非常（緊急）事態規定があるのか？

それは、西欧諸国の歴史を研究すると分かり易い。すなわち、ヨーロッパ大陸で、古代にはスパルタやアテネといった都市国家であったが、中世になると、財産と武力を得た人物が、一定の土地を囲い込んで国家成立を宣言し、そうした専制君主が、その地域内の住民を自己の所有物のごとく酷使するなど、独裁的な政治を行っていた。中世の西欧は、そうした専制君主の圧政に苦しんだ時代であった。

そして、やっと近世に入って「人間は本来、生まれながら天から与えられた侵すべからざる基本的人権を有している」という『天賦人権』を説く思想家が現れた。中世の庶民は、この天賦人権思想に力を得て、専制君主に改善を迫ったが、専制君主は、かれらを牢へ入れ、人命を奪い、土地家屋を取り上げるなど圧政を行った。そうした犠牲を経て、庶民は、根気よく君主と交渉し、徐々に、生命・身体の保障、さらには、君主の絶対権とされていた立法・行政・司法へ参加することを認めさせる契約（憲法）を作らせることに成功した。

つまり、「憲法」は、まず個人の基本的人権尊重という大原則があり、それを制約するには、同じ憲法中に明文があることが条件になった。

二、ドイツ中心の法制度理論に、御理解を！

学問上、イギリスは裁判例を重視する「英米法系」だが、ドイツをはじめ大陸諸国は法制度理論を重視する「大陸法系」であり、一七〇一年に生まれたプロイセン王国でも、住民と国王が契約（憲法）を結び、立法・行政・司法に逐次、国民を参加させた代表的な国の一つである。

日本も、一八七一（明治四）年に、岩倉具視ら明治の元勲が欧米へ出向き、憲法はじめ教育制度や科学技術を視察し、その後、伊藤博文は、一八八二（明治十五）年に訪欧して、ベルリン大学やウィーン大学でプロイセン王国から発展したドイツ帝国憲法のレクチャーを受け、帰国後、本格的に「大日本帝国憲法」の案文づくりに取り組み、明治二十二年公布、翌二十三年施行した、という経緯である。

しかし、その強大なドイツ帝国も、第一次世界大戦に敗れ帝政は崩壊し、ドイツ国民は共和国として、一九一九年「ワイマール憲法」を制定した。この憲法は民主主義憲法の模範とされたが、ヒトラーの出現により、その権限をヒトラーに委譲したが、そのヒトラー政権も第二次世界大戦に敗れ、勝者の連合国は、敗戦国ドイツにヒトラー憲法ともいうべき全権委任法の改正を要求した。

ドイツは、一九〇七年制定の国際条約「陸戦の法規慣例に関する条約」（＝ハーグ条約）の「占領下では、法制改革をしない」との規定に反するとして拒否したが、連合国の圧力でやむなく、「占領下での基本法」として、連合国案を承認した。

そして、ドイツは、連合国との講和条約の発効により独立国（一九五五年五月）となるや、「独立主権国家となったからには、自分の国は自分で守る」のは当然として再軍備し、また、基本的人権の大原則を掲げて、国家は平時ばかりではなく非常時もあるので、「国家非常事態対処規定」を憲法に置くのも当然として、独立主権国家に相応しく、その「基本法」を改正してきた。

私はかつて、ドイツ連邦共和国基本法を調べてみて驚いた。その基本法には、まず最初の第一章が、「基本権」であり、そこに各基本的人権が十七カ条並び、次に第十八条〔基本権の喪失〕、第十九条〔基本権の制限〕規定があり、さらにその第八十条以降に、国家の非常事態の際に、対処すべき事項が細かく記されているからであった。

筆者は、ここまで詳しく憲法に書かないでも、法律に委任すればよいのにと思ったが、そこは、法理論に厳格なドイツなので「基本的人権の大原則」を制約することは、極めて重要なことだから、同じ基本法（憲法）の中に書くべきだ、というのが、その考え方であると気が付いた。

したがって、今回の新型コロナウイルス大感染の場合、ドイツはそうした各種の国家非常事態について、憲法たる基本法に細かく書いてあるだけに、その下の法整備と具体的準備もできており、こうした場合の医療体制の準備もあったので、欧米諸国の中でも、感染者に対する死亡率が、ぐんと低くなっている。

三、「非常事態対処規定」と「上位法・下位法の原則」

上述の近代憲法理論からすれば、独立主権国家であれば、大原則である基本的人権尊重主義を制約するには、同じ憲法の中に「非常（緊急）事態対処規定」を置くことは、原則である、と考えられている。

それには、ことの重要性のほかに、「上位法・下位法の原則」が働く。それは、法制度には（いま国際法はおくとして）国内法では、憲法↓法律↓内閣の政令↓自治体の条例、という具合に、最上位の憲法の下にそれぞれ位の下のものがある、との考え方である。そうしないと法制度が保たれないからである。

この理論からすれば、上位たる憲法に根拠規定がないのに、法律で作ることはできないことになる。それからすると、平成二十四年、民主党の野田政権時代、インフルエンザが猛威を奮った時、法律第三十一号で「新型インフルエンザ特別措置法」を作って対処したのは、憲法の「基本的人権の大原則」を多少なりとも制約した点で、「上位法・下位法の原則」に反し、違憲と言える。

しかし、民主党は、憲法改正反対なので、苦肉の策として、あえて、この法理を無視して、この特別措置法を作ったとも解せられる。しかし、今回の新型コロナウイルス流行で、改憲を掲げる安倍政権が、これを踏襲したのは、いかがかと思う。

四、「国家非常（緊急）事態」には、どういう場合があるか？

西欧では、中世の専制君主国家間での争い・殺し合いがあり、近世・近代に至っても、より規模の大きい戦争が継続して、国民としては、戦争こそ最高の非常事態であったので、憲法に「国家非常事態」として、他国との戦争や内乱を挙げる場合が多い。

しかし、現代憲法には、対外戦争や内乱だけではなく、大台風、火山噴火などの自然大災害もあり、次いで産業興隆に伴い石油精製工場・原子力発電所の爆発事故など人為的な大災害も加わり、さらにペストなどの疫病も認識されるようになる。

特に日本などは、地球環境上、昔から、大地震や大津波、火山噴火、大台風・洪水等々、自然災害が多く、諸外国に比べ、「国家非常事態」の態様が多いのに、その日本の憲法に、「国家非常(緊急)事態対処規定」がないのはおかしい、ことを御認識いただきたい。

五、現行憲法に、「非常事態規定」がないのはなぜか?

現行憲法の前の、いわゆる明治憲法には、その第八条に「……ソノ災厄ヲ避ケル為緊急ノ必要ニ因リ……勅令ヲ発ス」とあり、そのあとに「……財政上必要ナ処分ヲ為スコトヲ得」との規定があったが、現行憲法にはない。それはなぜか?

日本の敗戦・降伏により、日本を占領・統治した連合国軍総司令官マッカーサー元帥としては、戦勝国政府が求めた天皇制を廃止すれば、日本人は女性や子どもまで立ち上がり、自分の統治は失敗すると考え、そこで、天皇制を残し、国会・内閣・裁判所も残し、その上に立って間接統治する方法を選んだ。

そして、結局、連合国軍総司令部(GHQ)の職員の中から選抜した職員による「日本国憲法起草委員会」に起案させた現行憲法は、戦争放棄であり、「国家非常事態対処規定」も置かせなかった。それは、占領下の日本の主権者は自分であり、外敵が日本を攻撃すれば、それは、マ元帥自ら米軍を率いて対処する(朝鮮戦争勃発の場合は正にそうした)。また、自然災害として、昭和二十二年九月に大台風(占領下なので、米軍は「キャサリーン台風」と称した)が関東・東北地方を襲い、死者・行方不明者合計一、〇〇〇人に及んだが、その救済についても、日本人任せにせず、マ元帥をはじめ、米軍がその総指揮を執っている。

つまり、マ元帥は、昭和二十一年の一月三十日に、戦勝国政府の代表「極東委員会」メンバーに対し、やがてでき上がる日本国憲法は、「日本人自身が作成したと思わせる方策をとる」と述べているように、現行日本国憲法は、実は、マ元帥による日本統治を成功させるための「占領政策憲法」である。

したがって、マ元帥は、占領下の日本は、独立主権国家ではないのだから、第九条に、①武力行使の永久放棄、②陸海空軍の不保持、③(国際法上独立国には認められる)交戦権否認、という三原則を科した。また、大台風による大災害が発生した場合にも、当然のこととして占領軍が総指揮を執っている。つまり、現行「日本国憲法」は、非独立主権国家憲法の体裁である。

六、「国家非常(緊急)事態宣言」と「国家の補償責任」との関係!

次に「緊急事態宣言」と「国の補償責任」に入る。今回の新型コロナウイルス対策にしても、日本ではその意味が分かっていないようなので、解説する。

上述したように、ドイツをはじめとした法制度理論に立てば、基本的人権は西欧人が苦労して勝ち取った大原則であるが、しかし、国家には、平時ばかりではなく、既述したようにさまざまな非常時もある。

その場合、日本国憲法のように、憲法内に基本的人権尊重規定は列記されているが、「国家非常事態対処規定」がなく、したがって「国家非常事態宣言規定」もない場合、上述の「大陸法系の法理論」からすると、どうなるか、を考えてみていただきたい。

ドイツ基本法に遡らないでも、日本国憲法にもその第十一条に「この憲法が国民に保障する基本的人権は、侵すことのできない永久の権利として、現在及び将来の国民に与えられる。」として、「基本的人権尊重の大原則」が掲げられており、それ以降には、「生命・身体の自由」とか「集会・結社・表現の自由」とか「居住・移転・職業選択の自由」等々の保障規定が、列記されている。しかも、第十七条〔国及び地方公共団体の賠償責任〕には、国家の指示により、損害を受けた国民は「その賠償を求めることができる。」と明記されている。

つまり、西欧の法制度理論からすれば、国および地方公共団体が、国民に、集会を制約し、住居から出るなとか、営業停止を指示した場合には、その相当額を補償をするのが原則なので、国側の負担は大きい。

そこで、ドイツなど大陸法理論では、そのため、国家（行政府）の長が、まず「国家非常事態宣言」を発する。その意味は、国民全体の利益のため必要なのだから、国民も、全額補償といわないで、協力金程度で我慢してほしいという、約束事なのである。

しかし、日本では、憲法に「国家非常事態規定」もなければ、「国家非常事態宣言規定」もない。そこで、国側は、自粛要請のお願いをするしかない。もし、家から出たり、営業停止要請に対し従わない場合に、逮捕だ罰金だとしたら、国民から、損害賠償の訴訟を起こされても仕方がないのである。

日本も、独立主権国家だというのなら、筆者が、毎年五月三日の国民大会で折にふれ発言しているように、まずは、「国家非常事態対処規定」を憲法改正の議題として、早急に実現すべきである。

なお今回、国は憲法に規定なしに、特措法により「緊急事態宣言」を発出し、それも各自治体に権限移譲している感があるが、諸外国では、過去の体験上、非常時の場合にこそ、武力による政権転覆や内乱が発生しやすいことを恐れ、「国家緊急（非常）事態宣言」を出せるのは、行政府の長の専権事項とし、そして、その総指揮官はやはり行政府の長（大統領とか総理大臣）に限るのが原則なので、ここに付言しておく。

（以上までは、令和二年五月三日に発表した論文）

七、以上の論文を発表後の状況を観察して追記したいこと！

日本では、令和二年の新型コロナウイルス流行に際し、内閣総理大臣より前に、地方自治体の長が、緊急事態宣言を発しており、これは前例となってしまったので、向後は、内閣総理大臣が出す宣言は「国家非常事態宣言」という表現にした方がよい、と考えている。

なお、ドイツは、上述したように、その憲法たる「ドイツ連邦共和国基本法」に、その冒頭に基本的人権尊重規定を列記し、その上で、「国家非常事態対処規定」「国家非常事態宣言規定」を置いているが、国会の新型コロナウイルス大流行に当たって、いつ「国家非常事態宣言」を発するのか観察していたが、現時点では、そうした宣言は出ていないようである。

それは、ドイツ首相が、戦争勃発と異なり、インフルエンザや新型コロナウイルスの流行の場合は、下手に「国家非常事態宣言」を発し国民生活を制約すると、国がその補償をするのが大変なことを知っていたので、あえて「国家非常事態宣言」を出さないで対処したものと思う。

しかし、ドイツは、すでに、独立主権国家として、その「国家非常事態」の態様を、その基本法に明記してあるので、日ごろから医療対応等々について、すでに法律の規定も用意してあったので、それら法律ですぐ対応したので、感染者は多い割に、死者数は、諸国に比べて少なく抑えられている、と解している。

日本の場合、他の諸国と異なり、日本国憲法の条文の中に「国家非常事態規定」そのものがなく、したがって、「国家非常事態宣言」規定も存在しない。

ただ、前述したように、平成二十四年に、インフルエンザが猛威をふるったとき、時の民主党政権は、日本国憲法に規定がないのに、その下の法律で「新型インフルエンザ特別措置法」を作って対処した。

これは、近代民主主義国家の憲法が謳い、日本国憲法も明記する「基本的人権の大原則」を、多少なりとも制約した点で、法理論上、「上位法・下位法の原則」に反し、本来、憲法違反である。

ところが、今回の新型コロナウイルス流行拡大に伴い、安倍政権も、憲法を改正して「国家非常事態規定」も設けることなく、その民主党政権時代の「特別措置法」を踏襲して、憲法の基本的人権保障の大原則を多少なりとも制約するその「特別措置法」を一部改正して、今回の事態に対処した。この点、本来「改憲政党を謳う」政権として、誠に、惜しい機会を逸したと言える。

日本も、「独立主権国家」というならば、近代諸外国憲法と同様、憲法を早く改正して、「国家非常事態対処規定」「国家非常事態宣言規定」を憲法に明記すべきである。

そうすれば、前述した法制度理論の原則である「上位法・下位法の原則」によって、ドイツのように、憲法の明文に従って、対処する法律を創り、こうした疫病流行による「国家非常（緊急）事態」に対して、常に準備しておく体制ができるのだから、筆者は日本も早く、憲法を改正して「国家非常事態対処規定」を新設し、その上で各種非常事態にすぐ対処しうる法律を整備しておくべきである、と考える。

第六章　「司法（裁判）の章」の解説・問題点

第六章　「司法（裁判）の章」の解説・問題点

○問題点　司法の章はなぜ内閣のあとなのか？「司法の章」は特に改正箇所が多い

(1)　ここまで継続して読んでこられた方は、ここに司法が置かれた意味がお分かりのはずだ。中世の西欧では、各地で財力と武力を得た者が、土地を囲いこんで、自己の領土とし、そこの住民を酷使した専制君主の圧政に苦しみ、近世に出現した近代思想家の「人間は生まれながらにして、天から与えられた基本的人権がある」（天賦人権）との思想を論拠として、専制君主に迫り、契約としての「憲法」を制定させ、さらに、実効あらしめるために、君主が独占していた立法権、行政権、裁判権の三権はそれぞれに独立させるべきだとし、また、その三権に国民を参加させることを要求し、それに反対する専制君主と永年、命がけの闘いをして、やっと、その三権それぞれへ、参加することができた、という経緯である。

(2)　しかし、その三権のうち、この司法（裁判権）は、まさに、人命・身体、財産に関わるだけに、君主もなかなか国民の参加を認めず、順序としては、やはり、立法権↓行政権↓裁判権という順序で、国民はこの三権への参加を成し遂げることができたからである。

(3)　したがって、この司法権（裁判権）は、三権の前提となる前記「基本的人権」を、国民に最終的に担保し保障するものなので、「人権保障の最後の砦」といっても過言ではない。

そういった観点から、現行日本国憲法の「司法の章」を見ると、なんとも迫力がなく、説得力のない体裁・内容で列記してある。

それは、どうしてか？　思うに、敗戦・降伏した日本を統治・支配するため、日本へ上陸したマッカーサー将軍は、その日本占領・統治を成功させるためには、天皇制の存続を認め、国会・内閣・司法の制度も認めた上で、その上に立って統治する「間接統治方式」をとることが、自分の占領政策のため最良の策である、と考えたと思われる。

(4)　そして、占領下の主権のない日本政府へ、憲法改正を迫り、日本側もいろいろと憲法改正案を提出したが、結局容れるところとならず、傘下の連合国軍総司令部（GHQ）の職員から選抜した「日本国憲法起草委員会」をして、一週間程度の短時間で、「日本国憲法」をまとめさせた。

命令されたその委員たちも、予想外のことなので、主として「アメリカ合衆国憲法」を中心に、戦勝国側の憲法や条約・協定や国連憲章を参考としてまとめたが、立法・行政はともかく、裁判所については、職員の中から選ばれた起案委員の中にも専門家がおらず、ともかく、大日本帝国憲法の「司法の章」の五カ条を見て、民主主義に合わないと思う箇所を、合衆国憲法やその下のアメリカの各州の憲法や裁判制度を参考にして、ともかく起案したように思われる。

(5) そのために、前述したように、裁判権は人間の基本的人権を最終的に保護・保障する重要な課題であるはずなのに、日本国憲法の「司法の章」は、どうも、法的論理性・体系性に欠けているように思われるので、筆者は、既存条文の補正・改正ではなく、全面的に書き直すべきだ、と考えている。

しかし、冒頭から、そうすると、読者も混乱されると思われるので、「立法の章」や「内閣の章」でしたように、この「司法の章」も、まずは、「第一編　司法（裁判）の章の現行の各条文で、改正すべき箇所」から始め、次に「第二編　新設・再構成すべき条項」を掲げ、そして、「第三編　憲法裁判所の新設」について、解説したいと思う。

(6) なお、この章の章題は、「司法」となっているが、この章題も廃止して、「裁判」としたい。

なぜならば、「司法」とは「法をつかさどる」と書くが、これは、おかしい。

ここは、国民の皆さんも考えていただきたい。「法を司る」となると、まずは、思い浮かぶのは警察官であろう。警察官は、道路交通の取締りをしたり、犯罪が発生した場合には、直ちに駆けつけるなど、まさに「法を司って」いる。しかし、警察官は、法的に、行政府に属する行政官である。

また、国会議員は、まさに法律をつくるのが役目なので、「法を司って」いるが、国会議員は、立法府に属する。したがって、地方自治体の地方議会の議員たちも条例という法をつくるのが主たる役目なので、「法を司って」いるともいえるが、しかし、彼らは、やはり「立法」に属すると解すべきである。

以上の理由から、私は、そうした誤解を生じないよう、本章の表題に「司法」とあるのを廃止し、「裁判」と表記することを、主張し、改正を促したい。

▽ それでは、これから、表題を「第六章　「司法（裁判）の章」の解説・問題点」とし、まず〔第一編　「司法（裁判）の章」の現行の各条文で、改正すべき箇所〕とし、次いで〔第二編　新設・再構成すべき条項〕を掲げ、それから〔第三編　憲法裁判所の新設〕の三つの編とする。以下に、逐次、解説して行くこととする。

〔第一編　司法（裁判）の章の現行の各条文で、改正すべき箇所〕の解説・問題点

これまでの各章については、現行の各条文を表記してから、その問題点を挙げて解説したあと、その各条の解説のすぐあとに、改正すべき新しい条文を掲げてきたが、現行憲法の「司法の章」は、前述したように、国民の基本的人権を保障する最後の砦としての裁判（裁判所）に関する規定であるにもかかわらず、各条文の配列そのものがおかしく、国民に対して不親切な記載の仕方であると思うので、私が以下に記す「第六章　裁判（裁判所）」では、既存の条文を表記して解説まではするが、前章までのように、そのすぐあとに「改正すべき新しい条文」は掲げず、それら新条文は、まとめてあとに列記することにすることを、ここに、お断りしておく。

第七十六条〔司法権・裁判所、特別裁判所の禁止、裁判官の独立〕の解説・問題点

現憲法の条文

第七六条〔司法権・裁判所、特別裁判所の禁止、裁判官の独立〕

① すべて司法権は、最高裁判所及び法律の定めるところにより設置する下級裁判所に属する。

② 特別裁判所は、これを設置することができない。行政機関は、終審として裁判を行うことができない。

③ すべて裁判官は、その良心に従い独立してその職権を行い、この憲法及び法律にのみ拘束される。

○問題点

(1) この章の冒頭の第七十六条を見て、国民の皆さんが、すぐ理解できるか疑問である。

まず、国民が知りたいのは、自分の基本的人権が妨げられ、あるいは自己の財産権が侵害されたので、国に救済してもらいたい、という最後の砦としての裁判所について、どういう種類があるのか、まずどの裁判所に訴訟を提起したらよいかを知りたいはずである。

ところが、まず、冒頭に出てきたのが、最高裁判所とか下級裁判所とか特別裁判所とか行政裁判所とかの言葉が並んでいるので、法律さらには裁判所に関係のある人ならばともかく、一般国民には取りつきにくく、国民にとって不親切な規定の仕方である。

(2) しかも、この条文は、一カ条の中に①②③と三項目を押し込んであるが、内容をよくみると、①項は最高裁判

所と下級裁判所のことである。②項は特別裁判所と行政裁判所のことで、③項は裁判官に良心を求め法律に従うことを求める規定である。

しかし、この三項は、それぞれ性質・内容が異なるもので、法文の構成からすれば、これらは本来、別々に、三つの条に書き分けるべきものである。

(3) そうした理由から、筆者は、この条文は廃止し、別に構成するのが正しいと考える。その構成は、第二編〔新設・再構成すべき条項〕(240頁)を参照のこと。

第七十七条〔最高裁判所の規則制定権〕の解説・問題点

現憲法の条文

第七十七条〔最高裁判所の規則制定権〕

① 最高裁判所は、訴訟に関する手続、弁護士、裁判所の内部規律及び司法事務処理に関する事項について、規則を定める権限を有する。

② 検察官は、最高裁判所の定める規則に従わなければならない。

③ 最高裁判所は、下級裁判所に関する規則に定める権限を、下級裁判所に委任することができる。

○問題点　本条では、特に①項の冒頭「最高裁判所は、」と「訴訟に関する手続、……」との間に、「法律の定める範囲内で、」を挿入する改正を必要とする

(1) なぜなら、この①項のままだと、この条文の条題となってもいる最高裁判所の規則制定権が、あたかも、訴訟に関することなら何でもできるように受け取られる危険があるからである。例えば、最高裁の規則制定権は、訴訟に当たっての適用法律である刑事訴訟法や民事訴訟法にまで及ぶように解せられるおそれがある。

そうなると、立法・行政・司法(裁判所)の「三権分立」原則に反し、裁判所が国会の立法権を侵害することになるので、最高裁判所の規則制定権といえども、国会が決めた刑事訴訟法や民事訴訟法の内容に反することはできない。そこで私は、本項は、「①最高裁判所は、法律の定める範囲内で、訴訟に関する手続、弁護士、裁判所の内部規律および司法事務処理に関する事項について、規則を定める権限を有する。」と改正したい。

(2) また、それは、「上位法・下位法の原則」にも反する。すなわち、国会が批准した国際法はいまおくとして、国内法は、憲法—法律—政令—規則—条例といった段階構造になっていて、下の法は上の法に反してはならない。つまり、下の法は上の法で許される範囲内で制定することができるという「上位法・下位法の原則」にも反するので、裁判所の規則制定権は、全く裁判所の内部規律についてのことと解すべきである。

(3) 本条の②項、③項は、条文としては、このままでもよいが、しかし、この「規則制定権」は、裁判所内のことなので、こうした内部的事項は法文の構成上、列記された条文のうしろの方に記載すべきことである。こうした冒頭の方には、国民に直接関わりがある課題を、掲げるべきである。

したがって、もし、この現行第七十七条を改正するとすれば、次のように改めたい。

その条項を、ご参考までに、左に掲げておくが、ただし、この条項も、上述したように、配置や内容を直す必要があるので、第二編に列記した改正案例の方を、ご覧いただきたい。

清原淳平の改正案

第七十七条〔最高裁判所の規則制定権〕

① 最高裁判所は、法律の定める範囲内で、訴訟に関する手続、弁護士、裁判所の内部規律および司法事務処理に関する事項について、規則を定める権限を有する。

② 検察官は、最高裁判所の定める規則に従わなければならない。

③ 最高裁判所は、下級裁判所に関する規則に定める権限を、下級裁判所に委任することができる。

第七十八条〔裁判官の身分の保障〕の解説・問題点

現憲法の条文

第七八条〔裁判官の身分の保障〕

裁判官は、裁判により、心身の故障のために職務を執ることができないと決定された場合を除いては、公の弾劾によらなければ罷免されない。裁判官の懲戒処分は、行政機関がこれを行うことはできない。

○問題点 「三権分立の原則」の表明で特に問題はないが、「公の弾劾」について説明しておく

(1) 「立法」「行政」「司法（裁判所）」の三権の独立原則を、明記したものである。裁判官も公務員であり、遡れば、憲法第十五条①項に「公務員を選定し、及びこれを罷免することは、国民固有の権利である。」と明記している。

ただ、裁判官の場合は、人や事件を裁くという権限を持つだけに、単に訴訟事件として訴えるというのではなく、「公の弾劾」手続を要する。「弾劾」とは、身分保障のある特定の公務員について、職務上の義務違反や非行などがあった場合に、その者を訴追し、罷免するには、特別の手続、罷免手続が決められている。

(2) すなわち、裁判官の場合は、現行憲法の第四章、第六十四条〔弾劾裁判所〕に明文の規定があり、ある裁判官を辞めさせるべきだと考える国民は、国会内に設けられた「裁判官訴追委員会」に対して訴追請求をする。すると、同じく国会内に設けられた「裁判官弾劾裁判所」が裁判を行う。その結果、罷免が理由ありとされた場合は「罷免の宣告」がなされ、その裁判官は罷免される。

なお、付言しておくと、人事院の人事官の場合は、国会の訴追により、最高裁判所が弾劾の裁判を行う。

第七十九条〔最高裁判所の裁判官、国民審査、定年、報酬〕の解説・問題点

現憲法の条文

第七九条〔最高裁判所の裁判官、国民審査、定年、報酬〕

① 最高裁判所は、その長たる裁判官及び法律の定める員数のその他の裁判官でこれを構成し、その長たる裁判官以外の裁判官は、内閣でこれを任命する。

② 最高裁判所の裁判官の任命は、その任命後初めて行われる衆議院議員総選挙の際国民の審査に付し、その後十年を経過した後初めて行われる衆議院議員総選挙の際更に審査に付し、その後も同様とする。

③ 前項の場合において、投票者の多数が裁判官の罷免を可とするときは、その裁判官は、罷免される。

④ 審査に関する事項は、法律でこれを定める。

⑤ 最高裁判所の裁判官は、法律の定める年齢に達した時に退官する。

⑥ 最高裁判所の裁判官は、すべて定期に相当額の報酬を受ける。この報酬は、在任中、これを減額することができない。

○問題点　この第七十九条は①項から⑥項に、国民審査、定年、報酬まで、詰め込みすぎ

(1) まず、国民としては、自分の人権が侵害されたと考えて、裁判を求める時は、どの段階の裁判所に申し出るべきか、に関心があるので、それを、裁判所のトップというべき、最高裁判所のことから書かれても、なじみがなく、国民にとっては、不親切な書き方・構成である。そこで、私は、次の〔第二編　新設・再構成すべき条項〕の中で、この裁判所については、国民に分かりやすく、

条文を再構成して、組み立て直しているので、そちらをご覧いただきたい。

(2) ①項で、その後段に「その長たる裁判官以外の裁判官は、内閣でこれを任命する。」とあり、最高裁判所長官のほかの裁判官は内閣が任命するのは分かったが、しかし、その長たる最高裁判所長官は誰が任命するのか、についてはこの条項では書かれていないので、分からない。

それは遠く離れた、「第一章　天皇」の中の第六条〔天皇の任命権〕の条文の中の、「②　天皇は、内閣の指名に基いて、最高裁判所の長たる裁判官を任命する。」にまで、遡って見なければ分からない。こうした書き方は、国民に対して、極めて、不親切というべきである。そこで、この「第六章　「司法（裁判）の章」内条文は組み替えるべきである。

(3) そして、①項にある「長官を除くその他の最高裁判所裁判官は、内閣がこれを任命する。」とあるが、これも、問題である。これまでも、第三章以降の解説箇所で述べてきたように、中世期の専制君主国家においては、立法・行政・司法が専制君主によって独占されていたので、その国民が大層苦しんだことから、近代思想家の「天賦人権思想」に基づいて、国民は専制君主に契約（憲法）を求め、かつ、それを実効あらしめるために、立法・行政・司法の三つの権利は相互独立である（三権分立）とし、しかも、それら三権に、国民側から参与できるよう求めて、遂に実現したわけである。

(4) そうした歴史的経過からすると、最高裁判所の裁判官十四名について、その任命を、天皇が任命するとしても、その前提として行政府の長たる内閣総理大臣に指名権を与えるのは、この三権分立の原則から、行き過ぎではないか、という見方ができる。大体、内閣総理大臣は裁判官の善し悪しは分野違いで分からないし、むしろ、最高裁判所長官の方が同じ分野で他の裁判官のことを把握しているのだから、その指名（任命）は、最高裁判所長官に委ねてもよい、と考える。

(5) なぜ、最高裁判所の裁判官が、内閣総理大臣の指名になったのか？　それは、日本の敗戦・降伏後、日本の占領・統治を行ったマッカーサー元帥の命令で、傘下の連合国軍総司令部（ＧＨＱ）職員から選任された「日本国憲法起草委員会」のメンバーは、多くはアメリカ憲法を参考にしたが、その「第二条　大統領」の中の「第二節（大統領の権限）」の中で、最高裁判所の裁判官は大統領が任命することになっているので、それを見習って、日本国憲法を起案したためと思う。

(6) 本条の「②　最高裁判所の裁判官の任命は、その任命後初めて行われる衆議院議員総選挙の際国民の審査に付し、……その後も同様とする。」との規定だが、これは、国民も投票所で、議員候補者を選ぶ際に、最高裁判所裁判官の名が列記してある一覧に○か×かを付けることを要請されるので、お分かりのように、国民としても、最高裁判所裁判官とは日頃接触もなく判断の仕様がない。

なぜ、この最高裁判所裁判官について、国民の審査が行われたのか。私が調べたところ、アメリカ憲法にはそうした規定はないようだ。しかし、いつだったか、数十年前、アメリカ合衆国を形成する州の憲法の中にあるのを見たことがある。それが、どこの州だったか。五十州もあるので、今では思い出せない。思うに、アメリカの西部劇時代の名残ではないか。アメリカの州といっても、日本の国土ほどあるので、何か事件があると保安官が対処したが、裁判となると遠く都市部から裁判官に出張して貰う時代だった。

その点は、いわゆる直接民主制だが、占領下で日本国憲法を起案したGHQの職員は、日本なんてアメリカの一州ぐらいなんだから、直接民主制をとって、国民審査制を置いてもよいだろう、と考えてのことではなかろうか。

ともかく、この最高裁判所裁判官の国民審査は、選挙経費のムダというべく、廃止するべきである。したがって、本条の②項と③項と④項は削除したい。

(7)

⑥項の最高裁判所裁判官の報酬の規定の後半に、「この報酬は、在任中、これを減額することができない。」とある。これも、疑問である。国の経済も変動がある。向後、日本の経済が悪化した場合、一般公務員は給料を減額する事態を生ずることもある。そうした事態でも、最高裁判所裁判官だけは減額できないというのは、いかに偉い方々の身分保障のためとはいえ、平等原則に反すると言えるので、この文言も、削除したい。

第八十条〔下級裁判所の裁判官・任期・定年・報酬〕の解説・問題点

現憲法の条文

第八〇条〔下級裁判所の裁判官・任期・定年・報酬〕

① 下級裁判所の裁判官は、最高裁判所の指名した者の名簿によって、内閣でこれを任命する。その裁判官は、任期を十年とし、再任されることができる。但し、法律の定める年齢に達した時には退官する。

② 下級裁判所の裁判官は、すべて定期に相当額の報酬を受ける。この報酬は、在任中、これを減額することができない。

○問題点　本条は、下級裁判所の裁判官に関する規定だが、前条と同じような問題がある

(1)　①項について、内容的には分かるが、この一カ条の中に、下級裁判官についても、内閣が任命する、任期は十年、再任できる、年齢に達した時に退官する、とあるが、法文としてかなり長く、しかも、任命、任期、再任、退官が、一緒くたに規定されている。これは、せめて、任命権と、任期・再任・定年とは分けて、別項にした方がよい、思う。

(2)　②項の「この報酬は、在任中、減額できない。」との規定は、前条同様、削除する。

(注)　この第八十条〔下級裁判所の裁判官・任期・定年・報酬〕の次は、現行憲法上では、八十一条〔法令審査権と最高裁判所〕であるが、第八十一条にはかなりの問題があるので、この条の解説は後にして、便宜上、第八十二条〔裁判の公開〕を先に解説する。

第八十二条〔裁判の公開〕の解説・問題点

現憲法の条文

第八二条〔裁判の公開〕

①　裁判の対審及び判決は、公開法廷でこれを行う。

②　裁判所が、裁判官の全員一致で、公の秩序又は善良の風俗を害する虞があると決した場合には、対審は、公開しないでこれを行うことができる。但し、政治犯罪、出版に関する犯罪又はこの憲法第三章で保障する国民の権利が問題となっている事件の対審は、常にこれを公開しなければならない。

○問題点　①項の裁判の対審・判決を公開する原則はよいとして、②項は解説を要する

(1)　②項は、その一カ条の中で、公開しなくてもよい例外として、「公の秩序又は善良の風俗を害する虞があると裁判官が全員一致で決した場合」があることを規定し、次いで、そのまた例外として、a・政治犯罪、b・出版に関する犯罪、c・国民の権利に関する事件、の三つを置いているので、一般国民が読んで分かりにくくなっている。

そこで、上記の法律用語の意味する内容について、国民に分かりやすく、それが、どういう場合に当たるのか、以下に解説しておく。

(2)　まず、「公の秩序又は善良の風俗を害する虞がある場合」とは何を言うのかがある程度ハッキリしないと、すべての犯罪が非公開とされてしまう場合も考えられるからである。以下、これとの関連で、上記のa・政治犯罪、b・

出版に関する犯罪、c・国民の権利に関する事件、の三つを、逐次検討して行こう。

(3) 例えば、「a・政治犯罪」において、政治家の贈収賄事件など特に刑事事件などは、当然、公開の法廷で行われるが、公開の法廷で行わない場合としては、例えば、この日本国憲法ができた段階では、日本は主権国家ではなく、安全保障に関することはすべて、日本統治の責任を負っているマッカーサー元帥の統治のもとにあったので、この日本国憲法には掲げてないが、日本が独立主権国家になったというのなら、公共の秩序を害するものとして、外国からのスパイ活動により、国家機密が抜けた場合とか、日本人により日本国の内部から日本の国家機密が持ち出された場合などがある。

けだし、この場合、もし、法廷で公開せよとなると、日本の重要な国家機密をも、開示・公開されて、国家の不利益になるからである。

(4) 「b・出版に関する犯罪」についても、今日の日本では、結構「エログロナンセンス」な出版物も店頭で販売されているが、中でも特にひどい内容であれば、「公共の秩序」「善良の風俗」にも反するものといえ、その裁判の対審や判決で、それを証拠として開示・公開すれば、国自体が、そうしたひどい「エログロナンセンス」を広報普及する形になるので、そうしたものは、法廷で公開しないとしているわけである。

(5) 「c・国民の権利に関する事件」については、国民の基本的権利や私生活上の利益が害されるような場合である。例えば、スマートフォンなどで、女性の裸の写真を撮って映像を流したような場合、その犯人を捕らえて裁判に懸けた時に、その裸の写真が証拠となるわけだが、これを裁判公開の原則で開示するとすれば、その被害者はより一層人権侵害されてしまうから、である。

(6) 特に、前記のスマートフォンでの録音・動画映像など、近年被害が増大している。その場合、裁判公開を要求すれば、被害者は、より一層人権が侵害されるので、訴え出ることもできず、泣き寝入りの他なく、被害は極めて深刻である。

この場合、現行日本国憲法の本条では、わざわざ「出版に関する犯罪」と明記しているので、スマートフォンで映像を流す場合は、出版といえないのでこれに当たらず、しかも、「第三章で保障する国民の権利が問題になっている事件の対審は、常にこれを公開しなければならない。」と書いてあるので、人を攻撃・誹謗する内容を公開した加害者側が、自分の人権・利益のためにやったと争うこともあるので、そうした場合を考え、私は、この第八十二条の条文を、分かりやすく書き改める改正をすると共に、「個人の私生活上の利益を害するおそれがあるとき。」という規定を新設したい。

以上の論拠から、現行第八十二条〔裁判の公開〕は、原則を掲げたのはよいが、その例外の、そのまた例外という、極めて分かりにくい文章なので、私は、本条の②項全体を、次のように、改正したい。

清原淳平の改正案

第八十二条〔裁判の公開〕

① 裁判の対審および判決は、公開の法廷でこれを行う。

② 裁判所が、次に掲げる理由により、裁判の公開が適当でないと決定した場合、対審は、公開しないでこれを行うことができる。

一 国家の安全保障を脅かすおそれがあるとき。

二 公共の秩序を害するおそれがあるとき。

三 善良の風俗を害するおそれがあるとき。

四 個人の私生活上の利益を害するおそれがあるとき。

五 企業・団体の利益を著しく害するおそれがあるとき。

第八十一条〔法令審査権と最高裁判所〕の解説・問題点

現憲法の条文

第八一条〔法令審査権と最高裁判所〕

最高裁判所は、一切の法律、命令、規則又は処分が憲法に適合するかしないかを決定する権限を有する終審裁判所である。

○問題点　この条文は、一般に「違憲立法審査権」と呼ばれているが、次に掲げるような諸問題があるので、この第八十一条は廃止して、憲法に適合するかしないかの判断については、新たに「憲法裁判所」を設置、その憲法裁判所の権限としたい

(1) 現行日本国憲法は、この八十一条で、「一切の法律、命令、規則又は処分が」憲法に適合するかしないかを判断する権限が、下級裁判所にもあるとし、最高裁判所がその最終の審判機関（終審裁判所）である、と明記している。

(2) 中世の専制君主の圧政に対し闘って、君主との契約としての憲法を勝ち取った市民は、やがて、市民の権利を守るためには、法をつくる国会、それを執行する政府、そして紛争が生じた時に判断をする裁判所、という三権を分離独立させるという仕組みが最も合理的な構成であると考えて、立法府、行政府、司法府（裁判所）、という制度を考え出したが、裁判所が、国会のつくる法律、政府のつくる政令、裁判所のつくる規則、地方自治体がつくる条例などが、憲法に適合するか否かを判断することは、裁判所の権限を立法府や行政府より上位におくことになり、三権分立原則に反するのではないか、と考えて、ヨーロッパ諸国では、当初、こうした権限を裁判所に与えることに、消極的な時期もあった。

(3)

ヨーロッパ諸国よりかなり遅れてできたアメリカ合衆国も、当初はヨーロッパ諸国にならい、アメリカ合衆国憲法には、明文の規定は存在しない。しかし、世界で初めて判例として、裁判所にそうした「違憲立法審査権」を認めたのはアメリカである。

すなわち、イギリスでは長く王制が続き王室裁判所もあって、いろいろと永年の習慣による慣習法ができていたので、明文の憲法を必要としないが、イギリスの植民地として出発し、一七八三年にイギリスと講和条約を結んで独立を果たしたアメリカは、歴史が短いので、ヨーロッパ諸国なみに明文憲法をつくったが、その基本的法制はイギリスにならって英米法系なので、裁判所の判例が重視されている。

そのアメリカで、一八〇三年に「マーベリ対マディソン事件」という訴訟が起こり、その当時のマーシャル連邦最高裁判所長官が、初めて「違憲立法審査権」が裁判所にあるとの判断を下した。それ以降、アメリカでは、連邦最高裁判所に限らず、下級裁判所にも「違憲立法審査権」がある、という考えが定着している。

(4)

これに対して、ヨーロッパ諸国は、ずっと、裁判所に「違憲立法審査権」を認めてこなかったが、二十世紀に入ると、ドイツ、イタリア、オーストリア、そしてフランスも、アメリカの例にならい、次第に裁判所に「違憲立法審査権」を認めるにいたる。

ただ、ヨーロッパ諸国では、下級裁判所にまで「違憲立法審査権」を認めると、立法・行政・司法（裁判所）の三つのうち、司法（裁判所）の権限が高すぎ、三権分立の原則を壊すということから、これらヨーロッパ諸国では、一般の裁判所（下級・中級・上級）の上に「憲法裁判所」を置き、憲法に適合するかどうかは、この「憲法裁判所」の専権事項、としているのが一般である。

(5)

では、日本ではどうか。明治維新後、岩倉具視を代表とする欧米使節団が、先進諸国の制度・教育・憲法を視察し、その後、伊藤博文公は、ドイツ・ベルリン大学に留学し、当時のプロイセン帝国憲法を手本として、研究を重ねて、明治二十二年に制定した「大日本帝国憲法」（明治憲法）には、大審院を頂点とする裁判所に、形式的・

手続的には違憲審査権があるとする解釈があったようであるが、制定当時のヨーロッパ諸国の憲法と同様、内容に関しての違憲審査権はないとする見解が大勢であったようである。

それが、第二次世界大戦に負けて、進駐してきたマッカーサー将軍の指示でつくられた連合国軍総司令部起案の「日本国憲法」では、この第八十一条により、全くアメリカ流に（合衆国憲法に明文はないが、その判例で認めているのを、明文化して）「最高裁判所は、一切の法律、命令、規則又は処分が憲法に適合するかしないかを決定する権限を有する終審裁判所である。」として、各級の裁判所も、違憲立法審査権を持ち、最高裁判所がその終審裁判所であることを、明記した。

(6)　その結果、戦後、新憲法下の裁判所は、判断に苦労した。その一つが、「砂川判決」である。この事件は、東京都内の旧砂川町（現立川市）にある米軍駐留の立川基地が、日本国憲法第九条に違反するという「基地の違憲性」を争った裁判である。

この訴訟は最高裁まで行ったが、最高裁判所は、その判決理由の中で「憲法九条①項は、何らわが国の自衛権の制限・禁止に触れたものではなく、『国の自衛権』は国際法上いずれの主権国にも認められた『固有の権利』として当然わが国もこれを保持する」「わが国は、国連憲章の承認しているすべての国の固有する『個別的及び集団的自衛権の行使』として、わが国に対する武力攻撃を阻止するため、日本国内及びその付近に米軍軍隊を維持することを希望し、その軍隊を、日本国の安全に寄与するため等に使用することができることを協定したもの」とした。（昭和三十四年十二月十六日判決）ただし、この判決には、学界などからかなりの異論が提起されたので、その後の、米軍の基地利用、自衛隊の存在に関する「違憲審査権」訴訟は、かなり揺れている。

例えば、「長沼ナイキミサイル事件」である。「ナイキミサイル」とはアメリカ製地対空ミサイルで、航空自衛隊が北海道夕張郡長沼町にそのミサイル基地を建設するため、周囲の保安林解除を申請したところ、反対住民が「自衛隊違憲、保安林解除違法」と主張して提訴した。第一審の札幌地裁は初の違憲判決でその処分を取り消した。

しかし、第二審の札幌高裁は、被告の損害は防衛施設庁の代替施設によって補填される。また、「統治行為」論法によって一審判決を破棄した。これに対して、反対住民は上告したが、最高裁は、憲法問題には触れず、原告適格がないと上告棄却した。（最高裁判所小法廷、昭和五十七年九月九日判決）

さらに、「百里基地訴訟」がある。これは、航空自衛隊が茨城県小川町（現小美玉市）に基地を建設するに際し、建設予定地保有住民が土地を防衛庁へ売却したのに対し、近隣住民が、自衛隊は違憲だとして、契約解除を要求した事件である。第一審の水戸地裁は、自衛隊の存在は統治行為として行政に属し、裁判所の審査対象にならないとし、第二審の東京高裁も同様の理由を挙げ、終審の最高裁も第二審を支持した。（一九八九年・平成元年六月二十日判決）

(7)　右のように、昭和三十四年の最高裁判決は明瞭な判断をしているが、その後に提起された米軍基地や自衛隊存在についての訴訟では、地方裁判所や地方高等裁判所が、そうした「違憲立法審査」の判断には、大層苦しんでおり、審判内容もまちまちになりがちである。

　そこで、著者は、現行憲法第八十一条の「違憲立法審査権」を、下級裁判所にも認めた上で、「最高裁判所を終審裁判所である」とするこの条項を廃止し、上掲のドイツ、オーストリア、イタリア、フランスと同じように、地方裁判所、高等裁判所、最高裁判所とは別に、憲法違反問題を専門とする「憲法裁判所」を新設することを、提案したい。

(8)　以上の経緯から、当団体では、この第八十一条を廃止し、憲法に適合するかしないかについては、以下に掲げるように、新たに「憲法裁判所」を設置する。

▽　以上の論拠から、本条は、廃止・削除する。

　以上、「第六章　司法（裁判）」についての〔第一編　現行の各条文で、改正すべき箇所〕で述べた解説・論拠に基づき、次に、世界の趨勢により、「憲法裁判所の新設」はじめ、以下に、〔第二編　新設・再構成すべき条項〕なる清原淳平による「第六章」を掲げる。仮案であるので、裁判官はじめ専門家の御意見をいただきたい。

〔第二編　新設・再構成すべき条項〕についての解説

要新設の一〔裁判所の種類・形態・三審制の原則〕

清原淳平の新設案

▽新設の一〔裁判所の種類・形態・三審制の原則〕

①　個々の紛争に対して、法的判断を下す権限を有する国家機関を裁判所という。

②　裁判所には、大別して、通常裁判所と特別裁判所とがある。

　通常裁判所には、最高裁判所の下に、下位裁判所として次の一から四の通常裁判所がある。

一　簡易裁判所

二　家庭裁判所
三　地方裁判所
四　高等裁判所
五　最高裁判所

③　国民は、上位法・下位法の原則に基づき、右の一、二、三、の下位裁判所を第一審として、その判断に不満がある時は、その上の、第三審まで、裁判所の判断を求めることができる。

④　国民または企業は、原則として、その住所地・所在地における管轄裁判所に訴訟を提起する。

要新設の二〔特別裁判所、憲法裁判所〕の解説

清原淳平の新設案

▽新設の二〔特別裁判所、憲法裁判所〕

①　国は、特別の身分、または特定の種類について、特別の裁判所を設けることができる。

②　行政上、特別の知識・技術に関する場合に、行政裁判所を置くことができる。

③　日本国は、世界の趨勢に基づき、憲法裁判所を設置する。

○解説

(1)　①項にいう「特別の身分」とは、例えば、旧憲法（明治憲法）下では、皇族に当たる方についての訴訟・裁判については「皇室裁判所」が存在した。戦後、新憲法下では廃止されているが、向後の可能性としては、再設されることも考えられる。

(2)　①項の中の「特定の種類」とは、やはり、旧憲法下では、「軍法会議」があった。

しかし、新憲法下では、第九条によって、「武力行使の永久放棄」「陸海空軍の不保持」が明記されているので、それに伴って、軍法会議は廃止されているが、日本が真の「独立主権国家」として、再軍備した場合には、その再設が考えられる。

(3)　②項の「特別の知識・技術に関する場合」とは何か？

例えば、「海上における船舶事故」がある。海上交通に関しては、陸上と異なり、特別の交通法規が設けられており、また、船舶運航の特殊性もあるので、一般の裁判官では判断できないことが多い。

そのために、国も、海難審判法を創り、国土交通省内に特別の機関として、「海難審判所」を設けて、海難事故について、裁判を行っている。その下に、「地方海難審判所」も置かれている。

(4)　また、「特許審判」などもこれに当たる。技術的発明

について、特許庁に申請し「特許権」（「工業所有権」ともいう）を取得すれば、その権利を独占的・排他的に取得・利用することができる。

そして、もし、その「特許権」が他から侵害された場合には、特許審判を申し出て、専門官による審判により、民事上・刑事上、救済を受けることができる。

その他、特許とは言わないが、鉱業権とか公有水面埋立権等々、その道に詳しい専門者に、法的判断をしてもらうことができる。

原子力発電所事故、あるいは、パソコン、インターネットに関する事件についても、今後、通常裁判官ではなく、そうした技術に長けた行政担当官による審判の必要性が高まる、と考えられる。

(5) さらに、後述するように、世界の趨勢は、憲法問題について、「憲法裁判所」を設置する方向があるが、これは、のちに、解説することとする。

要新設の三〈裁判の公開の原則と例外〉

清原淳平の新設案

▽新設の三〈裁判の公開の原則と例外〉

① 裁判の対審および判決は、公開の法廷でこれを行う。

② 裁判所が、次に掲げる理由により、裁判の公開が適当でないと決定した場合、対審は、公開しないでこれを行うことができる。

一 国家の安全保障を脅かすおそれがあるとき。

二 公共の秩序を害するおそれがあるとき。

三 善良の風俗を害するおそれがあるとき。

四 個人の私生活上の利益を害するおそれがあるとき。

五 企業・団体の利益を著しく害するおそれがあるとき。

要新設の四〈裁判官の独立・身分保障〉

清原淳平の新設案

▽新設の四〈裁判官の独立・身分保障〉

① すべて裁判官は、その良心に従い、独立して自らの職務を行い、この憲法および日本国が批准締結した条約・協定、ならびに国会で成立した法律に拘束される。

② 裁判官は、裁判により、心身の故障のために職務を執ることができないと決定された場合を除いては、公の弾劾によらない限り罷免されない。

③　裁判官の懲戒処分は、行政機関がこれを行うことができない。

要新設の五〔下級裁判所の裁判官、任期・定年・報酬〕

清原淳平の新設案

▽新設の五〔下級裁判所の裁判官、任期・定年・報酬〕

①　下級裁判所の裁判官は、最高裁判所の長官が任命する。

②　下級裁判所の裁判官は、任期を十年とし、再任されることができる。

③　下級裁判所の裁判官は、法律の定める年齢に達した時に退官する。

④　下級裁判所の裁判官は、すべて定期に相当額の報酬を受ける。

要新設の六〔最高裁判所の規則制定権〕

清原淳平の新設案

▽新設の六〔最高裁判所の規則制定権〕

①　最高裁判所は、法律の定める範囲内で、訴訟に関する手続、弁護士、裁判所の内部規律および司法事務処理に関する事項について、規則を定める権限を有する。

②　検察官は、最高裁判所の定める規則に従わなければならない。

③　最高裁判所は、下級裁判所に関する規則に定める権限を、下級裁判所に委任することができる。

要新設の七〔最高裁判所の裁判官、定年・報酬〕

清原淳平の新設案

▽新設の七〔最高裁判所の裁判官、定年・報酬〕

①　最高裁判所は、その長たる裁判官および法律の定める員数のその他の裁判官で構成する。

②　その長たる裁判官は、最高裁判所裁判官の互選に基づき、国会がこれを指名する。天皇は、第六条によりその者を最高裁判所長官に任命する。

③　最高裁判所の裁判官は、法律の定める年齢に達した時に退官する。

④　最高裁判所の裁判官は、すべて定期に相当額の報酬を受ける。

〔第三編　憲法裁判所の新設〕

▽　前掲の第八十一条〔法令審査権と最高裁判所〕の解説において、詳論をしたように、日本国憲法に、「憲法裁判所」を設置することを提唱したい。

　世界においても、「憲法裁判所」を憲法上に明記している国が増えている。例えば、オーストリア連邦憲法、イタリア共和国憲法、スペイン憲法、ドイツ連邦共和国基本法、そして「大法院」という表現であるがフランス共和国憲法、ポーランド憲法、ポルトガル憲法、ルーマニア憲法等々があり、アジアでも、大韓民国憲法やタイ王国憲法が明記している。イギリスやアメリカは憲法上の明文はないが、通常裁判所や最高裁判所の中で、合憲・違憲の判断を行っている。

　そうした他国憲法の「憲法裁判所」の規定を参考にしながら、筆者もいろいろと考え、左記のような、条項をつくってみたので、御参考に供したい。

要新設の一〔憲法裁判所の権限、憲法審査権〕

清原淳平の新設案

▽〔憲法裁判所の権限、憲法審査権〕

①　憲法裁判所は、具体的訴訟事件において、最高裁判所もしくは下級裁判所、または行政裁判所から、憲法判断（合憲ないし違憲）を求められた時は、これを審判する。

②　憲法裁判所は、具体的訴訟事件の当事者から、最高裁判所の憲法判断に異議の申し立てがあった場合にも、これを審判する。

③　憲法裁判所は、国会の創る法律、内閣の発する命令、その他の規則または処分につき、内閣から申し立て、また在籍国会議員三分の二以上の申し立てにより、違憲の疑いがあるとの申し立てがあった場合には、憲法に適合するか否か、これを審判する。

④　日本国が締結した憲章・条約・協定、またはこれに類する対外的取決めについて、その条項が日本国憲法の条項と矛盾するとの訴えが提起された場合も、これを審判する。

⑤　前項の場合、日本国憲法と矛盾すると判断された場合は、国会および内閣は外国との交渉に入りこれを是正するか、もしくは、日本国憲法の条項の改正手続に入らなければならない。

⑥　日本国が、国際的憲章、あるいは外国との条約・協定またはこれに類する対外的取決めを結ぶに当たっては、それを批准する前に、日本国憲法に抵

触するか否か、この憲法裁判所の立法・行政・裁判所の構成員により、「憲法会議」を開き、検討するものとする。

要新設の二〈憲法裁判所の判決の効力〉

清原淳平の新設案

▽〈憲法裁判所の判決の効力〉

① 憲法裁判所が、法律、命令、規則、処分について、憲法に適合しないと決定した場合には、何人もその決定に拘束される。

② 憲法裁判所が、条約・協定、法律、命令、規則、処分に関する判断において、日本国憲法の条文の方を是正すべきであると判断した場合は、まず、立法・行政・裁判の三権から、同数の委員で構成する「憲法会議」を開催し、「憲法改正の案文」を起案するのをはじめ、できるだけ早く、憲法改正の手続に入る。

③ 憲法裁判所の判決（違憲ないし合憲）の効力は、その判決を公布した翌日から、その効力を発する。

要新設の三〈憲法裁判所裁判官の定数・任期〉

清原淳平の新設案

▽〈憲法裁判所裁判官の定数・任期〉

① 憲法裁判所裁判官の定数は、十五名とする。

② 憲法裁判所裁判官の構成は、国会議長が指名する者を五名、内閣総理大臣が指名する者を五名、最高裁判所長官が指名する者を五名とし、その十五名の裁判官の長たる裁判官は互選に基づき、国会が指名する。互選で決まらない場合は、無記名投票にて有効投票の過半数を得た者を「憲法裁判所長官」とする。

③ これら十五名の長たる憲法裁判所長官については、天皇が任命する。

④ 憲法裁判所の裁判官は、その就任に際し、職務を忠実に執行する旨、宣誓しなければならない。

⑤ 憲法裁判所の裁判官の任期は十年として、健康の許す限り再任される。ただし、法律の定める年齢に達したときは、退官する。

⑥ 憲法裁判所の裁判官は、すべて定期に、相当額の報酬を受ける。

⑦ 憲法裁判所は、その運営・活動について、必要な事項につき、みずから規則を制定することがで

きる。

要新設の四〔憲法裁判所裁判官の兼職禁止〕

清原淳平の新設案

▽〔憲法裁判所裁判官の兼職禁止〕

① 憲法裁判所裁判官は、国会議員、国務大臣、他の裁判所の裁判官、その他の公務員を兼ねることができない。

② また、民間の役職も、兼ねることは許されない。

要新設の五〔憲法裁判所裁判官の身分保障〕

清原淳平の新設案

▽〔憲法裁判所裁判官の身分保障〕

① 憲法裁判所裁判官は、裁判により、心身の故障のため職務を執ることができないと決定された場合を除いては、公の弾劾によらなければ罷免されない。

② 憲法裁判所裁判官の懲戒処分は、行政機関がこれを行うことはできない。

第七章　「財政の章」の解説・問題点

第七章 「財政の章」の解説・問題点

○問題点　まず、この「財政」という章題について、論争がある

(1)　すなわち、章題を、「会計」とするか、「予算」とするか、「財政」とするか、について意見が分かれる。

(2)　「会計」説は、例えば、現行憲法の前身である明治憲法においては、「第六章　会計」となっていた。

明治憲法が「会計」とした制定論拠としては、中世の西欧において、庶民が、専制君主の圧政に堪えかねて、近世の「天賦人権」思想を根拠として、専制君主に、契約としての「憲法」を制定させた当時の西欧憲法、特にプロイセン帝国憲法の条項に則ったとの説が有力だが、筆者の調べたところでは、明治政府は、国の収支予算の一覧表前の明治六年以降、明治憲法が施行されるずっと前の明治六年以降、明治政府は、国の収支予算の一覧表については、「歳入歳出見込み会計の章」と表記していた。

そして、明治政府が、明治二十二年に制定し明治二十三年十一月二十九日から発効した「大日本帝国憲法」では、それまでの慣習を尊重したせいか、「第六章　会計」と表記している。そうしたことから、いまも支持者の多い「現行憲法無効・明治憲法復元」論者は、現行憲法の「財政」という表現を、「会計」に戻すべきだ、と主張している。

(3)　次に、「予算」と表記すべきだとする説がある。

しかし、「予算」とするかどうかは、その予算の「執行」は行政府たる内閣がやるのは当然として、その予算をどこが作成し、国会に提出するのかが、問題となる。

学説上、「予算」を国会が作成する場合を「予算法律説」といい、「予算」を内閣が作成する場合を、「予算行政説」ないし「予算財政説」という。

(4)　例えば、アメリカ合衆国は、その憲法第九節（連邦議会の権限）の七により、予算および決算は、連邦議会が作成することが明記されているので、予算は法律と同様、国会がつくるので、アメリカは「予算法律説」に立っている。ただし、厳密には、予算は、法律そのものではないので、法律と並ぶものとして、一般に、アメリカの予算・決算は、「法律規範説」と呼ばれている。

(5)　これに対して、日本国の場合は、明治憲法（第六十四条）においても、予算は行政府たる内閣が作成して国会へ提出する「予算行政説」ないし「予算財政説」を採ってきたので、現行日本国憲法でも、この方式を踏襲して、後述するように、第八十六条で「内閣は、毎会計年度の予算を作成し、国会に提出して、その審議を受け議決を経なければならない。」と明記している。

(6)　そこで、次に問題となるのは、右のように、現行日本国憲法が「予算行政説」を採っているのに、その表題が「財

政」となっていることについて、それを「予算」に代えるべきだとする意見と、いや「財政」という章題のままでよい、とする意見とが対立する。

この論争を検討するため、いま「財政」とは何かという、「財政」の定義からみてみよう。一般に「財政とは、国又は地方公共団体がその存立に必要な財力を取得し、かつ、これを管理・支出する作用の総称」とされており、そうとなると、厳密には、立法府と行政府の役割を併せ含むように読める。

しかし、これは、行政府たる内閣が予算を編成し、国会へ提出する提出権を有し、そして、立法府たる国会がこの予算案を審議して議決（可決か否決）するわけだが、可決した場合は、その予算案は「予算」となり、その予算を行政府（内閣）が執行するという、一連の作業を「財政」と表現したものと、解すべきである。

そうした論拠から、筆者は、「予算法律説」ではなく「予算行政説」を採るが、行政府の提出権と立法府の審議権の活動を一体と捉え、ここは、「財政」という章題の方がふさわしい、と考えているので、この章の章題は現行の「財政」のままとする。

(7)　なお、「予算法律説」を採った場合の弊害について記しておこう。もし、「予算法律説」ないし「予算法規範説」を採ると、国会の議員は法律をつくるのが仕事で、法律案に付け加えたり削ったりできるので、予算をも法律並に考えると、国会議員が、予算案を増額したり減額したり修正できる、と考えがちになる。すると、予算審議が混乱して、予算が年度内に成立しなくなるおそれもある。

そうした「予算法律説」の弊害を考えると、ここはやはり、予算の作成・提出権は内閣にあり、国会（議員）には、その増額権・減額権はなく、ただ、内閣が提出した予算案に対し、可決か否決かの議決権のみを与えた、と解するのが正当であると考える。

(8)　また、この「第七章　財政」には、他の章ではあまり見られない「国の」「国は」といった主語が見られる。これは、何を意味するのか？　察するに、財政に関しては、それは、究極的には国民のためにすることだが、予算案をつくり、予算を執行する直接の機関は、国だからである。ただ、「国」というと、本来は、立法府、行政府、裁判所の三つの権力があるが、財政については、裁判所は直接関与しないので、この章での「国」は、国会と内閣を意味している、と考えている。

▽　以上、本章の章題についての是非論を終わり、次に、本章内の各条文の検討に入る。この「第七章　財政」には、九カ条の条文があるが、これまでの各章に比べれば、改正すべき箇所は少ない。ともかく、その各現行条文を列記して行き、改正の必要がない条項は、そのあとに、現

行のままでよい旨を付記し、改正すべき条項についてだけ、問題点を掘り下げ、検討することとする。

第八十三条〔財政処理の基本原則〕の解説・問題点

> 現憲法の条文
>
> 第八三条〔財政処理の基本原則〕
> 　国の財政を処理する権限は、国会の議決に基いて、これを行使しなければならない。

○問題点の一　予算・財政の執行権者は、国会なのか内閣なのかハッキリしないので改める

第八十三条は一見するとよいと思うかもしれないが、「第七章　財政」の冒頭説明に述べたように、アメリカのように予算案を国会が作成するのであれば、これでよいが、日本では、内閣が予算案を作成するのだから、まず、予算作成者たる内閣の役割を先に明記するべきである。

この現行憲法は、日本を占領・統治したマッカーサー元帥が、傘下の連合国軍総司令部（ＧＨＱ）の職員から選抜した「日本国憲法起草委員会」に起案させたので、その委員たちは、基本的にアメリカ憲法を参考として起案している。

したがって、アメリカ憲法では、連邦議会が予算を作成するので、それを参考にしたために、「国の財政を処理する権限は、国会の議決に基いて」を真っ先に掲げたものと思われる。日本では、予算案は内閣が作り、国会がそれを可決すれば、その執行も内閣がやるのであるから、この条文は改正すべきである。

○問題点の二　予算委員会で、予算案と直接関係のない事項が出て、紛糾するのを改める必要

さて、戦後の日本政治を観察していると、国家財政に重要な予算審議を質にとって国会が紛糾するケースが多い。特に新年の通常国会において、政府は、予算案を早く成立させて、新年度予算を遅滞なく執行させたい心理であるが、そこを、与党に反対する野党が、それを逆手にとり、予算案とは直接関係のないような事項を持ち出して、時間を長くとり、予算を成立させないようにする戦術が横行している。

それが、かなり行き過ぎている傾向があるので、この条項の②項に「国会ならびに内閣は、財政の健全なる維持および運営に努めなければならない。」という規定を新設したい。

▽　以上の論拠から、第八十三条〔財政の基本原則〕は、次のように改めたい。

清原淳平の改正案

第八十三条〔財政の基本原則〕

① 内閣は、財政に関する案文を起案・作成して国会へ提出し、国会の審議を経て可決されたものを、誠実に執行するものとする。

② 国会ならびに内閣は、財政の健全なる維持および運営に努めなければならない。

第八十四条〔課税〕の問題点

現憲法の条文

第八四条〔課税〕

あらたに租税を課し、又は現行の租税を変更するには、法律又は法律の定める条件によることを必要とする。

▽ 本条〔課税〕は、内容的にはこのままでよいが、主語を置くなど文章を整理したい。

清原淳平の改正案

第八十四条〔課税〕

国は、あらたに租税を課し、または現行の租税を変更するには、法律、または法律の定める条件によらなければならない。

第八十五条〔国費の支出および国の債務負担〕の問題点

現憲法の条文

第八五条〔国費の支出及び国の債務負担〕

国費を支出し、又は国が債務を負担するには、国会の議決に基くことを必要とする。

▽ この第八十五条〔国費の支出及び国の債務負担〕の条項は、内容的にはこのままでよいが、主語を置くなど、文章を少し整理した。また、誤った法律用語は補正した。

清原淳平の改正案

第八十五条〔国費の支出および国の債務負担〕

国は、国費を支出し、または国が債務を負担するには、国会の可決に基づくことを必要とする。

第八十六条〔予算〕の解説・問題点

現憲法の条文

第八六条〔予算〕
内閣は、毎会計年度の予算を作成し、国会に提出して、その審議を受け議決を経なければならない。

▽ この第八十六条〔予算〕は、章題が「予算」となり、条項中にも「予算を作成し、」となっているが、法律用語の使い方を重視するヨーロッパのドイツなどいわゆる大陸法系の国々では、内閣が提出するのは「予算案」で、国会が可決すれば「予算」となるので、それに従い、この第八十六条は次のように改めたい。

清原淳平の改正案

第八十六条〔内閣の予算案の提出と、国会の可決による予算〕
内閣は、毎会計年度の予算案を作成し、国会に提出して、その審議を受け、可決したものを予算とする。

第八十七条〔予備費〕の問題点

現憲法の条文

第八七条〔予備費〕
① 予見し難い予算の不足に充てるため、国会の議決に基いて予備費を設け、内閣の責任でこれを支出することができる。
② すべて予備費の支出については、内閣は、事後に国会の承諾を得なければならない。

▽ この第八十七条〔予備費〕の条項は、内容はこのままでよいが、法律用語の誤りを補正する。

清原淳平の改正案

第八十七条〔予備費〕
① 予見し難い予算の費目または費目の金額の不足に充てるため、国会の可決に基づいて予備費を設け、内閣の責任でこれを支出することができる。
② すべて予備費の支出については、内閣は、事後に国会の承諾を得なければならない。

要新設の一〔現行法に欠如している継続費の明確化〕の解説

▽ 現行日本国憲法には、他国の憲法にある「継続費」の規定が欠如しているので新設する

(1) 「継続費」とは、国家の予算において、数年度にわたって支出することが認められる経費をいう。例えば、本四架橋のように、完成までに数年を要する継続的工事において、政府は、あらかじめ工事計画の見通しを立て、数年度にわたっての各年度ごとの支出を、予算に計上する場合をいう。

(2) 日本国憲法の前のいわゆる明治憲法には、明文の規定があった。それを掲げると、次のごとし。

「第六八条　特別ノ須要ニ因リ政府ハ予メ年限ヲ定メ継続費トシテ帝国議会ノ協賛ヲ求ムルコトヲ得」とある。それは、一般に、独立主権国家であれば、継続費の規定を置くのは、当然のことである。

(3) なぜ、現行の「日本国憲法」には、継続費の規定がないのか？　疑問に思ってもらいたい。これについては、日本を占領・統治したマッカーサー元帥が、日本側が提出した「日本国憲法」案が気に入らず、ついに、連合国軍総司令部（ＧＨＱ）の職員の中から選抜した「日本国憲法起草委員会」をして早急に案文しろと命じたことから、その委員会のメンバーが急ぐあまり、つい見落としたのだろう、という説もあるが、私はこれは、彼らが故意に外したものと思う。

というのは、敗戦までの日本は、この継続費によって、秘かに、戦艦大和や戦艦長門、空母飛龍など、巨大な軍艦を、数年がかりで建造していたので、日本を占領したアメリカ軍としては、この継続費の規定を置くと、また秘かに、戦艦大和や空母飛龍を建造して、アメリカに報復するのではないかと恐れて、この継続費の規定そのものを排除したものと考えている。

(4) しかし、日本も、戦後の疲弊期から、やっと経済発展期に向かい、例えば、本州と四国との間の本四架橋構想などが持ち上がり、時の自民党政権は、憲法を改正して、継続費の規定を置きたかったが、しかし、日本の政治情況は、ずっと保革伯仲時代が続き、とても、第九十六条〔憲法改正の要件〕「衆参各議院の総議員の三分の二以上の賛成で……発議する」との要件を満たす情況になかったので、当時の自民党は、憲法改正は諦めて、憲法の下位の財政法を改正して、その〔第十四条の二〕をおいた。

そこには、こう書いてある。

財政法第十四条の二「国は、工事、製造その他の事業で、その完成に数年度を要するものについて、特に必要がある場合においては、経費の総額及び年割額を定め、予め

国会の議決を経て、その議決（注、本来は可決とすべきだが）するところに従い、数年間にわたって支出することができる。」

(5)　つまり、戦後は、財政法のこの規定によって、本四架橋をはじめ長期工事を必要とする事業について、内閣は国会にその予算案を提出し、国会の承認（可決）を経て、執行し実現してきた。

しかし、これは、法制度に厳格なヨーロッパの大陸法系によれば、憲法に書いていない、すなわち、憲法が認めていない事項を、その下位の財政法で認めることは、憲法違反なのだ。日本では、上位法・下位法の原則など、法制度の勉強がおろそかになっているので、やむを得ないといえばいえるが、ここは、やはり、憲法を改正して、この財政法にある継続費の規定を、憲法に明記すべきである。

▽　**そこで、私は、憲法を改正して、次のような「継続費」の規定を、新設したい。**

清原淳平の新設案

新設の一〔継続費〕　国は、工事、製造その他の事業で、その完成に数年度を要するものについて、特に必要がある場合においては、経費の総額および年割額を定め、予め国会の議決に懸け、その可決により、数年間にわたって支出することができる。

要新設の二〔予算不成立の場合の対処〕の解説

○その理由　現行日本国憲法には、予算不成立の場合の対処規定がないので、新設したい

(1)　過去の国会を見ても、その年の通常国会において、国会の審議が停滞して、翌年度の予算案が成立しない場合がある。現行日本国憲法には、その場合、どう対処するのか、規定がないので、国もずっと困っている課題である。

そこで、会計年度は四月一日から始まるので、三月三十一日までに新年度の予算案が成立しないと、執行する責任がある内閣は、特に困るので、そこで、政府は、新年そうそうの通常国会で、もし年度内に予算が成立しない場合に備えて、その前年度の補正予算を提出して、なんとか財源の手当てをする、というのがいまや慣例化している。

そうした事態なので、私はまず、「予算不成立の場合の対処」を新設することを、提起したい。

(2)　なお、現行憲法前の明治憲法には、その第七十一条に明文の対処規定があった。すなわち、「第七一条　帝国議会ニ於テ予算ヲ議定セス又ハ予算成立ニ至ラサルトキハ政府ハ前年度ノ予算ヲ執行スヘシ」とあったので、対処できた。

(3) それでは、現行憲法でなぜこの「予算不成立の場合の対処」規定が落ちたのかを考えると、日本を占領・統治したマッカーサー元帥は、日本側に憲法改正を迫ったが、満足するような案文が出なかったので、連合国軍総司令部（GHQ）の職員の中から選抜した「日本国憲法起草委員会」に命じて、早急に起案させた。

予想外の命令に驚いたその起草委員たちは、結局、アメリカ憲法を参考にして案文に取りかかったが、アメリカ合衆国憲法では、予算案は、大統領ではなく、連邦議会自体が作る制度なので、起案委員たちも、アメリカ憲法同様、日本も議会がやればよいではないか、と考えたためであると思う。

(4) しかし、日本では、いわゆる明治憲法が、明治維新後に元勲たちが欧米を視察して参考にしたのが、プロイセン帝国憲法であり、それが議院内閣制を採っていて、予算は行政府が作成して立法府へ提出していたので、明治憲法も、議院内閣制をとり、やはり予算は内閣が作って国会へ提出するものとし、それが当然のこととして定着していた。

連合国軍総司令部（GHQ）の起案委員たちは、アメリカ型を期待していたのかもしれないが、マッカーサー元帥としては、「日本国憲法」の制定を急ぐことでもあり、占領下の国会・内閣・司法の各制度はまずそのまま認めた上で、その上に立っての間接統治が妥当と考えたので、この「財政の章」の中から、「予算不成立の場合の対処」規定は排除したが、ではどうするかその対策までは明文化せずに来たために、この規定が欠如しているもの、と思われる。

そこで、規定するとすれば、具体的にどうすればよいか、考えたが、無制限に認めるのもどうかと思い、そこで、戦後の「ドイツ連邦共和国基本法」の第一一一条〔暫定的予算運営〕の規定を参考に、予算が成立するまでの間、支出できる場合の要件を三つほど、条文に明記したいと考えた。

▽ **したがって、新設すべき条文は次のごとし。**

清原淳平の新設案

新設の二〔予算不成立の場合の対処〕

会計年度の終了までに、次年度の予算が成立しない場合には、内閣は、予算が成立するまでの間、次の目的のため必要な一切の支出をなすことができる。

一 法律によって設立された施設を維持・運営し、ならびに法律によって定まっている行為を実行するため。

二　法規上、国に属する義務を履行するため。

三　前年度の予算で、すでに承認を得た範囲内で、建築、調達、およびその他の事業を継続し、またはこれらの目的に対して補助を継続するため。

▽　以上のように、二カ条を、新設する。

次に、再び本章の本文に戻って、第八十八条〔皇室財産・皇室費用〕の規定について、検討する。

第八十八条〔皇室財産・皇室の費用〕の解説・問題点

> 現憲法の条文
>
> 第八八条〔皇室財産・皇室の費用〕
> すべて皇室財産は、国に属する。すべて皇室の費用は、予算に計上して国会の議決を経なければならない。

○問題点　本条は、「天皇の章」第八条〔皇室の財産〕と重なるし、内容的にも削除したい

(1)　詳細は「天皇の章」第八条の解説を見ていただきたいが、その要旨を記すと、現行日本国憲法は、皇室財産について、第八条で極めて厳しく規定した上に、「財政の章」の本条で、重ねて厳しい規定を置いている。

(2)　「皇室財産」について、なぜ、これほどまで、厳しい規定を置くのか？

それは、日本の敗戦・降伏後、日本を占領・統治したマッカーサー元帥としては、日本を打ち負かしたのは自分であり、自分が統治するのは当然として、実質上、連合国軍総司令部（ＧＨＱ）をおいて、早くも統治していたが、他方、戦勝国政府、すなわち、アメリカ、イギリス、ソビエト、中華民国、オーストラリアの各国政府は、その各国政府から選出されたメンバーによる「極東委員会」を設置し、マッカーサー元帥に対しても、日本の占領政策・統治に参加させよ、と迫っていた。

そして、その「極東委員会」は、いわゆる「大東亜戦争」を起こしたのは、天皇にも責任ありとして、強く天皇制の廃止を主張していた。

(3)　しかし、マッカーサー元帥としては、三カ年余におよぶ対日戦争の体験から、もしも、天皇制を廃止すれば、日本人は、女性・子どもまでが立ち上がり、自分の日本統治の成功は有り得ないことを感じ取っていた。

また、マッカーサー元帥は、連合国軍総司令部（ＧＨ

Q）を訪問された昭和天皇が、マッカーサー元帥に「自分の身はどうなってもよいから、飢えている国民に食料を供給してほしい」と懇願されて、その天皇の態度にも感銘した。

マッカーサー元帥としては、何としても自分の手で、日本統治を成功させ、それを、自分の手柄にしたかったのが本心であったので、前記「極東委員会」からの占領政策・日本統治の申入れを、婉曲に断り続けている。

それは、同時に、日本としては、日本人が一番の念願とした「天皇制護持」が実現できたのだから、この点、マッカーサー元帥に感謝していた。

(4) しかし、マッカーサー元帥としても、「極東委員会」からの「天皇制廃止」の強い要求を無視するわけにも行かず、その「極東委員会」への手前もあって、「日本国憲法」では、天皇制に対して、極めて厳しい規定を置いている。それが、第八条〔天皇の皇室財産授受〕への制約規定と、この第八十八条〔皇室財産・皇室の費用〕の二重にわたる制約規定である。

筆者としては、本条が「すべての財産は、国に属する。」というのも、一面では、皇室保護とも考えられるが、「すべての」というと、「皇室には私有財産を一切認めない」と受け取れ、皇室には基本的人権もないのか、という話になる。また本条下段の「すべての皇室の費用は、予算に計上して国会の議決を経なければならない。」の規定も同様、「すべての」というと、皇室にとって、あまりにも過酷な規定と思う。

▽注　この問題は、すでに、「天皇の章」の第八条〔皇室の財産授受〕への制約の解説の箇所に詳しく述べてあるので、そちらを見ていただきたい。また、その中に、改正すべき条文も明示してある。そこで、この「財政の章」第八十八条の規定は、全文、削除することにしたい。

第八十九条〔公の財産の支出又は利用の制限〕の解説・問題点

現憲法の条文
第八十九条〔公の財産の支出又は利用の制限〕 公金その他の公の財産は、宗教上の組織若しくは団体の使用、便益若しくは維持のため、又は公の支配に属しない慈善、教育若しくは博愛の事業に対し、これを支出し、又はその利用に供してはならない。

○問題点の一　一つの条文の中に、宗教、教育、慈善、博愛の四つを取り込んだ悪文の例

(1) 本条は、公金や公の財産を、支出したり、利用に供してはいけない場合を、列記したものである。しかも、その場合を、宗教、教育、慈善、博愛と、離れて記載しているので、一般人には文脈が分かりにくく、現行憲法上、悪文の一つとされている。

しかも、現代人には、すでに、慈善とか博愛という言葉は、古語となっている。

(2) そこで、右の四つの中で、教育に関する部分だけをとって、文章化してみよう。

「公金その他の公の財産は、公の支配に属しない教育事業に対し、これを支出してはならない。」となる。

そうすれば、国民の皆さんも、「私立学校には、公金ないし公の財産を、使ってはならない。」、つまり、「国は私学に対しては助成ができない」ことが分かる。

(3) どうして、こういう規定が出てきたのか？ 上述のように、日本国憲法は、日本を占領・統治したマッカーサー元帥が、被占領下の日本に、憲法改正を迫り、日本側もいくつか提起したが、マッカーサーの容れるところとならず、結局、マッカーサーは、占領行政を行っている連合国軍総司令部（GHQ）の職員から選抜した「日本国憲法起草委員会」をして、急ぎ、起案させたのがこの「日本国憲法」である。

その憲法案を受け取った日本側も、被占領下の国会の審議に至急かける必要があったので、急ぎ翻訳をしたが、この文章のおかしさに、気が付かなかったと思われる。

(4) この憲法が成立し公布施行されてから、日本側はその執行に当たって困ったが、占領下の日本政府は、文字通りに、私立学校には助成金を出さなかった。時は、戦争で焼け野が原となっていた日本である。それまでは、私立学校にも国からの助成金が出ていたのに、新憲法が発効・施行されたら、これからはダメだというのだから、私立学校としても死活の問題であり、国に対して猛烈な抗議・陳情が相次いだ。

(5) なぜ、アメリカ製の日本国憲法で、こうした問題が出てきたのか？ それには、いくつかの理由がある。

イ 一つには、日本では、戦前・戦時中、国家の教育に対する関与が強大で、いわゆる軍国主義教育を施したとして、占領政策上、連合国軍側としては、これを排除する必要を感じたこと。（つまり、占領軍が、故意にこの規定をおいた説）

ロ また、アメリカでは、昔からの慣習として、私立学校に対して、国なり州政府が助成金ないし補助金を出すことはなく、私立学校の経費は、生徒からの授業料の他に、ロックフェラー財団などの財団や企業グループ、宗教組織、あるいは篤志家など個人からの寄付によってまかなわれてきたのが実情であったので、起案したアメリカ人たちは、そうした自国の風習を日本もすればよい、と考えたのかもしれない。

もっとも、二十世紀の後半になると、アメリカでも州立大学などが増えている。

ハ　さらに、ヨーロッパ諸国では、古くから、伝統のキリスト教的精神を反映して、教育・学校は、キリスト教会の役割であった。そう考えると、この第八十九条に、教育と並列して、慈善・博愛という言葉があるのも、うなずけるところだ。

(6)　これに対して日本では、結構古くから私的な寺子屋教育があったが、江戸時代には、幕府や、その下の各藩において、幕府や藩が資金を出して学校をつくる藩校もかなりあり、さらに、明治に入ると、国家みずからが率先音頭をとって「教育立国」を心がけ、急速に近代国家を実現した、という歴史的経過がある。

そうした歴史的過程の違いを無視して、外国の方式を取り入れようとしたことに、この新憲法条項が根付かなかった理由がある。

(7)　ともかく、戦後の焼け野が原から再出発する日本としては、私立学校を全廃するわけには行かず、助成金を出さざるを得ない。しかし、出せば、憲法違反となる。憲法改正で行きたいが、保革伯仲時代で、第九十六条の憲法改正要件を満たせない。

ではどうするか？　そこで、国は苦肉の策として考え出したのは、ワンクッション方式である。つまり、国は、中間に「私学振興財団」なる財団を設け、この財団に一括して公金を出し、この「私学振興財団」が、個々の私立学校・大学へ助成金を割り振るという方式である。日本は、その後、七十年以上も、このワンクッション方式で、私立学校に助成金を出しており、教育に関しては、本条は有名無実となっている。

(8)　すなわち、国は、各私立学校へ、直接に公金を出しているわけではないから、違憲ではないというわけだが、しかし、これは詭弁というべきで、本来は、ワンクッションおこうが、ツークッションおこうが、条文を素直に読むかぎり、違憲性はまぬかれない。

国の機関、省庁などでは、このワンクッション方式を利用して、国家から資金を得ようとする傾向もある。憲法学者の中にも、違憲論が多いので、この問題は、早急に憲法改正の対象にしてもらいたい。

(9)　なお、論者の中には、この条文中の「公の支配に属しない」との文言に目をつけて、文部科学省が、助成金を与える私立学校は、究極的には、その人事権や管理権につき、文科省から監督を受けているのだから、その点で、「公の支配に属している」といえるから、違憲ではないというが、これは、かなり苦しい逆立ちの論理で、私学の特色を活かす「建学の精神」のあり方との関係でも、これは、矛盾を取りつくろうとする無理な論理である。

それは、第九条〔戦争の放棄〕規定もそうで、法と現実が合わないのに、憲法を改正することがむずかしいからと言って、「解釈で補って」無理にこじつけるのは、本来、厳格に解すべき法の精神からしても、厳に慎むべきである。

また、こうして国がみずから解釈改憲をやるようになると、国民もそれぞれ自分勝手な法解釈を主張するようになり、法の意義が失われ、遵法精神、すなわち、法を守る気持ちが失われ、おかしな事件が続発する世の中を生み出すことを、筆者は恐れている次第である。

○問題点の二　本条文の中にある、「慈善」「博愛」といった文言を「社会福祉」に変える

(1)「慈善」「博愛」という言葉は、悪い言葉ではないが、現代ではあまり使われない。

前掲の問題点の一の(5)でも述べたように、それは、本来、キリスト教的、宗教的用語であり、法律用語ではない。したがって、この「慈善」「博愛」という用語に替えて、「社会福祉」とすべきである。

(2)なぜ、この「慈善」「博愛」が使われたかと言うと、この現行日本国憲法が案文された時代には、「社会福祉」という言葉が一般的ではなかったからである。というのは、現行の日本国憲法案が検討されていた、ちょうどその頃、国際連合（国連）にて、先の世界大戦での戦争の惨禍を反省する必要があるとして、「世界人権宣言」案が検討されていて、それが、一九四八年十二月十日に、国連で可決・決定された。（日本国憲法が成立・施行されたのは、その前年の一九四七年五月三日である。）

その国連の「世界人権宣言」は、とりわけ「基本的人権の尊重」が強調され、そこから、世界はだんだんに、国家は、ただ国民の人権を阻害しないというだけではなく、より積極的に、国民の幸せを追求し、「社会福祉国家」を目指す必要がある、という理念・認識が育ってきて、現代では、すでに「慈善」「博愛」の段階ではなく、正に「社会福祉」の時代だからである。

(3)さらに言えば、現代の「社会福祉国家」は、以前はキリスト教をはじめ宗教界が経営していた「養老院」「乳児院」「身体障害者施設」等について、いまでは、国家はただ住民の生命身体を守るという「夜警国家」ではたらず、より積極的に、国家自体が多額の国家資金を出して、そうした「社会福祉施設」を創り援助すべきだ、というのが第二次世界大戦後に生まれた「国際連合」が、検討し制定した「世界人権宣言」である。

しかし、現行日本国憲法は、その「世界人権宣言」が制定・確立する前に起案されているので、まだ、古い時代のまま「慈善」「博愛」という言葉を使っており、「社会福祉国家」という理念がない古い時代のものだ、ということである。

そのため、「日本国憲法」は、「慈善」「博愛」に公金や公的資産を出してはいけない、出せば憲法に反するとしているわけである。しかし、「社会福祉国家」が当たり前となった現代では、国は公金・国家資産を出さざるを得ないが、憲法改正もできない。

そこで、苦しんだ日本国は便法を考えた。それはどうしたかというと、公金を直接そうした施設に出すと本条によって憲法違反といわれることをおそれ、前掲の私立学校の場合と同じく、やはり、ワンクッションおいて、公金を出している。例えば、国（厚生労働省）は、「社会福祉協議会」という団体を設け、助成金をそこへ一括して渡し、その「社会福祉協議会」が各施設へ助成金を配分している、という「便法」をとっている。

こうして、国は、憲法改正ができないために、随所でこのワンクッション方式によって処理している。したがって、この第八十九条はすでに時代遅れの有名無実な規定であることを認識・理解し、この規定も早急に改憲していただきたい。
▽ **以上の論拠から、私は、この第八十九条を、次のように改正したい。**

清原淳平の改正案

第八十九条〔「社会福祉国家」の宣言〕
① 日本国は、現代の「社会福祉国家」の理念に基づき、国民の福祉増進のため、公金から必要な費用を予算化し、または公の資産を提供することができる。
② ただし、信仰・宗教については、国民の自由権として尊重するが、しかし、国は、宗教上の組織もしくは団体のために、公金を支出し、公の資産を提供することはできない。
③ しかし、天皇、皇室に関する行事は、宗教を超えた古代からのしきたりとして、国家予算を充当することができる。

第九十条〔決算検査、会計検査院〕の解説・問題点

現憲法の条文

第九〇条〔決算検査、会計検査院〕
① 国の収入支出の決算は、すべて毎年会計検査院がこれを検査し、内閣は、次の年度に、その検査報告とともに、これを国会に提出しなければなら

ない。

② 会計検査院の組織及び権限は、法律でこれを定める。

○問題点　①項の中に、その主体が、会計検査院のものと、内閣のものがあるので、分ける

なぜならば、その主体が異なる場合は、項を分けることが望ましいからである。

▽　以上の論拠から、私は、この第九十条を、次のように改正したい。

清原淳平の改正案

第九十条〔決算検査・会計検査院〕

① 国のすべての収入支出に関する決算案は、会計検査院が毎年これを検査する。

② 内閣は、次の年度に、前項に規定する会計検査院による決算検査と併せ、国のすべての収入支出の決算案を、国会に提出してその承認を得なければならない。

③ 会計検査院の組織および権限は、法律でこれを定める。

第九十一条〔財政状況の報告〕の問題点

現憲法の条文

第九十一条〔財政状況の報告〕

内閣は、国会及び国民に対し、定期に、少くとも毎年一回、国の財政状況について報告しなければならない。

○問題点　本条中の、「定期に、」の位置を、文理上、後方へ移したい

▽　したがって、第九十一条は、次のように、改めたい。

清原淳平の改正案

第九十一条〔財政状況の報告〕

内閣は、国会および国民に対し、少なくとも毎年一回、定期に、国の財政状況について報告しなければならない。

第八章　「地方自治（地方公共団体）の章」の解説・問題点

第九十二条〔地方自治の基本原則〕の解説・問題点

現憲法の条文

第九二条〔地方自治の基本原則〕

地方公共団体の組織及び運営に関する事項は、地方自治の本旨に基いて、法律でこれを定める。

○問題点の一　本条中の「地方自治の本旨」なる文言が抽象的なので、内容について論争がある

(1)　一部の学者や地方自治体には、この「地方自治の本旨」を理由に、「地方自治体には、主権がある」と主張し、したがって、地方自治体は何でもできる、とする。

しかし、この考えは、誤りであるが、それは、のちに述べる。

(2)　問題は、この「地方自治の本旨」なる文言は、近代先進国の憲法には見られないのに、日本国憲法の中になぜ出てきたのか、というその出典について、検討してみたい。

この日本国憲法は、再三述べてきたように、日本の敗戦・降伏により、日本を占領統治したマッカーサー元帥は、占領下の日本政府へいわゆる明治憲法の改正を迫り、日本側もいくつか改正案を出したが、容れるところとならず、結局、マッカーサー元帥は、連合国軍総司令部（GHQ）職員から選抜した「日本国憲法起草委員会」に、早急に案文せよと命じた。

その起草委員会メンバーは、予想外の命令であり、期限も短いので、戦勝国の憲法、特にアメリカ憲法を参考に起案した。したがって、「地方自治の本旨」なる文言は、アメリカの政治体制から生まれたものと想像される。

(3)　遠く、昭和時代の当「自主憲法研究会」で、アメリカの州の中にこの言葉があると聞いたことがあるが、州といっても五十州もあるので、いま、調べる時間がない。

思うに、一五一九年にマジェランの世界周航出発から、十六世紀後半より大航海時代が盛んになり、アメリカ大陸が発見されて、当時のスペイン、オランダ、イギリスなどの強国が、アメリカ大陸の東海岸を中心に植民地をつくった。しかし、十七世紀に入ると、それらヨーロッパ強国間の戦争がおこり、当時、十余ほどあったアメリカ大陸の植民地の多くは、海戦に勝ったイギリスの影響下にあった。

(4)　そして、それら植民地は、宗主国イギリスによる課税が厳しいこと、自由貿易を制約されたことなどから、宗主国イギリスに反発・対抗するようになり、ついに、アメリカ大陸東海岸の十一（やがて十三）の植民地政府が集まって協議し、独立を宣言して、アメリカ合衆国を称するにいたる。

　つまり、十一～十三の植民地は、独立して、それぞれ憲法をつくり主権国家となっていたのが、アメリカ合衆国となるために、それぞれの主権を合衆国へ譲って、各自は州となったわけである。

　そこから、アメリカの各州は、合衆国という一つの国家になったが、しかし、潜在的にもとは独立国であり、州の憲法も残してあるので、それを配慮して、「地方自治の本旨を尊重する」という用語が州の憲法にはあるようである。占領軍として「連合国軍総司令部」（ＧＨＱ）職員となり、「日本国憲法起草委員会」メンバーとなった人たちは、アメリカ憲法はもちろんだが、自分が生活してきたなじみのある「州の憲法」を参考としたことは、自然の成り行きである。

(5)　ところが、日本はどうか、日本は、古代から天皇家を中心とする単一の中央集権国家であり、また、中世には、将軍の下に藩があったが、それらは参勤交代制度もあり、不始末があれば将軍により改易されたので、各藩は独立国家とはいえず、日本は一貫して、中央集権国家である。
　したがって、日本には、アメリカ合衆国のような歴史的経過は存在せず、「地方自治の本旨」という概念を持ち込む必要はないので、この用語は削除すべきである。

○問題点の二　「地方自治の本旨」につき、日本特有の学説があるが、それは排除すべし

(1)　「地方自治の本旨」につき、日本の法律学辞典等を引くと、こう書いてある。
「地方自治の本旨」には、二義があり、その一つは、「団体自治」であり、もう一つは「住民自治」である、という。一応、この学説を説明しておこう。

(2)　まず「団体自治の原則」とは、国から独立した人格を有する地方公共団体の存立を認め、その団体自らの手により、自主・自律的に、その行政事務を処理する、とする。
　次に「住民自治の原則」とは、その地方自治体の住民の意思と責任に基づいて、その事務を処理する原則である、とする。

(3)　この「団体自治の原則」と「住民自治の原則」なるものは、おそらく偉い先生が唱えたものと思うが、こうした定義をつくることは、憲法解釈上、混乱のもとである。
なぜか、というと、いま、地方自治体の中には、この定義を根拠として、地方自治体にも主権があるとか、その地方自治体にかかわることは何でもできる、と主張する傾向がある、ことを憂える。

(4)　けだし、すでに、私が、本条の解説の「問題点の一」でこまごま解説したように、主権とは、独立国家に付随するものであり、その独立国家の中の州なり、道・府・県・

郡などに「主権」は存在しない。現在のアメリカの州の憲法でも、主権を認めてはいないはずだ。アメリカ合衆国の中の州の憲法に「地方自治の本旨」という言葉があったとしても、それは、当時の十一なり十三の植民地が、宗主国イギリスからの圧政に苦しみ、それぞれ宗主国からの独立を宣言し、憲法をつくり、主権を持ったが、宗主国イギリスが強力な軍隊を送って攻めてきたので、それに対抗するため、当時の十一なり十三の国が、協議して、お互いに主権を譲り合って、一つの独立主権国家・アメリカ合衆国を創立した歴史的経過を考えて、州に(主権を認めるのでないが)その州なりに昔からある習慣にも配慮せよ、といった程度の意味と解すべきである。

(5) なお、この第八章の章題が「地方自治」とあるので、それが、上記のような誤解を生む原因ともなっているので、本章の章題を「地方公共団体」と改めたい。

▽ 以上の論拠から、現行憲法第九十二条〔地方自治の基本原則〕は、抜本的に改正し、次のように、改めるべきである。

清原淳平の改正案

第九十二条〔地方公共団体の基本原則〕

① 地方公共団体は、主権を有する国の指示に従い、また国に協力して、その自治体の住民の生活・福祉の増進に、努めるものとする。

② 地方公共団体の運営および組織に関する事項は、法律でこれを定める。

第九十三条〔地方公共団体の機関、その直接選挙〕の解説・問題点

現憲法の条文

第九三条〔地方公共団体の機関、その直接選挙〕

① 地方公共団体には、法律の定めるところにより、その議事機関として議会を設置する。

② 地方公共団体の長、その議会の議員及び法律を定めるその他の吏員は、その地方公共団体の住民が、直接これを選挙する。

○問題点　本条は、内容的にはよいとして、その文言をいくつか直す必要がある

(1) まず、本条の条題について、〔地方公共団体の機関、その直接選挙〕とあるが、一般に「地方公共団体の機関」というと、議会ばかりではなく他のいろいろな機関もあるし、また「その直接選挙」というと、議会ばかりではなく、そうした機関に属する人をすべて直接選挙しなければならない。そうした誤解を生ずるおそれがあるので、

ここははっきり「議会」と明記すべきである。

(2) ②項に「その議会の議員及び法律を定めるその他の吏員は、」とあるが、「吏員」とは、明治憲法下では、天皇の下での役人・官吏を意味していた。したがって、今日では、全く使われない言葉なので、若い人たちには、何を意味する言葉かわからないので、この用語は廃止すべきである。もし、使うとすれば「公務員」とすべきだ。

(3) ただ、続いて本条に、「その他の吏員は、その地方公共団体の住民が、直接これを選挙する。」となっているが、そうなると、一般地方公務員まで住民投票するのか、という誤解を生む。本条の内容からすると、地方議会の議員、すなわち地方議員のことを記した条文なので、ここは、その「及び法律を定めるその他の吏員は、」は削除するべきである。

(4) なぜ、本条が、こうした記述になったのかを考えると、アメリカの州の場合には、議会の議員ばかりではなく、いろいろとその州やその下の地域で選挙によって選出される機関があるので、この「日本国憲法」を起案したアメリカ人たちは、それを参考にしたからだと思う。アメリカは、州といっても、広大なので、わかるが、日本の県や郡などは、アメリカに比べてごく狭いので、②項のこの部分は削除すべきである。

(5) また、本条には、議員のことだけ記していて、その首長についての記述が欠落しているので、「首長の直接選挙」をも明記したい。

▽ 以上の論拠から、現行憲法第九十三条は、次のように、改正したい。

清原淳平の改正案

第九十三条〔地方公共団体の首長、および地方議会議員の直接選挙〕

① 地方公共団体の首長は、その地域の住民が直接選挙により選出する。

② 地方公共団体には、地方公共団体法により、議会を設置する。

③ 地方議会の議員は、その地方公共団体の住民が、直接これを選挙する。

▽注 「地方自治法」も、誤解を生ずるので、法題を「地方公共団体法」としたい。

新設　第九十三条の二〔地方公共団体の首長、および地方議会議員の任期ならびに欠格事由〕の解説

○理由　地方公共団体の首長、および地方議会議員の任期

ならびに欠格事由が欠落しているので

(1) けだし、日本国憲法は、それまでの明治憲法にはなかったのに、地方公共団体の重要性を強調して、新たに第八章を設け、地方自治体に関して四カ条を規定しているにもかかわらず、その首長や地方議会議員の任期や欠格事由の規定が欠落しているのは、法制度の構成上、妥当ではない。

(2) 確かに、近代の「社会福祉国家」思想に立つと、地方公共団体の存在意義は強調してよいが、それだけに、これから、地方自治体の首長に立候補を希望する人や、地方議会の議員に立候補する人には、この日本国憲法の条項をよくよく読んでから立候補していただきたい。そのためにも、この新設する「地方公共団体の首長、および地方議会議員の任期ならびに欠格事由」を、明記しておきたい。

清原淳平の新設案

第九十三条の二〔地方公共団体の首長、および地方議会議員の任期ならびに欠格事由〕

① 地方公共団体の首長の任期については、「地方公共団体法」による。

② 地方公共団体の議会の議員の任期については、「地方公共団体法」による。

③ 地方公共団体の首長および地方議会の議員に対しては、この憲法の第四十四条の四〔国会議員の欠格事由〕を準用する。

▽注　右条項③項にて準用する憲法第四十四条の四〔国会議員の欠格事由〕は、清原淳平が、「国会の章」で追加新設した規定である。それを準用するということは、地方公共団体の首長ならびに地方議会の議員も、その地位に選出され就任することは、住民（国民）に対する、重要な任務・責任があることを、認識・自覚していただきたい、ためである。

第九十四条〔地方公共団体の権能〕の解説・問題点

現憲法の条文

第九四条〔地方公共団体の権能〕

地方公共団体は、その財産を管理し、事務を処理し、及び行政を執行する権能を有し、法律の範囲内で条例を制定することができる。

○問題点　本条は、一カ条中に、行政権に属するものと立法権に属するものが混在しているので分離する

(1) 本条の前段の、「財産管理」「事務処理」「行政執行」は、いずれも地方公共団体の行政権であるのに対し、後段の「条例制定」は議会の立法権に属する。

(2) こうした書き方は、法律を勉強しようとする学生を混乱させ、不親切な文章なので、これは、①項、②項に書き分けるべきである。

(3) また、議会での「条例制定権」が先で、「行政権」が後なので、順序を入れ替える。

▽ したがって、現行憲法第九十四条〔地方公共団体の権能〕は、次のように改正する。

清原淳平の改正案

第九十四条〔地方公共団体の権能〕

① 地方公共団体の議会は、地方公共団体法の規定に従い、条例を制定する。

② 地方公共団体の首長はじめ行政部は、その条例を誠実に執行することはもちろん、団体の財産を管理し、行政を執行し、その他の事務を行う。

第九十五条〔特別法の住民投票〕の解説・問題点

現憲法の条文

第九五条〔特別法の住民投票〕 一の地方公共団体のみに適用される特別法は、法律の定めるところにより、その地方公共団体の住民の投票においてその過半数の同意を得なければ、国会は、これを制定することができない。

○問題点　本条は、論旨・文脈が不明瞭のため誤解されているので、抜本的に改めたい

本条も、法律体系の勉強が足りない人は、地方公共団体自体が特別法をつくれるかのように解釈することがあるので、こうした文体・文章は、素人でも分かるように、次のように、改正するべきである。

清原淳平の改正案

第九十五条〔特定の地方公共団体にのみ適用されるための法律が必要な場合の手続〕

① 特定の地方公共団体にのみ適用される法律が必要と考えられる場合には、その地方公共団体の首長ならびにその地方議会の議長は、法律の定めるところにより、その議会が議決した明確な理由を付した要請書を持参し、国会に対して、その特別法を創ることを要請することができる。

② 国会は、その内容を審査し、合理的理由ありと認めるときは、その地域だけに適用する特別法を創ることができる。

③　国会が、特定の地方公共団体の右要請書を否決するときは、遅滞なく、その理由を付した回答書を、その地方公共団体の首長に送付しなければならない。

要新設〈地方公共団体による内閣の国家非常事態宣言下における対処規定〉の解説

▽注　日本は昔から、大地震・大津波、火山噴火・土石流、大台風・大雨・河川氾濫など、大災害が多いのに、現行日本国憲法には、そうした非常事態に対処する条項がない。この問題は、「第十章　国家非常事態対処規定」に、詳しく論述するので、それを見ていただくとして、この「第八章　地方自治（地方公共団体）の章」では、そうした「国家非常事態」が発生した場合に、中央の日本政府と地方公共団体との対処規定を明記するため、一カ条を、新設することにした。その条文は、次のとおり。

なお、左の改正案中の「内閣の章の新設の六〈国家非常事態〉」という条文は、筆者が新設した条文である。

現行憲法は、占領下でつくられた憲法なだけに、非常事態の場合は占領軍が対処するのであって、主権のない占領下の日本政府の役割ではないからである。独立主権国家になったというのなら、〈国家非常事態対処規定〉を新設すべきだからである。

清原淳平の改正案

新設〈地方公共団体による内閣の国家非常事態宣言下における対処規定〉

内閣の章の新設の六〈国家非常事態〉に規定される国家非常事態が宣言された場合、この憲法および法律の定めるところにより、地方公共団体は、内閣の指示の範囲内で、内閣の指揮下に入るものとする。

第九章　「（憲法）改正の章」の解説・問題点

第九十六条〔改正の手続、その公布〕の解説・問題点

現憲法の条文

第九六条〔改正の手続、その公布〕
① この憲法の改正は、各議院の総議員の三分の二以上の賛成で、国会が、これを発議し、国民に提案してその承認を経なければならない。この承認には、特別の国民投票又は国会の定める選挙の際行われる投票において、その過半数の賛成を必要とする。
② 憲法改正について前項の承認を経たときは、天皇は、国民の名で、この憲法と一体を成すものとして、直ちにこれを公布する。

○問題点の一　本条は問題点が多い。まず憲法改正案の提出権者が誰なのか、明記されてない

(1) この「第九章　改正」は、憲法を改正するための条件を、規定したものである。また、この第九章には、たった一カ条あるだけである。筆者は、この憲法改正の章には、数カ条を必要とすると考えているが、それは後半で詳しく説明することとし、まずは、この条文の問題点のうち、憲法を改正するに当たって、誰がその改正案を提出するのかにつき、明記されていない点から、解説して行こう。

(2) 学説上、誰が提案するのか、その主体が書いてないことについて、国会議員が提案者となりうるのは当然として、一国会議員でよいとするわけにも行かないので、国会議員が何人集まれば、改正案を提起できるのか、が問題となる。

これについては、後日、「国民投票法」などの法律で規定されているが、提出権者の条件は、主体・主語であるので、憲法に明記しておくことが必要、と考える。

筆者は、主要国の憲法からして、国会議員が提案する場合は、「国会の在籍議員数の三分の一以上の署名」とするのが妥当、と考えている。

(3) 次に、学説上問題になるのは、提案権者は国会議員だけでよいのか、つまり、内閣には提案権がないのか、という問題がある。

筆者は、内閣は法の執行者としての経験から、「この問題は憲法を改正した方がよい」と判断する場合も多いと思うので、そうした実務面から、内閣に、憲法改正の提案権を認めるべきである、と考える。

より具体的な一例を挙げれば、内閣が、国連の会議などに参加し、複数国の間での新国際条約へ加盟が必要と判断した場合、または、二国間条約でもその締結を必要

と判断したが、それら条約の内容が日本国憲法のいずれかの条項に抵触する可能性があると考えた場合には、その条約を批准する前に、内閣は、本条により、憲法改正案を提起できると解するのが、合理的であると思う。

(4)　さらに、この憲法改正案の提出権者に、国民がなることができないか、の問題がある。

筆者は、国民（個人ではなく、複数の国民）は主権者なので、複数の国民からの憲法改正の声は、認められてしかるべきである、と思う。

その場合の、国民有権者の人数はどのくらいか、が問題となるが、私は、国民有権者五十万人以上から、その箇所の条項と改正理由を記した請願書が国会へ提出された時は、国会は、これを取り上げて、検討してよい、と考えている。

○問題点の二　本条に「総議員の三分の二以上の賛成で」あるが、「総議員」とは何かが問題

(1)　第一の学説は、それは、「法定議員数」とする学説をいう。

「法定議員数」とは何かというと、衆議院でも参議院でも、法律で定員数が決まっている。ときどき法改正があるので変化があるが、令和二年新春時点で、衆議院は四六五名、参議院が二四二名である。「法定議員数」とは、法律で定められたこの定員数をいう。

ただ、「法定議員数」となると、衆議院総選挙直後はそれでよいとして、その後、死亡者が出た場合、そのときは、補欠選挙が行われて、後任者が選挙されるが、その補欠選挙の前だと、亡くなった議員は欠員となるが、それでも、法定議員数で計算するのは、不合理である。

(2)　第二の学説は、「現在議員数」とする学説である。

「現在議員数」は、(1)の「法定議員数」の不合理を是正するので可とする説であるが、実はこの「現在議員数」についても、問題がある。

例えば、議員が「退職願」や「辞職願」や「辞任届」を提出しているが、まだ、それが受理されていないような場合である。

(3)　国会議員が、「退職願」や「辞職願」や「辞任届」を出すことがあるのか、不審に思われるかもしれないが、実際に、結構そういう場合がある。

例えば、なお生存はしているが、病気で昏睡状態に陥り、国会議員として再起不能となった場合は「退職届」を出す。

また、参議院議員が、次の総選挙に出馬するため、参議院議員から衆議院議員へ鞍替えする場合で、この場合は、その参議院議員は「辞職願」を出すことになる。

さらには、現職国会議員で、何らかの不祥事を起こし、世間の批判を浴びて辞める場合で、この場合は、「辞任」ないし「辞職」という。

こうして、議員は、「退職」「辞任」「辞職」などの手続をとっている場合があり、したがって、この「現在議員数」だと、そうした手続中の人物も、その中に入ってしまうおそれがあるので、この「現在議員数」説も、妥当ではない。

(4)　そこで、私は、「出席議員数」説をとりたい。

けだし、それまでに説明した「法定議員数」説や「現在議員数」説だと、上述のように、死亡者、退職者、辞職者、辞任者などが、憲法改正という大事な三分の二の賛成という判断をする際に、その基準定数の中に入ってくるおそれがあるので、そうしたことが起こらないよう、憲法改正案を発議する際には「出席議員数」説をとりたい。

○問題点の三　①項後段「特別の国民投票」「国会の定める選挙の際行われる投票」とは？

(1)　衆・参各議院が、憲法改正案を発議（提起）した時は、その改正案は「特別の国民投票又は国会の定める選挙の際行われる投票において、過半数の賛成を必要とする。」とある中の、「特別の国民投票」とは何か、その下の「国会の定める選挙の際行われる投票」とは何か、の問題である。

(2)　それを説明するには、むしろ、その下の「国会の定める選挙の際行われる投票」とはなにかを、先に説明した方がよい。その答は、衆議院の行う総選挙の場合と、参議院で行われる三年ごとにその議員総数の半数ずつ改選する「通常選挙」の場合、である。

また、この二つの場合のほか、各院の補欠選挙の場合はどうかの問題があるが、本条で特に総選挙でなければいけないとか、参議院の通常選挙の場合の他はいけないとか明記していないので、そうした補欠選挙の場合でも、良いと考えられる。

しかし、現実には、この憲法改正案の国民による承認は、過半数以上の賛成を必要とするので、やはり、総選挙か通常選挙の場合の方が、国民の賛成投票が得られやすいという現実面から、実際は、総選挙か通常選挙の場合に行われる、ことになるであろう。

(3)　そこで、前述した「特別の国民投票」とは何かだが、それは、右の総選挙や通常選挙の時ではなく、それとは別個に、憲法改正のためだけを目的とする憲法改正への国民投票を意味していると考える。

○問題点の四　憲法改正には、すべて国民投票が必要と考えるのか？

(1) 日本国憲法第九十六条では、憲法改正には、「国会で発議したあと、国民投票でその過半数の賛成を必要とする。」とある。

そして、この条文によると、日本国憲法を改正する場合、それが複数の条項であろうと、一カ条の改正、あるいは、その一カ条の中の一文言の改正であろうと、それを問わず、憲法改正は、そのいずれの場合であるかを問わず、すべて、国民投票が必要だ、と読める。私は、この条件は、あまりにも厳し過ぎると思う。

(2) 諸外国の憲法の改正手続はどうなっているか？ 諸外国というと、今日では二百カ国近くもあるので、すべて調査するわけにはいかないが、先進諸国の憲法を見るかぎりでは、主要国の憲法で、国民投票を課している国はない。つまり、先進諸国では、憲法改正の要件として、日本国憲法のように、国民投票を要求している国家はない、ということである。

(3) では、なぜ、日本国憲法には、憲法改正に国民投票を課しているのか？ それは、おそらく、日本の敗戦・降伏により、日本を占領・統治したマッカーサー元帥とすれば、いずれ、連合国と日本とが講和条約を結び、日本が主権を回復し独立するだろうが、そうなると、日本は、マッカーサー元帥のための「占領下基本法」というべき、このアメリカ製の「日本国憲法」を廃棄ないし改正して、あるいは、「大日本帝国憲法」に戻して、再び軍国主義を復活し、またアメリカはじめ連合国に戦争を仕掛けて来るのではないか、そうしたことがないようにと考えて、マッカーサー元帥は、この「日本国憲法」の改正手続規定・第九十六条に、諸外国には見られない「国民投票」という厳しい改正要件を課したもの、と考えられる。

(4) 学問上、憲法改正の条件が緩い憲法を「軟性憲法」といい、改正の条件が厳しい憲法を、「硬性憲法」というが、日本国憲法のこの改正条件は、世界で類を見ない極度の硬性憲法である。

そこで、筆者としては、憲法を改正して、この第九十六条の改正条件を、根本から見直したい。それは、私が、本書の第二章に「日本国憲法の基本原則」を掲げ、そうした基本原則については、改正に、国民有権者の過半数の同意を要することにするが、その他の条項の改正については、国会議員の過半数で、憲法改正ができるよう、提唱した次第である。したがって、この「第九章（憲法）改正の章」でも、そうした趣旨の規定を置く。その改正条文は、第九十六条の一〔憲法改正の提出権者〕、第九十六条の二〔日本国憲法の基本原則についての改正要件〕と、第九十六条の三〔前項の基本原則外の条項についての改正要件〕の三カ条となる。

要新設の一〔憲法改正の提出権者〕

清原淳平の新設案

第九十六条の一〔憲法改正の提出権者〕

① 国会議員は、その在籍議員の三分の一以上の署名をもって、憲法改正案を提出できる。

② 内閣も、閣僚全員の署名をもって、憲法改正案を国会へ提出できる。

③ 国民も、その有権者五十万人を超す署名をもって、憲法改正案を国会へ提出できる。

④ 憲法裁判所の裁判官も、必要と認めるときは、憲法改正案を国会へ提出することができる。

⑤ ①項の場合、第二章の基本原則を改正する場合は、在籍国会議員の三分の二以上に加重する。

要新設の二〔日本国憲法の基本原則についての改正要件〕

清原淳平の新設案

第九十六条の二〔日本国憲法の基本原則についての改正要件〕

① わが国の基本原則は次のとおり

一 天皇制の維持・存続

二 基本的人権の尊重、自由主義・民主主義体制の尊重

三 社会福祉国家主義、社会保障制度

四 立法・行政・裁判の三権分立制度、政党政治の存在、議院内閣制の採用、三審制の裁判の保障、憲法裁判所の設置

② 前項に掲げる基本原則を改廃するためには、その要件を次のように加重する。

③ 改廃には、国会の出席議員三分の二以上の賛成で、国会がこれを発議する。

次いで、この発議は、憲法裁判所の審議にかけて、その憲法裁判所裁判官の三分の二以上の賛成を必要とする。

④ その上で、内閣は、その改憲案を、国民に提案し承認を経なければならない。

⑤ この承認には、特別の国民投票または国会の定める選挙の際に行われる投票において、その過半数の賛成を必要とする。

⑥ この基本原則条項に関する憲法改正について、前項の承認を経たときには、天皇は、国民の名で、この憲法と一体を成すものとして、これを公布する。

⑦　なお、日本国の主権が制限されている間、および国家非常事態宣言が布告されている間は、この憲法を、改正することはできない。

要新設の三〔前条の基本原則外の条項についての改正要件〕

清原淳平の新設案

第九十六条の三〔前条の基本原則外の条項についての改正要件〕

①　基本原則規定外の条項についての改正は、国会において在籍議員の三分の二以上の出席の上で、その出席議員の過半数以上の賛成を得ることを要する。

②　本件は、次いで、憲法裁判所の審議にかけ、その憲法裁判所の裁判官の過半数の同意を要する。

③　その憲法改正案について、右の手続を経たときは、天皇は、国民の名で、この憲法と一体を成すものとして、これを公布する。

④　なお、日本国の主権が制限されている間、および国家非常事態宣言が布告されている間は、この憲法を、改正することはできない。

第十章　「最高法規の章」に代えて「国家非常事態対処規定の章」を！

第十章　「最高法規の章」に代えて「国家非常事態対処規定の章」を！

▽この章には、極めて多くの問題点があるので、以下に、次の「節」を設けて解説する。

〔第一節　「最高法規」の章題に大きな問題あり〕
〔第二節　現行「最高法規」の各条文の解説・問題点〕
〔第三節　「最高法規」条項に代えて「国家非常事態対処」規定を置く理由〕
〔第四節　自然大災害・人為大災害・疫病大流行への非常事態対処〕
〔第五節　外国からの軍事攻撃への非常事態対処〕
〔第六節　現行憲法「第九条　戦争の放棄」の解説・問題点〕
〔第七節　現行第九条に代え、新設すべき各条文の解説〕

以下右の順に従い、第一節から逐次、解説する。

〔第一節　「最高法規」の章題に大きな問題あり〕

○第十章の章題「最高法規」について、国民の皆さんに疑問を持っていただきたい。

(1)　けだし、憲法の法規は、すべて最高法規なのに、この第十章でさらに屋上屋を重ねて、「最高法規」という章をおいたことに、疑問を持っていただきたい。

(2)　ちなみに、ヨーロッパの近代主要国の憲法を見ても、その憲法の中に「最高法規」という章を置いている国家は見られない。

例えば、ドイツ連邦共和国基本法、フランス共和国憲法、イタリア共和国憲法にもないし、ロシア連邦憲法、またアメリカ大陸北にあるカナダ憲法にも、こうした規定はない。

(3)　ところが、アメリカ合衆国憲法には、うしろの方の第六条に「最高法規」と題する条項がある。

なぜ、アメリカ合衆国憲法にだけは、「最高法規」があるのか？　想うに、それは、アメリカの建国の歴史に理由があるからだと思う。歴史を遡って考えて見よう。

すなわち、ヨーロッパでは十五世紀に大きな帆船が造られるようになって、大航海時代が始まり、当時の海洋大国、スペインやポルトガルは、発見した島や地域を植民地として自国領に編入。十六世紀初頭になると、アメリゴ・ヴェスプッチなる探検家がその第四回航海で、ついに北米大陸に到達し「新世界」を発見したと発表した。

その新大陸は、一五〇七年、地理学者ヴァルトーゼ・ジュラにより、前記アメリゴの名を採り、この新大陸は「アメリカ」と名付けられた。その後は、アメリカ大陸へも、ヨーロッパ強国が進出して、その東海岸地域は次々と、各国の植民地となっていった。

(4) その後、十七世紀は、前記のスペインやポルトガルの他、イギリスやフランスも加わり、植民地獲得戦争となったが、十八世紀に入ると特にイギリスの勢力が強くなっていた。そして、十八世紀も中頃になると、アメリカ大陸は東海岸を中心に、十を越す植民地ができていた。

それら植民地にも、植民地政府があったが、やがて、宗主国（各植民地を支配する主人たる国）は、その植民地政府に多額の税金を課したり、許可なく貿易することを禁止するなどしたため、それに堪えきれなくなった植民地の住民らは、イギリスなどの宗主国と対立・衝突するようになった。

(5) これに対し、イギリスはじめ宗主国は、軍隊を送って制圧しようとしたので、ついに、各植民地政府は独立を宣言し憲法をも制定したため、宗主国は、それを反乱としてより多くの軍隊を派遣した。そこで、植民地政府側も、それに対抗するため、その十いくつかの植民地が話し合い、それぞれの国の主権を譲りあって、アメリカ合衆国という独立国家を建設し、協力して宗主国軍隊と戦ってそれに勝利して、独立を勝ち取ったというのが、合衆国建国の歴史である。

したがって、その際、植民地から独立宣言をし憲法も定めた十一〜十三の旧植民地国家は、お互いの独立国としての主権を単一の「アメリカ合衆国」へ移譲したため、アメリカ合衆国憲法は、そうした歴史的経過を示すため、末尾に、植民地から独立した国々は、当初、独立国として主権国家に必要な憲法も持ったが、これからは各国とも州となるのだから、それぞれの州はそのまま「憲法」は残すけれども、しかし、その国家としての「主権」は、単一の「アメリカ合衆国」へ移譲してありますよ。したがって、アメリカ合衆国憲法が、各州憲法の上に立つ「最高法規」なのですよ、ということを、明確にするために、アメリカ合衆国憲法には、「最高法規」という章があるわけである。

こうした経過は、日本国民も、ぜひ認識しておいていただきたい。そうすれば、日本国憲法の第十章に「最高法規」がある理由も、理解されるはずだ。

○そこで、ここに、現行「日本国憲法」が、できるまでの経緯を、振り返っておこう。

(1) それは、推察するに、敗戦・降伏した日本を、占領・統治するため、乗り込んできたマッカーサー元帥は、皇居前広場に近い戦災で焼け残ったビル（第一生命相互ビル）に「連合国軍総司令部」（ＧＨＱ）を置き、日本統治にあたった。

そして、昭和二十年十月四日、そのGHQへ表敬訪問した近衛文麿公爵へ、マッカーサー元帥は、強い口調で、「大日本帝国憲法」の改正を求めた。次いで、十月九日に組閣した幣原喜重郎首相が、同十一日にGHQを表敬訪問した際にも、マッカーサー元帥は、同様に、憲法改正を要求したので、幣原首相は同十三日、憲法学者の佐々木惣一博士を担当者に任命して、帝国憲法改正の検討に入った。

(2) 占領軍によるそうした強い要求により、その後、日本側はいくつかの憲法改正案を提出したが、マッカーサー元帥は、そのいずれも容認せず、翌昭和二十一年二月三日、彼は、「連合国軍総司令部」（GHQ）民政局に対し、早急に『日本国憲法改正起案』を作成することを指示。

指示を受けたGHQは、その職員から選抜した『日本国憲法起案委員会』を設置し、ホイットニー准将の指揮の下、早速、起案づくりに入った。そして、このGHQ案は、マッカーサー将軍の承認を得て、同二月十三日に、麻布市兵衛町の日本の外相官邸において、ホイットニー准将から、松本烝治担当国務相、吉田茂外相らの占領下の日本政府代表に、手渡された。

その「連合国軍総司令部」（GHQ）起案の「日本国憲法起案」は、十一章九十二条からなっていた。つまり、マッカーサー元帥が起案を命じたのが二月三日で、日本側が受け取ったのが同月十三日なので、実際に起案されるまでの期間は、おそらく一週間程度であったろうと思われる。

(3) この「日本国憲法起案」を見て驚いた占領下日本政府は、検討の結果、その修正案をつくり（特に①一院制を二院制に戻してほしい。②皇室典範改正発議権を天皇に留保してほしい。③憲法改正規定を削除してほしい。④前文を削除してほしいの四項目）、翌三月二日に、GHQへ提出したが、GHQから拒否され、協議に入ったが、①の一院制を二院制に戻すことだけは認められたが、その他は拒絶された。

そこで、日本政府は、法文の細かいところは補正したが、基本的に、GHQの趣旨に沿った憲法改正案を、同三月四日、改めてGHQへ提出し、GHQもそれを認めて、翌三月五日、憲法改正起案が合意・了承されて確定した。そこで、翌六日、日本政府は、この憲法改正起案要綱を公表した、という経緯である。

○日本国憲法に「第十章　最高法規」がある理由はなにか？この章すべてを削除したい。

(1) 前述のように、いまの「日本国憲法」の基本は、マッカーサー元帥から、その起案を命ぜられたGHQの職員による起案委員会が、一週間程度の短い期間で起案したものなので、この起案委員会は、何を参考にしたかというと、この書の中で何度か記したように、基本的には、アメリカ合衆国憲法である。

(2) つまり、特に法案づくりの専門家ではないGHQの職員による起案委員会としては、どうしても一番に参考にしたのは、アメリカ合衆国憲法であり、また、彼らそれぞれが住んでいた合衆国内の州立憲法である。

(3) そうしたことから、起案委員会は、アメリカ合衆国憲法にある「最高法規」の条項を機械的に「日本国憲法」に持ち込んだものと思われる。しかし、上述したように、植民地から話し合いで独立したアメリカの歴史と、日本の歴史は異なる。日本はこれも上述したように古代から中央集権国家として単一的に成立しているので、ここに、アメリカの「最高法規」を、日本国憲法に持ち込む理由は全くないので、「日本国憲法」においては、この「最高法規」規定の章自体を、削除すべきである。

○アメリカの「最高法規」条項を見ても、日本国憲法の「最高法規」規定とは全く違う。

(1) アメリカの「第六条　最高法規」を見ると、三カ条あるが、それらは、前述したように、植民地政府であった各地域が、当初、独立したが、イギリスなど宗主国が強大な軍隊を送り込んでくるのに対抗するため、それら諸国は、急ぎ集まって協議し、その主権を提供して、単一の「アメリカ合衆国」をつくり、その各国はその下の州になることに決めたので、その経過措置が必要なため、この「最高法規」条項を置いたものである。

(2) その三つあるうちの「その1」は、「債務」であり、「この憲法の採択以前に契約されたすべての債務や約定は、引き続き、単一独立国家となったアメリカ合衆国になっても有効であるとの規定である。

「その2」は、これまでの植民地から独立した諸国が、その際に締結していた条約と、協定して単一独立国家「アメリカ合衆国」となってから締結した条約が、相反する場合は、後者、「アメリカ合衆国」となってからの条約が優先する、とする規定である。

「その3」は、やはり、「アメリカ合衆国」成立前に、上院議員および下院議員、さらに州議会議員となった者、また、各州の公務員となった者は、改めて宣誓または確約により、この「アメリカ合衆国」憲法を擁護する義務を負う、との規定である。つまり、「アメリカ合衆国憲法」にある「最高法規」なる条項は、三つともすべて、植民地から独立した諸国が合議して、単一「アメリカ合衆国憲法」を創るに当たり、債務を引き継ぎ、独立してからの条約優先、公務員の独立後の憲法への忠誠という、経過規定である。

(3)　これに対して、「日本国憲法」に書いてある「第十章　最高法規」の条項は、内容的に全く違っている。それの題名をあげると、その第九十七条は〔基本的人権の本質〕とあり、第九十八条は〔最高法規、条約及び国際法規の遵守〕であり、第九十九条は〔憲法尊重擁護の義務〕とあり、いずれも、この「日本国憲法」の中で、すでに強調されている事柄である。

(4)　したがって、これは、連合国軍総司令部（ＧＨＱ）職員による「日本国憲法起案委員会」のメンバーが、アメリカ合衆国憲法にあるので「最高法規」条項を入れることにしたが、その内容は、アメリカのような独立に当たっての経過過程が、日本にはないので、どうすべきか迷い、結局、すでに、これまでに強調している事項を、さらに強調する規定を掲げることにした、と考えるほかない、と思う。

そこで、以下に、日本国憲法「第十章　最高法規」にある条項を、次に掲げて内容を検討して見よう。

〔第二節　現行「最高法規」の各条文の解説・問題点〕

第九十七条〔基本的人権の本質〕の解説・問題点

現憲法の条文

第九七条〔基本的人権の本質〕
　この憲法が日本国民に保障する基本的人権は、人類の多年にわたる自由獲得の努力の成果であって、これらの権利は、過去幾多の試練に堪え、現在及び将来の国民に対し、侵すことのできない永久の権利として信託されたものである。

○問題点　この規定はすでに、現行憲法第三章〔国民の権利及び義務〕において強調されている

すなわち、現行「日本国憲法」第三章の第十一条〔基本的人権の享有〕をはじめとして、そのあとの条項で、強調されているところである。ただ、この第九十七条では、西欧の中世において、専制君主の圧政に苦しんだ当時の住民が、長い年月かけて、専制君主と闘い、やっと獲得した権利であり、それは人類普遍の権利であるという、歴史的経過を記したものと言える。

しかし、それならば、こんな末尾で記すべきではなく、その第三章の冒頭で強調しないと、そうした専制君主による圧政という歴史がない日本人には、認識できないことであると考え、筆者の改憲案では、この規定の歴史的意義を、「第二章　基本原則」そして「第三章　国民の権利責務」の箇所に移し、詳論しているので、そちらを見ていただきたい。

第九十八条〔最高法規、条約及び国際法規の遵守〕の解説・問題点

現憲法の条文

第九八条〔最高法規、条約及び国際法規の遵守〕

① この憲法は、国の最高法規であって、その条規に反する法律、命令、詔勅及び国務に関するその他の行為の全部又は一部は、その効力を有しない。

② 日本国が締結した条約及び確立された国際法規は、これを誠実に遵守することを必要とする。

○問題点　この規定もすでに、「国会の章」や「内閣の章」で、規定しておいたことである

(1)　しかし、確かに現行日本国憲法では、法制度の大原則である「上位法・下位法の原則」や「条約や国際法規の誠実遵守」の規定が、本来有るべき「国会の章」や「内閣の章」の中には、明確に規定されていない。

(2)　それは、なぜか？　筆者は、それは、占領下で主権もない日本において、日本政府の上にマッカーサー元帥による占領・統治機構としての「連合国軍総司令部」（GHQ）が施政者として厳然として存在し、そこから発せられる命令・指示が、日本の法制度の上にあるので、あえて「国会の章」や「内閣の章」には書かず、ただ、日本が将来、講和条約が締結され独立することも考え、この末尾に記したのではないか、と考えている。

(3)　また、「条約や国際法規の誠実遵守」規定も、敗戦・降伏し、連合国の占領・統治下にある日本は、国家としての主権はなく、内外の大使館・公使館も閉鎖され、対外的なことはすべて、マッカーサー元帥をトップとする連合国軍総司令部がするのだから、初めの方にある「国会の章」や「内閣の章」の中に、置く必要はない。むしろ、それを、最初に書くと、マッカーサー元帥による日本占領・統治権力に弊害になる、と考えて、そっと、この末尾に記載したものと思う。

したがって、筆者の憲法改正案では、「法制度の仕組み」規定や「条約や国際法規の誠実遵守」規定は、すでに、「国会の章」や「内閣の章」の中に、明記した次第である。

第九十九条〔憲法尊重擁護の義務〕の解説・問題点

現憲法の条文

第九九条〔憲法尊重擁護の義務〕

天皇又は摂政及び国務大臣、国会議員、裁判官

その他の公務員は、この憲法を尊重し擁護する義務を負う。

○問題点　一般に憲法は、すべて国民に憲法尊重擁護義務があるのは当然、なぜ、ことさら？

それを、「日本国憲法」は、なぜ、ことさら、ここに置いたのか。それも、特に「天皇又は摂政及び国務大臣、国会議員、裁判官その他の公務員は、」と断っている。

思うに、これは、日本を占領・統治し、この「日本国憲法」を連合国軍総司令部職員に起案させたマッカーサー元帥としては、その占領政策を成功させ、自分の統治能力を誇示するためには、日本内部から反対の声が上がっては困る。また、特に、占領下では自分に従わねばならない天皇はじめ、行政府、立法府、裁判官が、自分に従わない場合には、ただでは済まないよ、ということをはっきりさせるべく、あえて、この規定を置いたものと考えている。

▽　以上の数々の論拠から、筆者は、この章「最高法規」は、章題も廃止すべきであるし、この中の三つの条文もいらない、と考えている。

▽　それよりも、日本人が、日本は独立国家であると考えるならば、現行「日本国憲法」に付け加えるべき、大切な章がある。そこで、筆者は、現行憲法の「第十章　最高法規」に代えて、この章の章題を「国家非常事態対処」とし、その中に、いくつかの条文を設けることを、ここに、提唱したい。

〔第三節　「最高法規」条項に代えて「国家非常事態対処」規定を置く理由

○問題点　現行日本国憲法に、独立主権国家にある「国家非常事態」に関する条項がないのはなぜか？

(1)　なぜ、ないのか？　それは、現行日本国憲法が、日本の敗戦降伏後、マッカーサー元帥をトップとする連合国軍総司令部（ＧＨＱ）の占領・統治の下にあって、その職員から選抜された「日本国憲法起草委員会」によって起案されたことによる。

マッカーサーは、一九四六年（昭和二十一年）一月三十日、マッカーサーを表敬訪問した戦勝連合国政府代表の極東委員会のメンバーに、「憲法改正について、なにが行われるにせよ、出来上がった憲法は、日本人の作成だと思わせる方策をとる」と表明しているように、マッカーサーとしては、自分の日本統治が成功するためには、天皇制も存置し、これまでのように国会・内閣・司法を認めた上で、自分がその上に立って、間接統治するのが賢明と考え、この憲法が、将来の日本人のためになることも考えてくれてはいたが、要は、自分の占領・統治政策に役立つような「占領下憲法」「植民地憲法」「属国憲法」の体裁をとったわけである。

(2) つまり、独立主権国家であれば、主権を持ち、統治権を持ち、外交権を持ち、自分の国は自分で守る軍隊を持つ、のが当然であるが、被占領国には、主権・統治権もなく、外交権もなく（諸外国にあった大使館・領事館なども閉鎖される）、自分の国は自分で守る組織（軍隊）も認められない。そうした主権は、すべて占領軍総司令官たる自分が行う。

日本は、地震・津波、噴火・土石流、大台風など自然災害の国であるが、そうした大自然災害の場合にも、その救援・対策の指揮は、占領軍総司令官たる自分が指揮をとる。

また、もし、他国が、日本を攻撃したり日本へ侵入したりすれば、自分が在日米軍を率いて反撃し、被占領国日本を守るのは、当然、占領軍総司令官たる自分の役割である、と考えていた。

そこで、日本の統治者・主権者となったマッカーサー元帥が、その連合国軍総司令部（ＧＨＱ）の職員をして起案させた日本国憲法には、独立主権国家として当然あるべき「国家非常事態対処」の規定もないわけである。

(3) そうしたことから、筆者は、日本が「独立主権国家」であるというならば、現行「日本国憲法」を改正して、「国家非常事態対処規定」を明記すべきだ、と主張する次第である。

そして、その「国家非常事態対処規定」については、本著『国民のための憲法改正学への勧め』において、前述のように、現行憲法第十章「最高法規」を外す代わりに、この第十章の章題を「国家非常事態対処規定」と改めて、この第十章の中に、数カ条、その新設改正条文案を掲げ、解説を付して行くことにした。

ただ、一口に「国家非常事態対処」と言っても、それには、さまざまな態様が想定されるが、それは、すでに、「内閣の章」の末尾に取り上げたように、大別すれば、「国内的大災害による非常事態」と「他国からの攻撃・侵略による国家非常事態」の二種類があり、この両者は、性質が異なるので、ここでは、この第十章を二つの節に分ける。

すなわち、「第四節　自然大災害・人為大災害・疫病大流行への非常事態対処」と「第五節　外国からの軍事攻撃への非常事態対処」に分け、以下に解説する。

〔第四節　自然大災害・人為大災害・疫病大流行への非常事態対処〕

新設の一〔自然大災害・人為大災害・疫病大流行への非常事態対処〕

清原淳平の新設案

▽新設の一〔自然大災害・人為大災害・疫病大流行への非常事態対処〕

①　国は、大地震・大津波、大噴火・土石流、大台風・大雨など、自然大災害の発生に備え、国家非常事態対処法制を整備し、また具体的な緊急対処の手段・方法を検討・設営するものとする。

②　国は、原子力発電、石油・ガソリン等の精製工場・貯蔵施設、その他、万が一事故発生の場合に、大災害が予想される大工場・貯蔵施設等について、事前に、危機管理法制の整備につとめ、また具体的な緊急事態対処の手段・方法を検討・設営するものとする。

③　国は、急速に感染拡大する恐れのあるインフルエンザや新型ウイルスに備え、日頃からその対処方法の研究を進めるとともに、もし、発生・拡大した場合を想定し、医師・検査技師・看護師・介護士はじめ医療従事者について、人員の補充・配置方法を考え、病室の用意、医療機器の増産・確保・管理方法につき検討し、特に医療従事者の感染や院内感染が発生しないよう、機器・設備・医務衣などの確保・補充に心がけ、また、治療薬・薬品の開発・貯蔵・補充につき、具体的な非常事態対処の手段・方法を、設定しておくことを要する。

④　もし、新型インフルエンザや新型ウイルスが日本国内で発生した場合には、国は、その感染が拡散しないよう、ただちに対処し、その検査、隔離、入院、治療に、全力を上げるものとする。

⑤　国は、世界的な経済恐慌・不景気・貨幣価値の大変動・株価の長期的大暴落、または日本国の財政破綻等々、経済的危機に遭遇する場合に備え、その対策について、国民生活をどうするか、企業をいかに救済するか、日本経済をどう回復させるかについて研究し、具体策を練っておくことを要する。

⑥　上記各項の事態が生じた場合、内閣総理大臣は、その情況を勘案・判断して、全国民に対して、「国家非常事態宣言」を発する。

⑦　国民は、この「国家非常事態宣言」が発せられた時は、国が、国民の生命・身体・生活・財産を守るために必要と考えて、その「国家非常事態宣

言」を発令したことを認識し、内閣総理大臣の指示・命令に従うものとする。

⑧ 内閣総理大臣の「国家非常事態宣言」が発せられない前は、日本国憲法が規定する「基本的人権保障」の大原則により、国民は、もし、国から、生命・身体・生活・財産などの基本的人権を制約された場合には、その全額の補償を国に求めることができる。

⑨ 内閣総理大臣により、この「国家非常事態宣言」が発令されたのちには、その指示・命令により、国民が、その生命・身体・生活・財産につき、何らかの損害が生じても、その全額の補償を国に請求することはできず、国家全体の危機への対処として、国民は、国からその全額ではなく、相当額を「協力金」として受け取るに留まる。

⑩ 国民は、この「国家非常事態宣言」が発令された場合、内閣総理大臣の指示・命令に違反した時は、その情況により、本条に基づいて予め制定された法律に基づき、身体の拘束、営業停止、あるいは罰金刑などに処せられることがありうる。

⑪ 内閣総理大臣によって、上記の「国家非常事態宣言」が発せられた場合は、その総指揮権者は内閣総理大臣であり、また、「国家非常事態宣言」の解除権者も内閣総理大臣である。

⑫ 内閣総理大臣は、「国家非常事態宣言」を発令するに当たり、事前または事後に、国会の承認を得て、必要な範囲で、政令により、緊急の財政処分をすることができる。

ただし、この措置は、その公布後、国会開会中は一週間以内に、国会の承認を得なければならない。

なお、国会閉会中または国会解散中の場合は、次の会期において、国会の承認を求めなければならない。

⑬ 内閣総理大臣は、被災者の人命救助をはじめ、避難先への輸送、障害物の除去、災害拡大の防止等々のため、担当大臣および関係大臣に命じて、警察および消防ならびに医療・福祉関係を動員し、また、災害発生地の地方自治体へはもちろん、隣接する地方自治体へも、救済のための人員を動員させ、救済のための機材・資材・医薬品・食料・衣料・避難先等々につき、命令し指示することができる。

また、被害情況に応じて、地方自治体に対し、法律の範囲内で、その権限の一部を委任することができる。

⑭　なお、内閣総理大臣は、災害の状況により、その迅速な救援のため、自衛隊（国防軍）へ出動を命ずることができる。この場合、内閣総理大臣は、この命令を国務大臣に委任することなく、みずから明瞭な方法で命令しなければならない。

⑮　その大災害発生にあたり、内閣総理大臣が欠けている場合ないし新たに内閣総理大臣を指名するいとまがない時は、副総理ないしまたはあらかじめ指名された大臣が、臨時にその職務を行うものとする。

○問題点　右の「自然大災害・人為大災害・疫病大流行」など国内的大災害の問題点

(1)　この国内的な「国家非常事態対処規定」は、以上ご覧のように、十五項目にもわたって列記したが、将来、憲法を改正して、これら各項目を条文化する場合には、例えば、「国内的な各種大災害の態様」とか、「国家非常事態宣言の意味するもの」とか、また「国家非常事態を宣言するのは、行政府の長（日本では、内閣総理大臣）の専権事項」とか、「国家非常事態に際しての緊急財政処分」とか、「総指揮者たる内閣総理大臣が欠けた場合の対処」とか、「内閣総理大臣の専権事項としての自衛隊の動員」等々、それぞれについて、条文を立てることを考えているが、国民の皆さんに御理解いただくためには、ここでは、むしろ、列記しておいた方が分かりやすいと思い、列記したままにしてある。

(2)　なお、内容的に詳細すぎるとの御指摘もあろうかと思うが、ドイツ連邦共和国基本法など、近代憲法では、西欧の歴史的経過から、まず、「基本的人権の保障」は本来、侵すことのできない天賦人権の大原則との認識があり、それを、国家非常事態の場合に制約するのだから、その例外たる国家非常事態規定も、やはり同じ憲法（基本法）の中に書いておくべきだ、とする大陸法系法制度理論に基づいて、詳細に規定している。著者は、それに倣い、詳しく書いたが、ドイツ連邦共和国基本法に比べれば、分かりやすく書いたと思う。

また、こうして詳しく書いておいた方が、日本では、中世西欧のような専制君主国家による圧政という歴史的体験がなく、また、日本人は、大陸法系法制度理論に慣れていないので、国民の理解も得やすい、と考えてのことである。

注

▽　なお、この「自然大災害・人為大災害・疫病大流行」については、「内閣の章」の末尾にて、詳細に解説しているので、そちらの方も、ご覧いただきたい。

▽　日本では、すでに特別措置法を制定して、緊急事態対

処規定を制定しているが、前述のように、「上位法・下位法の原則」によって、憲法に書いていないのに、その下位の法律に規定を置くのは、本来、憲法違反である。やはり憲法内に規定を置くべきである。

▽なお、日本では、「緊急事態」とか「緊急事態対処規定」と言っているが、この表現は、今回の新型コロナ流行に際し、国よりも先に、地方自治体がすでに使っている。

西欧では、基本的に、「国家非常（緊急）事態対処」という場合は、国家の行政府の長（大統領とか首相）の専権事項であるので、その点からも、日本で今後、法文化する時は、「国家非常事態宣言」「国家非常事態対処規定」という具合に、「国家非常事態」という表現にしたい、と考えている。

〔第五節　外国からの軍事攻撃への非常事態対処〕

▽一口に「国家非常事態」といっても、近代から現代になると、その態様はさまざまで、前節に解説した「第四節　自然大災害・人為大災害・疫病大流行への非常事態対処」で詳説したように、その大災害の態様により、それへ対処する手段・方法、そしてその法整備も、異なってくる。そのため、ドイツ連邦共和国基本法のように、それが大原則の基本的人権を制約せざるを得ない場合を生ずるので、それを想定して基本法（憲法）に予め記載しておき、それに基づいて、その下に、各種非常事態に対応する法律を整備しておく必要がある。

そして、この「第五節　外国からの軍事攻撃への非常事態対処」についても、独立主権国家である以上、明文の規定を置くべきであることは当然として、その態様については「外国からの軍事的攻撃・侵略」という点で、態様は絞られてくるが、その非常事態は、「第四節　自然大災害・人為大災害・疫病大流行への非常事態対処」よりも、事態は深刻であるといえる。その点で、第五節の内容は、第四節とは、内容がかなり異なる。

いま、「第五節　外国からの軍事攻撃への非常事態対処」について、筆者が想定している新設条文案を列記して、まずはご理解・ご認識の御参考に供することにする。

清原淳平の新設案

▽新設の二〔外国からの攻撃・侵略があった場合の対処〕

①　国に、外国から軍事的攻撃・侵略を受けた時は、内閣総理大臣は、既存の安全保障法制に基づき、直ちに会議を開き、国家非常事態の発生を宣言し、これに対処するに必要な政令を発することができる。この政令は、のちに国会の承認を得なければ

ならない。
② 内閣総理大臣は、直ちに、総指揮官として、自衛隊（国防軍）を指揮し、その出動を命ずる。また、専門家である自衛隊（国防軍）の指揮官（将軍）に、戦略的・戦術的な現場の指揮をとることを、委嘱することができる。
③ 内閣総理大臣は、そのために、政令を以て、緊急の財政処分をすることができる。この財政処分はのちに、国会の承認を経なければならない。
④ 内閣総理大臣は、外国からの攻撃・侵略の状況・態様が重要であると判断した時は、既存の「日本国とアメリカ合衆国との間の相互協力および安全保障条約」（＝日米安全保障条約）第五条に基づき、アメリカ合衆国との共同防衛に入る。
⑤ また加盟する国際連合の憲章第五十一条に基づき、直ちに、国際連合安全保障理事会へ報告する。
⑥ 日本国民は、①項の内閣総理大臣による「外国からの軍事攻撃による国家非常事態宣言」が発令されたときは、それが、国民の生命・身体を守るためであることを理解し、行政府による緊急退避命令等々の指示に従うものとする。
また、国民は、侵攻してきた外国軍隊から日本を防衛するため、その権利を有する敷地・家屋内に、自衛隊（国防軍）、あるいは警察官その他公務員が無断で立ち入ることを許容するものとする。
⑦ 外国からの軍事的攻撃・侵略を受けた際、内閣総理大臣が欠けていた場合に、憲法の規定によって新たに内閣総理大臣を指名するいとまがなく、緊急を要する時は、副総理大臣または予め指名した大臣が、臨時にその職務を行うものとする。
⑧ さらに、前項の大臣が欠けた時、または予めの指名がなかったときは、緊急の場合に限り、衆議院議長がこれに当たり、衆議院議長も欠けたときは、参議院議長がこれに当たり、それも欠けたときは、最高裁判所長官がこれにあたる。

○問題点　同じ「国家非常事態」であっても、本節は前節と態様・内容ともかなり異なる

(1) 前節「自然大災害・人為大災害・疫病大流行への非常事態対処」と本節「外国からの軍事攻撃への非常事態対処」とは、同じ「国家非常事態」であっても、この二つの節の内容を対比してみれば分かるように、その態様がかなり異なり、したがって、その対処方法・手段も大きく異なることを、認識していただきたい。
右に挙げた「外国からの軍事攻撃への非常事態対処」

も、八項目にわたって列記したが、将来憲法を改正して、これら各項目を条文化する場合は、例えば、「内閣総理大臣がまず国家非常事態宣言を行う」「内閣総理大臣は基本的に総指揮官である」「内閣総理大臣の緊急財政処分権」「日米安全保障条約に基づくアメリカとの共同防衛」「国際連合安全保障理事会への報告」等々、それぞれについて、条文を立てるべきだと考えているが、ここでは、むしろ、列記しておいた方が分かりやすいと思い、列記したままにしてある。具体的に、どう明文化するかは、後掲の第七節を参照されたい。

(2) なお、表現の問題として、「国家緊急事態」とするか、「国家非常事態」とするかであるが、令和二年の「新型コロナウイルス感染拡大」の際、総理大臣が発令する前に、いくつかの県が、独自に、「緊急事態宣言」を出しているので、それとの混同を避けるためにも、「国家非常事態宣言」とした方がよい。

　諸外国では、まさに「国家の非常事態」であるから、その発令は行政府（大統領・首相）の専権事項となっている。けだし、西欧では、そうした非常事態の時にこそ、政府転覆・革命・内乱・武装蜂起などの体験を経ているので、地方自治体の長へ権限移譲したり、軍人に権限を委任することを避けているので、日本においても、ぜひ、内閣総理大臣の専権事項としていただきたい。

▽それでは、次に、現行日本国憲法「第二章　第九条　戦争の放棄」の規定について、以下に、それを解説し、問題点を洗い出し、この第九条をどう改正すべきか、の課題に入ることにしたい。

〔第六節　現行憲法　第九条「戦争の放棄」の解説・問題点〕

> 現憲法の条文
>
> 第九条〔戦争の放棄、軍備及び交戦権の否認〕
>
> ①　日本国民は、正義と秩序を基調とする国際平和を誠実に希求し、国権の発動たる戦争と、武力による威嚇又は武力の行使は、国際紛争を解決する手段としては、永久にこれを放棄する。
>
> ②　前項の目的を達するため、陸海空軍その他の戦力は、これを保持しない。国の交戦権は、これを認めない。

▽この第九条〔戦争の放棄〕には、たくさんの問題点がある。以下、問題点を掲げ、順次解説する。

○問題点の一　「戦争の放棄」ということの法的意味

(1)　現行憲法第二章の章題は〔戦争の放棄〕と書いてあり、

その条文も「戦争の放棄」を明記している。国民も、それに慣れて、日本は戦争を放棄した世界でも先頭を行く憲法をもつ立派な国だ、と思い込んでいる。しかし、この認識は、法律用語の使い方としても間違っているし、国際法からも誤っている。

(2) なぜならば、まず法律用語の使い方からみると、特に日本では、この「戦争の放棄」を、侵略戦争だけを放棄したのであって、他国から侵略された場合に自衛のために闘うことを否定したものではないとして、「自衛隊」をつくり、戦車を特車といい、軍艦を自衛艦と言い換えながら、実質的軍隊を維持している。

(3) つまり、「戦争の放棄」とは、「侵略戦争の放棄」と解釈している。しかし、法律用語からみると、「放棄」という用語は誤りである。なぜかというと、放棄という用語は、「正当な権利をすでに持っているのに、あえていらないという場合の用語」だからである。例えば、国民の皆さんも知っている言葉として、「相続の放棄」という言葉がある。すなわち、「その人が、正当な相続権を持っているけれども、あえて自分はそれをいりません」という場合に使う用語である。

「放棄」が法的にそういう用語だから、上記のように、「戦争の放棄」といい、その戦争とは「侵略戦争に限る」となると、それでは、「侵略戦争は法的に正当な権利か」という、法論理の矛盾を生ずるからである。

(4) したがって、こうした場合、法律用語としては、「否認」という用語が正しい。けだし、「否認とは、自分はその権利をいらない、否定する」という用語だからである。

この「放棄」と「否認」との用語の使い方の違いは、国際法上でも、同様である。

諸外国の憲法でも「侵略戦争はやらない」ということを明記する場合は「否認」という言葉を用いている。例えば、お隣の「大韓民国憲法」も「第五条 ①大韓民国は、国際平和の維持に努め、侵略的戦争を否認する。②国軍は国家の安全保障および国土防衛の神聖なる義務を遂行することを使命とし、その政治的中立性は遵守される。」と明記している。

(5) ただ、注意すべきは、第二次世界大戦終結前までたくさん存在した植民地（属国）の中で、その主たる宗主国から一応、憲法的なものを許された庇護国の憲法においては、「戦争を放棄する」という用語が使われている。

例えば、世界大戦終了後に独立する前のアメリカの植民地フィリピンの憲法（いわゆる第三フィリピン・コモンウェルス憲法の第二条第三節には、「フィリピンは、国策遂行の手段として戦争を放棄し、」と、戦争放棄を明記している。（この問題の詳細は、著者が、昭和六十年ころから数年にわたり、アメリカ支配下の植民地フィリピンの第三コモンウェルス憲法の研究結果をまとめて発刊した著書『独立国の体裁をなしていない日本国憲法』、または平成四年発刊の『憲法改正入門──第九条の具体的改正案を提示』(ブレーン出版社ほか、近著)を参照されたい。

(6) そして、著者はそれを踏まえて、日米開戦まで一九三五年(昭和十年)~一九四一年(昭和十六年)までの六年間、植民地フィリピンの軍政官を勤めていたマッカーサー将軍が、三年半におよぶ戦争に勝って、日本を降伏させ占領して、日本に迫り制定させた『日本国憲法』(実質は、マッカーサーのための「占領政策のための憲法」)の中に、植民地フィリピンの憲法と同様、「戦争放棄」を明記させたことを、論証している。

▽ したがって、この条文の内容は、過去の植民地憲法の例と同じく、「自国の安全を、他国ないし国際機関に委ねる」形で、この点ではやはり、日本国憲法は、植民地憲法か、または信託統治下の憲法の体裁だ、といえる。

日本人も、この経過を認識し、独立主権国家になったというのなら、一日も早く、現行日本国憲法の「第九条戦争の放棄」規定を改正すべきである。そして「日本は、侵略戦争をしない」ことを国是とするならば、「侵略戦争の否認」と、用語を「放棄」から「否認」に書き改めるべきである。

○問題点の二 ①項前段「正義と秩序を基調とする国際平和を誠実に希求し」の文言の意味?

(1) この文言は、一見、当然のことを書いているが、当然のことをことさらに書くには、それなりの理由がある。この文言は、裏を返せば「これまで日本は、正義と秩序に反する行為をして、国際平和を乱して来たから、これからは、正義と秩序を基調とする国際平和を誠実に希求します」(傍線筆者)という詫び証文の要素が強く感じられる。

純粋に高い精神を謳うのが建前の憲法に、こうした詫び証文を規定することは、国民を卑屈にするし、現に日本国民に卑屈な傾向をもたらしている。こうした表現を置くことになったのも、現行憲法が、戦争終結から間がなく、アメリカ側の草案に基づいてつくられたからだ、といえよう。

(2) また、冒頭のこの文言のあと、①戦争・武力行使の永久放棄、②陸海空軍の不保持、③交戦権の否認、の三つを挙げていることは、「これから日本が再び暴れなければ、世界は〔正義と秩序を基調とする国際平和〕が実現されるのだから、日本は、自国の安全をすべて、そうした国際社会に委ねて、軍備など持つ必要がない」といっているわけで、これは、空想的ながら理想主義を謳ったものと善意に解することもできるが、現実的には、アジア地域で日本が再びアメリカと武力衝突を起こすことのないようにする意図、と解することができる。

したがって、この条文の内容は、過去の植民地憲法の例と同じく、「自国の安全を他国ないし国際機関に委ねる」形で、この点でもやはり、日本国憲法は、植民地憲法か、または信託統治下の憲法の体裁だ、といえる。

○問題点の三　①項の「国権の発動たる戦争」の意味？

(1)　まず「国権の発動たる戦争」について、「国権」というと日本人には分かりにくい。日本の学者の多くは、これを「戦争に関する枕詞であり、意味はない」とするが、英文を見ると、「sovereign right of the nation」とあり、直訳すると「国家の基本的権利」である。この言葉は、国際法では「独立主権国家は、国際法の定める手続に従うかぎり、一般的に戦争を行うことができ、この戦争を行う権利は、独立主権国家の持つ権利の中でも、特に基本的な権利である」と解されている。

(2)　日本国憲法は、わざわざ「国権の発動たる戦争……は、永久に放棄する。」と明記しているわけで、したがって、この文章は、戦争続きの歴史を持つ西欧では、独立主権国家には「戦争をする権利がある」という基本的認識があった。

その認識からすれば、日本国憲法には「国権の発動たる戦争……は、永久に放棄する。」と明記してあり、したがって、この憲法規定によって、日本国は、独立主権国家ではなく、植民地あるいは国際信託統治下の属領扱いであることを、如実に示している、ことを御理解いただきたい。

日本が真珠湾攻撃をするまで、マッカーサー将軍は、一九三五年から六年間にわたり、アメリカの植民地フィリピンの参政顧問としてマニラに住んでいたが、アメリカは植民地にも憲法を持たせた。その当時のフィリピン憲法に、「戦争放棄」の規定があったことは、筆者がすでに、折りにふれ、しばしば論証してきたところである。

(3)　この「国権の発動たる戦争……は、これを永久放棄する。」との言葉について、日本の学者の中には、「すべての戦争はなんらかの意味で、国際紛争を解決する手段に外ならないし、日本国憲法のどこにも自衛戦争や制裁戦争を予想した規定がないから、日本は一切の自衛戦争も制裁戦争もすることはできない。そこで、もし、国際紛争が生じた場合、日本は、もっぱら外交交渉と国際的な調停や裁判に頼るほかない」と解しているが、この考えは、まさに、この憲法を起案した当時のアメリカ側の真意であった、といってよいであろう。

(4) しかし、一九二八年に、国際間で締結されたいわゆる「戦争抛棄ニ関スル条約」(俗に「不戦条約」と略称)の第一条には、「締約国は、国際紛争解決のために戦争に訴えることを不法とし、かつ、その相互の関係において、国家政策の手段としての戦争を放棄する。」との規定がある。

この文言の解釈について、第二次世界大戦以前に加盟した六十三カ国のほとんどが、その意味は、「侵略戦争だけを禁止しているのであって、自衛戦争や制裁戦争については、なんら制約されるものではない。」との了解のもとに、加盟している。(日本国も一九二九年七月二十四日に批准書を寄託し発効)

○問題点の四 ①項の「武力による威嚇又は武力の行使」の意味?

次にやはり①項後段にある「武力による威嚇又は武力の行使は……永久にこれを放棄する。」であるが、これは、「宣戦布告をしないで、武力を行使すること」をいう。

というのは、国際法上、戦争をするときは宣戦布告をするべきであって、宣戦布告など戦意を表明しない場合は、国際法上の意味での戦争ではないと定義していたことに目をつけ、かつては、「事変」とか「事件」といった名称を使いながら、実質的には戦闘行為に入る場合が、世界でかなりあった。

例えば、日本も、第二次世界大戦の前、中国大陸へ軍隊を派遣する場合でも、宣戦布告せず、「支那事変」とか「上海事変」などと称し、あるいは、日本がつくった満州国と当時のソ連軍の傀儡(かいらい)であったモンゴル共和国との国境線を巡って、当時の日本陸軍とソ連軍とが激戦を繰り返した闘いも、宣戦布告していないので、「ノモンハン事件」と称していた。

現行「日本国憲法」第九条①項後段の「武力行使の放棄」とは、そうした宣戦布告なしでの武力行使も禁止する、との趣旨である。

○問題点の五 ①項後段の「国際紛争を解決する手段としては」の意味?

また、現在の国際連合憲章第二条三項および四項にある「国際紛争解決のための戦争」も、侵略戦争に限ったもの、と解されている。したがって、日本だけが異なる解釈をする必要はなく、現行憲法第九条①項後段の「国際紛争を解決する手段としては」、やはり「侵略戦争に限る」と解すべきである。

○問題点の六 ②項の「陸海空軍その他の戦力は、これを保持しない。」の意味

(1)　これは読んで字のごとしであり、アメリカとしては、アジアの覇権を争い、苦労して打ち負かした日本は、「少し前まで敵国であった」わけだし、その後の推移のような同盟国意識も生まれていない段階、すなわち戦争終結直後の感情醒めやらぬ時期なので、占領下憲法としての「日本国憲法」を起案するに当たって、占領中はもちろん、そののちでも、日本が再びアメリカに対抗する軍事力を持たないよう、制約したいのは、自然の勢いであったであろう。

(2)　以上で、陸海空軍の不保持は理解されたとして、その次の「その他の戦力」とは、何か?であるが、その前には軍という名称を持たなくとも、必要があれば、いつでも陸海空軍に転化し得る程度の実力、いわば、潜在的な軍隊をいう」と解釈すべきであろう。「陸海空軍」という例示を挙げていることからも、「正式

　日本の学者の中には、「その他の戦力」を広く解釈して、「戦争遂行の手段たり得る一切の人的および物的な実力を含めて排除している」と解する者もいるが、そうなると、多くの工場や研究施設、飛行場、船舶なども含まれる可能性があるので、それは常識に反する。日本の学者の中には、ことさらに、日本に不利な解釈をする学者がいるのは、困ったことである。

(3)　なお、日本が敗戦・降伏し、日本の占領・統治に当たった連合国軍総司令官マッカーサー元帥は、当時、国際連合もできて、これからは、世界に戦争は起こらないとの理想的ムードの中で、占領下日本政府に憲法改正を迫り、日本側もいくつかの改憲案をつくり提出したが、マッカーサー元帥の容れるところとならず、結局、その傘下の連合国軍総司令部(GHQ)職員から選抜した「日本国憲法起草委員会」が案文した「日本国憲法」を制定し、昭和二十二年五月三日から施行させた。

　しかし、施行されたその昭和二十二年ごろから米ソ対立がはじまり、昭和二十五年六月には、ソ連や中国の傀儡・北朝鮮軍が韓国へ攻め入り、両陣営の対立は顕在化した。

(4)　マッカーサー将軍は、在日米軍を率いて朝鮮半島に出兵するので、日本の治安と防衛が手薄になるのを恐れ、日本の警察を強化するため警察予備隊の創設を日本側に命じた。

　こうした世界情勢の変化から、アメリカも対日平和条約の締結を急ぎ、昭和二十六年九月八日、サンフランシスコにおいて、対日平和条約・日米安保条約の締結が行なわれ、翌昭和二十七年三月六日の参議院予算委員会において、吉田茂総理は「自衛のための戦力は違憲にあらず」と発言(のちに野党からの抗議で訂正)。さらに、吉田総理は、同年八月四日、新設した保安庁にて、その

幹部たちに対し、「新国軍の土台たれ」と訓示している。

国連の結成により、これで世界から戦争は無くなるとした理想主義は、わずか数年にして、崩れ去ったわけである。そして、当時最高に高まっていた理想主義に基づいてつくられた「日本国憲法」だけが、いまも改正されず、残っているという経過である。

○問題点の七　②項の末尾、「国の交戦権は、これを認めない。」との記述の意味

(1)「交戦権」とは？　学説上、大別して三つに分けられる。

第一説は、「交戦権の諸権利とは、戦時国際法規（例えば、一九一〇年一月二十六日に効力発生の『陸戦ノ法規慣例ニ関スル条約』――日本も批准し同十二年発効）で認められる、相手に対する攻撃、臨検、拿捕など交戦国に認められる一切の権利をいうとする。

第二説は、単純に「国家が戦争を行う権利である」と解する。

第三説は、右の二つを併せ持つとする説である。

日本の学者は、一般に、第三説をとると解釈がむずかしくなることから、第二説、つまり、単純に「国家が戦争を行う権利」とするが、筆者は、法文である以上、そんな抽象的な内容を規定したとは思われず、第一説が正しいと考えている。外国の国際法学上でも、第一説をとるのが普通である。

(2)こうして、見てきたように、日本国憲法第九条は、素直に解釈する限り、第九条には、マッカーサー元帥の日本占領政策の意図が濃厚に見られ、日本に将来にわたって軍備を持たせないこと、再軍備をさせないことが、あらゆる面・角度から、二重、三重に規定されている、と考えられる。

○問題点の八　②項の冒頭の「前項の目的を達するため、」について、見解が分かれる

(1)この「前項の目的を達するため、」という文言は、当初のアメリカ案には無かったものだが、昭和二十一年七月に開かれた憲法改正小委員会で、芦田均小委員長（衆議院議員、のち首相）の発言から、芦田小委員長が、日本の再軍備に道を開くため、秘かに挿入されたものとされ、それが通説化している。

(2)すなわち、もし、そうだとすると、こう論拠づけられる。つまり、①項の中の「国際紛争を解決する手段としては、」を侵略戦争の場合を意味するものと解釈し、かつ、②項冒頭の「前項の目的を達するため、」を、①項のそれを受けたものと解釈すると、②項後段「陸海空軍その他の戦力は、これを保持しない。国の交戦権は、これを認めない。」は、すべて、侵略戦争の場合だけに適用さ

れ、したがって、「自衛戦争や制裁戦争などのためなら、陸海空軍その他の戦力も保持し得るし、交戦権も有する」と解釈することができるからである。

(3) この発言以降、日本政府の見解は、多かれ少なかれ、この論法を用いているので、そうした理由から、②項冒頭の「前項の目的を達するため、」の文言の存在意義は大きいと言える。

(4) しかし、当団体の毎月一回開催されている「自主憲法研究会」(=新しい憲法をつくる研究会)に、昭和五十八年前後、熱心に出席されていた森清衆議院議員が、その当時の議事録や公式記録を調べた結果、それらをすべて調べた結果であるとして、そうした芦田均衆議院議員が挿入したとする記録は見当たらない、として疑問を提起し、しかも、その調査結果を克明に記した著書も発刊しておられるので、当団体としては、この問題については、いずれ後世、学者の研究に委ねたいと考えている。

(5) ともかく、この憲法第九条については、以上に掲げたように、余りにも学者の見解が分かれすぎる。上述の「前項の目的を達するため、」がどこにかかるかなどを巡って解釈が分かれ、昭和の当時、参加した学者の一人が調べたところ、その組み合わせにより、学説が十八通りにも分かれたとの報告もあった。

それに付けて、筆者としては、いやしくも憲法と名がつくとなれば、それは、国家の基本法だから、学者によって十八通りにも解釈が分かれるなど、言語道断であると思う。

したがって、筆者は、国家の基本法という以上、小学校の高学年程度の学歴の国民が読んで、素直に分かる文脈・文言であることが、求められていると考え、そうした認識で、解説をし、問題点を指摘し、改められるべき改正案も、案文している(後掲)ことを、ここに、付言しておく。

○問題点の九 「第九条を持つ現行日本国憲法」は、「独立主権国家の要件」を充たすか?

(1) この課題は重要である。まず、「独立国家」ないし「独立主権国家」とは何かというと、一般の辞書を引くと「国家が、その対外的および対内的な行動に関して、他国の国家権力に従属しない権利を持っていること」と定義されている。憲法学でも、多くはここで留めている。

(2) しかし、ここで注意しなければいけないのは、中世期・近世期に生まれた西欧の専制君主国家においては、自国の主権・独立性は絶対であり、その覇権を巡って戦争が絶えなかったことの反省から、近代・現代になると、国際協調の精神から、国際連盟、国際連合などをはじめ、国際機関ができるようになり、国々が、そうした国際関係上ないし二国間で、憲章・条約・協定・議定書・規約・宣言・決議等々、名称はともかく、外国との多くの取決めが生じるようになった。

(3) そして、ただ、国際会議で自国の外交官が同意したというだけでは足らず、その国家は、その外国との合意について、その国の国会で承認を受けるなど法的な確認手続きをする必要があり（これを「批准」という）、その批准書を関係国が相互に交換して、初めて効力が発生する。

(4) したがって、もし、それら国際法上の条約等が、自国憲法と矛盾・抵触・齟齬する場合には、自国憲法の条項を改正する必要がある、ということになった。そうしたことから、諸外国では、その憲法を数十回も改正しているわけである。

しかし、わが日本国も、たくさんの憲章・条約・協定・議定書・規約・宣言・決議などを批准・締結しているが、わが国の場合は、憲法改正の声が全く挙がらないことにも、疑問を持っていただきたい。

なぜか？　それは、マッカーサー元帥の日本占領・統治下では、諸外国との外交はもちろん日本側には認められず、マッカーサーの占領・統治を成功させるため、連合国軍総司令部（ＧＨＱ）の職員の中から選ばれた「日本国憲法起案委員会」によって、つくられた「日本国憲法」は、権限を大幅に制約された天皇制を許し、国会、内閣、裁判所も認めたが、マッカーサーがそれらの上に立って間接統治する占領政策であり、日本人は、この「日本国憲法」のみが貴い、と徹底的に教え込まれ、国際法・外交などは（占領統治者である自分がやることだから）、日本人は勉強する必要はないとしてきたのが、今もそのまま日本に残り、日本の学会に大きく影響してきているからである。

○問題点の十　「国際連合」創設の意義

(1) ヨーロッパでは、中世～近世～近代と、戦争が絶えず、特に第一次世界大戦の悲劇から、一九二〇年（大正九年）、ヴェルサイユ平和条約で「締約国ハ戦争ニ訴ヘザル義務ヲ受諾シ」で始まる「国際連盟規約」を締結したが、それから二十年も経たないうちに、ドイツ、イタリア、日本が、この国際連盟から脱退宣言をして、第二次世界大戦が勃発し、膨大な人命の犠牲の上で、連合国は、イタリア、ドイツ、日本を撃破・降伏せしめた、という歴史経過であった。

(2) 勝利したアメリカはじめ連合国は、今度こそ戦争のない世界をつくるとして、前記の「国際連盟」に代えて、「国際連合」を創り、国連憲章を制定した。その国連憲章は、地球上どこかで、紛争が起こり、特に軍事対立となったときは、国連に加盟を認められた独立主権国家たちが、国連からの要請により、その兵力を紛争地域へ派遣して、その軍事抗争を拡大させないよう、紛争当事国の軍隊の衝突を阻止する仕組みをつくった。

国連憲章の条項を見ていただければ分かるように、最初から最後まで、正にそのための安全保障規定が列記されている。

(3) 反面、第二次世界大戦の敗戦国であるイタリア、ドイツ、日本には、占領下では当然、軍事力は認められないが、講和条約が成立して、独立を認められてからは、イタリアも、ドイツも、独立主権国家となるということは、「自分の国は自分で守る体制を持つのは当然である」として、その憲法を改正して、陸海空軍をつくり、再軍備して、国際連合にも加盟させてもらい、その国際連合憲章に従い、国連からの要請により、地球上の軍事衝突地域に出掛け、中に割って入って、戦闘が激化しないよう、正にその派遣部隊員の命をかけて、国際連合のため、尽力しているわけである。

○問題点の十一　非独立国憲法を憂えた人物　吉田茂総理

(1) これに対して、日本はどうか。イタリア、ドイツのように、憲法を改正して再軍備することもなく、占領下では軍隊を持たせないというマッカーサー元帥の占領・統治政策のままである。

それも、日本は、七十年以上も経つのに、その憲法を一度も改正することなく、占領下のままの現状である。それは、独立主権国家の体裁ではなく、植民地憲法、属国憲法、非独立国憲法の内容のままである、ことを、日本国民もぜひ認識していただきたい。

(2) しかし、こうした日本の現状に、大層憂えていた政治家が、数人いる。その一人は、吉田茂総理である。吉田茂総理は昭和二十一年六月二十六日の衆議院での答弁の中で、(日本は占領下なのだから)「第九条は、自衛権の発動としての戦争も、交戦権も、放棄している。」と答弁している。

しかし、昭和二十五年六月二十五日、朝鮮戦争が勃発し、マッカーサー元帥は、駐留軍を率いて朝鮮半島へ出撃するに当たり、同元帥は吉田茂総理に書簡で「七万五千人の国家警察予備隊を創設するよう。」指示。吉田総理は翌月には「警察予備隊令」を公布。

昭和二十七年四月二十八日、サンフランシスコ講和条約が発効するや、保安隊を設置して、自ら保安庁長官を兼任し、同八月四日、その保安庁の幹部を集め「新国軍の土台たれ。」と訓示している。

次いで、吉田総理は、昭和二十八年九月、保安隊を自衛隊に切り換えると発表して、昭和二十九年三月八日、防衛庁設置法案と自衛隊法案を決定し、同六月九日にはその両案を公布している。十一月十五日には自由党憲法調査会が改憲要項を発表している。

政治評論家の細川隆元や細川隆一郎は、そのことを良く認識していたが、その後の政治評論家や学者は、「岸信介は吉田内閣を打倒したのだから、吉田茂と岸信介は犬猿の仲だ。また、吉田は、憲法改正反対で、岸は憲法改正だから、政策も正反対である」などという論説が多いが、そうした認識がどれだけ日本を誤らせたか、悲しい思いである。

(3) 昭和二十八年二月二十八日、吉田茂総理は、衆議院予算委員会で、右派社会党の西村栄一議員との質疑応答中、「バカヤロー」と発言したことが問題となり、辞任を迫られたが、これに対し、吉田総理は同年三月十四日、衆議院を解散した(バカヤロー解散)。

その総選挙前に、実弟・佐藤栄作が、外遊中であった岸信介の自由党入党手続きをとっていたので、同年四月十九日の開票の結果、岸信介は当選し、戦後の政界に復帰した。

そこで、岸信介は、その当選挨拶に、吉田茂総理にお会いしたところ、「岸さんには、自由党の憲法調査会の初代会長に就任してもらいたい。」と要請されて承諾し、翌年昭和二十九年三月十二日、その発会式を行い、正式に自由党憲法調査会長に就任している。

○問題点の十二　保守合同「自由民主党」成立の意義　岸信介総理

(1) 昭和二十九年十一月八日、自由党を除名された岸信介は、鳩山一郎氏を党首に立て、日本民主党を創設し幹事長となり、同十二月十日、第一次鳩山一郎内閣を成立させた。

次いで、左派社会党と右派社会党が統一する動きがあるとの情報から、このままでは社会党に天下を取られることを憂え、自由・民主両党の保守合同運動を積極的に進め、翌昭和三十年十一月十五日、その保守合同を実現して「自由民主党」を成立させ、その幹事長。その初会合において、鳩山一郎総理は「憲法改正は日本再建の基礎である。」と所信表明している。

鳩山一郎総理が、なぜ憲法改正運動を進めたか。それは遡って、昭和二十六年九月八日締結されたサンフランシスコ講和条約が、翌年四月二十八日に発効して、日本は形の上で独立国となることを認められ、早速、国連への加盟申請を出したが、国連側は、国連への加盟は、その憲章にあるように、紛争地へ軍隊派遣が条件となるので、陸海空軍不保持・戦争放棄の憲法を持つままの日本では、独立主権国家とは言えず、日本の加盟をなかなか認めてくれなかった。

当時の日本としては、国連に加盟ができて初めて、国際社会で一人前とみなされると考えており、それは、自由党の吉田茂総理のときから日本の心配ごとで、それには、これまでの保革伯仲状態を脱するために、自由党と日本民主党が保守合同して、憲法改正に必要な衆参各議院の総議員の三分の二以上の賛成を得る可能性を、国連に示すことが必要であると考えていた。

(2) その点で、この保守合同は、効果があり、アメリカの口利きもあったので、国連は、昭和三十一年十二月十八日、やっと、日本の国連加盟を認めてくれた。「自主憲法制定」を旗印にしたこの保守合同は、そうした裏の事情があったことを理解していただきたい。

昭和三十二年二月二十五日、岸信介内閣が誕生する。そこで、岸内閣は、国際社会で一人前に扱われるには、国連憲章の設立趣旨・条項からしても、早く第九条〈戦争放棄〉の条項を廃止・改正して、第二項なりで他国への侵略戦争はしないと明言した上で、再軍備をしないと、日本は、国際社会から独立主権国家として、一人前に見なされない、という危惧が、当時の保守党首脳にとって共通の認識であったわけである。

(3) 著者は、安保騒動の時期に、西武グループ総帥の堤康次郎衆議院議員（元衆議院議長）の総帥秘書室に勤務しており、その折、堤康次郎衆議院議員が吉田茂元総理と岸信介現職総理のお二人を大層尊敬しており、安保騒動が始まると、お二人を西武の箱根湯の花ホテルにお招きし、毎月一回、会食・懇談されていたのに随伴したご縁もあり、のちに、昭和五十三年十一月以降、岸信介元総理創設の四団体の執行役員を委嘱され、今日にいたっているわけだが、その当初、「世間では、吉田茂先生と岸信介先生は犬猿の仲のように言っていますが、箱根湯の花ホテルの清談会で、お仲がよいのに驚きました。」と申し上げると、岸信介会長は、「それは、そうだよ、政局を争ったあの時代でも、お互いに私怨のためではなく、国家のために争ったのだからネ。それは、互いによく分かっていたからネ。それに、吉田家と岸家とは縁戚でもあるしネ。」と言われたことを思い出す。

(4) なお、筆者が最初に執行を命ぜられた岸信介会長が創設された「(財) 協和協会」での毎月二回の月例会などで、当時、会員の方々からの質問に、岸会長が答えられた内容を総合すると、そこでも、岸先生は、サンフランシスコ講和条約が発効し、昭和二十七年四月二十八日、連合国による日本占領が終わり、ともかく形式的には独立国家となった。そこで次に日本が目指したのは、国際連合に加盟させてもらうことであった。そのために、国際連合憲章を読むと、そこには、「これからの国際社会で、再び戦争を起こさないために、国連加盟国が、国連からの要請に基づいて、紛争・戦闘地域に軍隊を派遣して、戦争が拡大しないようにする。」ことが義務づけられている。

したがって、国連に加盟して、できればその中核となるためには、戦争放棄を掲げた現行日本国憲法第九条を改正し、再軍備しないと加盟させてもらえないのではないかと恐れていた。その点では、吉田茂元総理はもちろん、当時の保守党の首脳は同じ認識であった、と説明されていた。

(5) また、岸信介先生は、総理となった二カ月後の六月十九日に、ワシントンに出向き、アイゼンハワー大統領と会談したときを回想されて、日本を占領統治したマッカーサー将軍が、大層気難しい方、と聞いていたので、アイゼンハワー大統領は、第二次世界大戦でヨーロッパ戦線の総指揮をとり、勝利を収めた名将なので、マッカーサーよりも気難しいのではないかと心配していたが、お目にかかってみると、驚くほど穏やかで、よく話を聞いてくれた。

まず、お目にかかった最初の御挨拶のあと、マッカーサーが置いていかれた日本国憲法の改正条件が極めて厳しいので、いまだに改正できないでいる事情をご説明すると、大層同情してくれた。そこで胸襟を開くことができた。すると、ゴルフを一緒にしないかとの思いがけないお誘いがあり、ゴルフ場へ出向き、ゴルフのあと、一緒にシャワーを浴びる仲になった、という経過についても、お話があった。

(6) すなわち、アイゼンハワー大統領が、日本の再軍備に反対ではなく、憲法を改正して再軍備することは、独立国として当然だ。むしろ再軍備して、アメリカの同盟国として、協力してくれとのご意向が分かったので、その前提として、まず、不平等な日米安保条約の改正から進めていく方針を立てた。

そして、その日米安保条約改訂の署名も済んだ折に、アイゼンハワー大統領に、両国の批准も済んだ頃合いを見計らって、訪日を要請したところ、大統領は、快く承知してくださった。

そこで、翌昭和三十三年十月九日、岸信介総理は、米NBC放送記者のインタビューに答えて、「日本は、いまこそ、憲法第九条を廃止のとき。」と発言している。

(7) ところが、翌年、日本国内では、国会近辺であのような反対デモが起こり、大統領の訪日のため、ハガチー秘書を先遣隊として派遣されたのに対して、デモ隊が、ハガチー秘書の乗用車を取り囲んだため、ハガチー秘書が米軍ヘリでやっと脱出して、大使館に入られたという事件が起きた。(岸総理が、デモ隊により総理官邸に閉じ

込められた際について、当時の郵政大臣・植竹春彦参議院議員の貴重な証言があるが、ここでは省く）

岸総理のとき、警視庁予備隊を警視庁機動隊と改称していたが、当時はまだ十分な体制ではなかったこともあり、岸総理は、この状態で大統領をお迎えして大丈夫かと心配されたが、そのときは、なんとか、大統領をお迎えしたかった、と言われる。

しかし、樺美智子という女学生が、六月十五日にデモ隊に押されて、国会の鉄格子に挟まれ圧死した事件が起こり、そこで、こうした人死事件が起き、治安が十分でないまま、大統領をお迎えするのは国際儀礼にも反すると考え、退陣を決意した、と言われていた。

(8)

著者は、当団体の会長であった岸信介元総理のそうした述懐を、いまでも想い出し、岸信介会長の御心中を察し、腸が煮えくりかえる思いである。あのときに、デモ隊が、ああして集まって騒がなければ、六十年前に、安保条約改定に続いて、植民地憲法、属国憲法を改正して、日本は真の独立主権国家になっていただろう、と考えるからである。

デモには、煽動者がおり、それに踊らされて、事情もよく分からないままに、付和雷同するわけだが、青年・学生も十分に考えて行動してほしい。あのデモに付和雷同したために、日本は、あの安保騒動から六十年経っても、いまだ、真の独立主権国家になれないでいることを、よく認識してもらいたい。

(9)

また、岸信介先生について、あの安保騒動の頃に、批判・攻撃本がたくさん出ている。それを種本にして、今日でも、悪徳だの悪運だの極右だの妖怪だのと冠した著書が、たくさん出ているが、著者は、上述のように、岸信介先生が総理のときに、御面識をいただき、昭和五十三年秋にお呼び出しを受け、岸先生が創立された四団体につき、次々と執行を命ぜられ、岸信介先生の晩年、十年間にわたり、いろいろとお話をうかがっているので、「岸信介なる人物」は、その時々の地位に応じて、常に全智全能を傾け、日本のために尽された傑出した人物である。世間にこれほど誤解されている人物はいない、どうして世の中は、こうした間違った評価をするのか、残念でならない。

昭和天皇が、御生前の昭和六十二年八月七日、岸信介元総理逝去の報に接するや、その死を悼む御製を三首お詠みになっておられる。これは極めて少ない例である。英邁（えいまい）なる昭和天皇は、よく人物をご覧になっておられる、ありがたいこと、と感動している。

○問題点の十三　第九条をそのままにしつつ、自衛隊の存在を追記しようという考えについて

(1)　近年、自由民主党の憲法改正推進本部が提起した「四項目改正案」の中に、現行憲法第九条の文言はそのままにして、「自衛隊の存在」を憲法上明記することが、提案されている。安倍晋三前総理も、この案を推進しておられる。

この憲法改正推進本部案は、一部の学者が関与して創ったものと聞いているが、その「現行第九条をそのままにした上で、自衛隊の存在を、③項として追記し、あるいは、〔第九条の二〕として憲法に掲記する」との考えは、法制度の理論を無視したものであると同時に、もし、そうした改正が実現すれば、自衛隊の活動は、これまで以上に制約されることになる。

(2)　なぜか？　著者は、何冊も出版している本の中でも、また、本書の序章や各章の中でも述べているように、いわゆる大陸法（ヨーロッパ大陸のドイツをはじめとする法制度）の理論の上に立っているので、それからすると、自民党憲法改正推進本部案は、法制度の基本原則を無視したものであり、また、もし強行すれば、大陸法系の近代憲法学上、自衛隊はこれまで以上に困難な立場に立たされる、と考えている。

その法理論には、「構成要件該当〜違法性判断〜責任性判断なる法的三段論法」とか、容疑者の言動・行為のときに処罰規定がなかったのに、後から法律をつくって処罰することは許されないという「効力不遡及の原則」とか、いろいろあるが、ここでの問題は、「上位法・下位法の原則」という法理に反するからである。

(3)　そこで、以下に、「上位法・下位法の原則」について、解説しておこう。すなわち、法体系には、上に立つ法とその下にある法とがあり、下位の法は、上位の法に逆らえない。逆に言えば、上位の法の許す範囲でしか、下位の法はつくれない、という原則である。そうでないと、法秩序が守れないからである。

いま、日本国の法制度の用語で、上位法から下位法への順序を記すと（いま国際法を入れないで、国内法だけでみると）、まず、トップに日本国憲法があり、その下に、国会がつくる法律があり、その下に内閣がつくる政令があり、そして、その下に地方自治体がつくる条例がある、という順序となる。こうした法体系によって、国家の法秩序は守られているわけである。

この、憲法↓法律↓政令↓条例という順序は、国民の皆さんにぜひ覚えていただきたい。

(4)　次に、この法原理は、右の憲法、法律、政令、条例の各条項の中においても適用される。すなわち、憲法にせよ法律にせよ、原則的条項が最初の方に置かれ、そうでもない条項はうしろの方に置かれる。つまり、第一条とか第二条は、その法律の基本的な事項が規定され、以下

第三条とか第四条は、それらの解釈規定・補足規定・例外規定が置かれる、という具合である。

ヨーロッパ大陸で生まれたこの「上位法・下位法の原則」なる法理は、ヨーロッパの文章が横書きなので、この「上位法・下位法の原則」は理解されやすいが、日本の法文は基本的に縦書きなので理解されにくい。しかし、まさか「右上位法・左下位法」とも言えまい。この「上位法・下位法の原則」は、法制度の価値認識の問題だからである。

さらに、この原理は、一つの条項内でも適用される。例えば、同じ条文内でも、原則的な事項は①項に掲げられ、②項にはそれを具体的に説明したり補充する文言が置かれ、③項には特に例外とされる事項が置かれる、といった具合である。

(5) 以上の「上位法・下位法の原則」の仕組みが御理解いただけたとして、それでは、この原理を、「日本国憲法」第九条に当てはめてみよう。

現行第九条の主要な内容は、「武力行使の永久放棄」と「陸海空軍の不保持」、そして「(独立主権国家には国際法上認められる) 交戦権の否認」の三つであるが、この三つをそのままにしておいて、実質上、軍事力を持っている自衛隊を、明文を以て追記するということは、法理論を重視する大陸法学からすれば、矛盾と言わざるをえない。

前記の自由民主党憲法改正推進本部案のように、あえて、現行第九条の規定を存続させたまま、「自衛隊の存在」を、③項を設けて明記したり、あるいは、「第九条の二」を新設してその中に明記したりしても、それは、第九条に掲げてある「武力行使の永久放棄」「陸海空軍の不保持」「交戦権の否認」の三原則によって制約されることになり、そうした「自衛隊」について追記すれば、むしろ、「自衛隊の違憲」はよりハッキリしてきて、これまでの最高裁判所の判例は、いろいろと政治的経過に配慮して、なんとか、ぎりぎり合憲としてきたが、もし、自民党案によって現行第九条に自衛隊を追記すれば、向後、自衛隊の是非について訴訟が起こされた場合、最高裁判所としても、「自衛隊違憲」の判断を下さざるをえない、ことになるだろう。

(6) したがって、当団体で勉強している元自衛隊幹部はもちろん、法律のわかる現役自衛隊幹部たちは、この自民党憲法改正推進本部の現行第九条をそのままにして「自衛隊」を追記する案について、深刻に憂えているわけである。

こうして、第九条問題について、学者や政治家も、認識・考え方が異なるのは、「憲法」という学問を学ぶ根底に混乱があるので、以下に、その学問上の問題点を解説する。

○問題点の十四　「憲法」を学ぶ学問上での、日本特有の問題点について

(1)　もっとも筆者による「大陸法系学説」は、第二次世界大戦前までは、ヨーロッパはじめ、日本でも有力な法体系理論として、戦前の高等文官試験では、それが中心であったが、第二次世界大戦において、アメリカやイギリスが戦勝国として、世界の中心となる地位を占めるのに伴い、理論より判例を重視するいわゆる英米法系学説が、日本でも次第に制圧して行き、上述した厳格な法体系・法理論構成を持つ「大陸法系学説」は、後退しているのも現実である。

ここで、アメリカやイギリスが採用している「英米法系学説」とは何か、それを説明しておくと、中世期から、ヨーロッパ諸国の中で、イギリスは、当初は、専制君主国家として出発したものの、イギリス王国は、大陸での専制君主国家の横暴・圧政による住民との衝突を横に見て、時代を先取りし、王室みずから、その国民に政治参加を認めたり、裁判権も王室が握っていたのを、住民側の意向に配慮して、比較的合理的な判断を下したので国民も納得し、またイギリス王室が長く続いてきたこともあって、そうした永年の伝統・慣習が、いわば「慣習法」として、定着してきた。つまり、王政下での議会、行政、裁判所の判例が、慣習法として、住民からも認められてきたわけである。

そして、アメリカも、建国前の十一～十三の植民地の多くはイギリスの植民地で、イギリス法制に慣れており、独立後もイギリス法制を採用したので、今日でも、イギリス、アメリカの法制は、永年の慣習を重んじ、裁判所の判例を重視する「英米法」系である。

(2)　日本も、第二次世界大戦に敗北して、アメリカの占領下、その施政下に入った結果、次第に英米法系になじむようになった。戦前は、高等文官試験でも、大陸法系の合理的理論が多く出題されたが、近年ではますます英米法系に傾き、最高裁判所の判例が、公務員試験に多く出るようになり、したがって、法理論よりも、判例を暗記する「暗記もの」となったので、みな判例を覚えるのに大変な苦労をしているのが現実である。

こうして、過去に重視された法理論よりも、暗記ものになったことから、近年では、憲法解釈も、法理論はどうでもよい風潮が強くなり、前記の自民党改憲案も、憲法学者の「現行憲法をそのままにした上で、自衛隊の存在を明記すればよい」との進言によるものと聞く。筆者は、最高裁の判例も必要だが、その根底に大陸法系の法理論があることを忘れてはならない、という立場なので、

学界のこうした傾向を憂えている。

(3) さらに、日本独特の問題がある。それは、憲法学が、一般には法学部にあるのが当たり前であるが、日本では、昔から政治学部にもあることである。それは、明治二十二年二月二十二日の明治憲法制定前からある問題で、東京帝国大学内の政治学部の中にも、憲法学の講座があり、そこの教授は、日本は、岩倉具視を団長とする欧米視察団が視察してきた結果、『大日本帝国憲法』を制定しようとしているが、そんな外国の憲法はいらない。日本にはとうに聖徳太子による『十七条憲法』があるではないか、日本は『十七条憲法』でいけばよい、といったいわゆる皇国史観に立っていたことである。

そして、そうした皇国史観の教授は講義に先立ち、教室内に掲げた神棚に柏手を打ってから、憲法講義を始めるなどの行為があり、それは日本を敗戦に導く一因となった。

すなわち、「法学部の憲法学」が大陸法系の法制度理論を学び研究するのに対して、政治学部（ないし政経学部）の中の「憲法学」は、「本来、憲法はこうあるべきだ」とする『立法論』なので、前述のように、「大日本帝国憲法」が施行されるまでの二十年間も、日本は聖徳太子による『十七条憲法』であるべきだとする抵抗があり、明治天皇の御聖断により西欧式の「大日本帝国憲法」が施行されたのちでも、明治陛下御聖断だから認めはするが、その解釈は、極力、皇国史観によって解釈すべし、としたのである。

(4) 日本を占領したマッカーサー元帥は、日本が軍国主義化したのは、そうした皇国史観にありとし、占領行政に携わる連合国軍総司令部（GHQ）の優秀な職員を、文部省に配置して徹底監督・指導させ、そうした皇国史観の法学者は、学校現場から追放した。

他方、占領・統治したアメリカの法制度は、前述したように、大陸法系ではなくて、英米法系なので、占領行政はどうしても、英米法系主導であり、そのため、大学教育でも、次第に、大陸法系学者よりも、英米法系学者が増えていったという経過である。

また同時に、占領行政で、マッカーサーの指示のもと、連合国軍総司令部（GHQ）の職員から選抜された「日本国憲法起案委員会」によって創られた「日本国憲法」は、絶対で、この「日本国憲法」に反する講義をした教授は追放された。

そのため、現在の日本では、大学の法学部で、大陸法系の合理的理論を講義する教授が少なくなり、また、前述の政治学部の憲法学者は、その内容を法理論として掘り下げることよりも、ただ「日本国憲法はすばらしい、今のまま改正しないでよい」といった立場、いや宗教的信念を主張する教授が多いので、日本では、法律という学問は、理論面でかなり後退してしまっている、ことが嘆かわしい。

(5) また、大陸法系の法制度理論というと、学者の中には、それは、刑事法の理論で、民事法の理論ではないなどという学者がいる。確かに、法学は刑事法から始まっている。それはなぜかというと、中世に経済力と武力に優れた人物が、ある一定の土地を囲い込み、そこの住民を支配した専制君主国家において、君主は、立法・行政・司法の三権を一手に掌握して、言うことを聞かない住民の身体を拘束し、生命を奪ったことから、住民にとっては、まず、その生命と身体を保障してもらうことが何よりも切実な課題だったので、近世に出現した近代思想家たちも、まず、生命・身体の保護を第一として、刑事理論の構成から取り組んだからである。しかし、法制度理論の根底は同一である。

現代の学者は、民法、商法、労働法等々に独自の理論を打ち立てて自己の権威を高めようとするが、そのために法制度理論が混乱してしまっている。筆者としては、法制度理論は、上述の経過により、ドイツを中心とする大陸法理論を基礎において考えている。

(6) 筆者としては、敗戦・占領下で、英米法系が入ったことは反対ではない。それまでの大陸法系理論だけだと柔軟性に欠けるところもあったので、大陸法系理論を基礎としつつ、英米法系の判例をも参考として、両両相まって、学問的に良い方へ向かってほしいところだが、いまや法学は、判例を暗記する「暗記もの」となってしまったことは、残念でならない。大学の法学部教授に、ぜひ奮起していただきたい、と念じている。

(7) また、いまの憲法学者は、日本国憲法だけが絶対であって、国際法や国際連合憲章は、別物であるかのように論ずる人々がいるが、それは、マッカーサー元帥の日本占領下で、大学へ指示を出して、占領下の日本人は、外交権もなく国際社会の一員でもないのだから、「日本国憲法」のみ尊いとして、その解釈学だけを勉強していればいいんだ、という教育をした名残というべく、戦後七十五年、学者も、もう、そうした考えは払拭してもらいたい。

戦後の「国際連合」は、第三次世界大戦を起こさないために、独立主権国家が、世界のどこかの地域で戦闘があったときは、それを拡大しないよう、国連加盟国が、国連からの要請によって、自国の軍隊を派遣して、世界の安全を保障するのが、設立趣旨である。

すなわち、独立主権国家とは、「自分の国は自分で守る体裁」、すなわち、軍隊を持つことが前提であることに思いをいたし、日本も「独立主権国家」だというのならば、同じ敗戦国のドイツやイタリアが、独立とともに再軍備したように、日本も再軍備すべきである。そして、過去の歴史の反省から、その条項に、「日本は他国を侵略することはしない。」ことを明記すればよい。

▽さて、つい筆が走ってしまったので、元へ戻すとして、第九条〔戦争の放棄〕規定について、次に、では、どういう規定を置くべきかである。この課題については、筆者がすでに何冊もの著書で、その条文を挙げ、解説しているが、今回は、著者が近年さらに精査してまとめた新設案を、以下に掲げることにする。

〔第七節　現行第九条に代え、新設すべき各条文の解説・問題点〕——独立主権国家としての再軍備——

▽以下、第九条に代わる清原淳平の新設案

その具体的な条文については、のちに明記するが、まずは、それにはどういう条項があるのか、認識いただきたく、その条文の表題部だけを、掲げておこう。

○要新設の一〔独立主権国家として、陸海空軍の保持とその行使〕
○要新設の二〔内閣総理大臣の陸海空軍指揮権〕
○要新設の三〔内乱など治安出動する場合の要件〕
○要新設の四〔国際連合からの要請に応ずる義務〕
○要新設の五〔他国からの攻撃・侵略があった場合の対処〕

▽右の五カ条の新設すべき条文の具体的内容を、以下に列記しておく。

要新設の一〔独立主権国家として、陸海空軍の保持とその行使〕

清原淳平の新設案

▽〔独立主権国家として、陸海空軍の保持とその行使〕
①わが国は独立主権国家として、自衛のため陸海空軍その他の戦力を保持する。
②わが国は、過去の歴史を踏まえ、他国を侵略する戦争を否認する。
③わが国の自衛権は、すでに加盟している国際連合憲章第五十一条の規定に従い、個別的自衛権はもちろん集団的自衛権をも保有する。

要新設の二〔内閣総理大臣の陸海空軍指揮権〕

清原淳平の新設案

▽〔内閣総理大臣の陸海空軍指揮権〕

① 内閣総理大臣は、陸海空軍その他の戦力の最高指揮官である。

② 前条の規定により、軍事行動または治安出動が必要になった場合には、内閣総理大臣は、自己の責任において、陸海空軍その他の戦力を指揮する。

③ 内閣総理大臣は、必要に応じ、担当国務大臣その他軍事専門家に、現地の指揮をとらせることができる。

④ 外国からの攻撃・侵略を受けた際、内閣総理大臣が欠けていた場合に、憲法の規定によって新たに内閣総理大臣を指名するいとまがなく、緊急を要するときは、副総理大臣または予め指名されていた大臣が、臨時にその職務を行うものとする。

⑤ さらに、前項の大臣が欠けたとき、または予めの指名がなかったときは、緊急の場合に限り、衆議院議長がこれにあたり、衆議院議長も欠けたときは、参議院議長がこれにあたり、それも欠けたときは、最高裁判所長官がこれにあたる。

要新設の三〔内乱など治安出動する場合の要件〕

清原淳平の新設案

▽〔内乱など治安出動する場合の要件〕

① 陸海空軍その他の戦力が、外国と呼応するとしないとにかかわらず、武器を所持して内乱・反乱を起こす事態が発生した場合に、警察力では対処できないときは、内閣総理大臣は、内乱に加担していない部隊を以て、その内乱の鎮圧を命ずる。

② 緊急止むを得ない場合、内閣総理大臣は、国会の承認を得ずして、陸海空軍を治安あるいは鎮圧のため、出動せしめることができる。
ただし、この場合は、可能な限り速やかに国会を開いて、その承認を得なければならない。

③ なお、内閣総理大臣みずからが、独裁権力を得る意図などから、反乱軍を率いた場合については、前条⑤項の規定を準用する。この場合は、後日、国民投票により、その是非を国民に問わなければならない。

要新設の四〔国際連合からの要請に応ずる義務〕

清原淳平の新設案

▽〔国際連合からの要請に応ずる義務〕

① 国際連合に加盟している日本国は、国際連合が、再び世界戦争など大規模な戦争に発展しないよう、世界の各地域において武力対立が発生した場合に、国連加盟の独立主権国家は、国連からの要請によって、自国の陸海空その他の軍事力を、その地域に派遣する義務があることを認識し、日本国も独立主権国家として、国際連合の要請に応ずるものとする。

② 日本国は、国連加盟国の義務として国連からの要請、例えば、停戦の監視、地雷・機雷の除去、その他、監視・巡回、救援・輸送・医療・難民保護などの要請があった場合にも、その要請の範囲で、これに協力するべく、陸海空軍その人員を海外へ派遣するものとする。

③ 国際連合の安全保障理事会が、その多数の表決をもって、特定国を世界の安定を乱す侵略国であると認定し、制裁戦争への参加を要請した場合は、わが国とその特定国との関係に配慮した上で、国際連合の要請に応じ、宣戦を布告し、停戦を命じ、あるいは講和を結ぶことができる。

なお、この場合は、事前または事後に、国会の承認を得なければならない。

要新設の五〔他国からの攻撃・侵略があった場合の対処〕

清原淳平の新設案

▽〔他国からの攻撃・侵略があった場合の対処〕

① 日本国が、他国から攻撃・侵略を受けたときは、内閣総理大臣は、わが国の自衛権に基づき、これに対処するため、全国民に向け、国家非常事態宣言を発令する。

② 内閣総理大臣は、既存の安全保障法制に基づき、直ちに安全保障会議を開き、事態に対処するため必要な政令を発することができる。この政令は、のちに国会の承認を得なければならない。

③ 内閣総理大臣は、また、既存の法制ないし新たな政令を以て、緊急の財政処分をすることができる。この財政処分はのちに、国会の承認を得なければならない。

第十一章　「補則」の章全体の解説・問題点

第十一章　「補則」の章全体の解説・問題点

○問題点　「補則」とは何か？　また、「補則」と「付則」との違いについて

⑴　「補則」とは、「法令の本体的部分を成す規定を補うために、設けられた補完的な規定」をいう。法令には、よく「付則」（以前は「附則」とも書いた）という、この「補則」と紛らわしい言葉があるので、混同しないよう、区別していただきたい。

　ちなみに、「付則」という法律用語があるが、「付則」は、法令の一部をなす点において、本章にある法令の補完的役割の「補則」とは異なる。

　すなわち、「補則」という場合の具体的内容は、本文たる法令を制定するに当たっての「経過処置手続規定」をいう場合に用いられる。

⑵　以下に、現行「日本国憲法」が掲げている一〇〇条から一〇三条までの四カ条の規定を列記しておこう。その内容は「読んで字のごとし」で特に説明はいらないと思う。

⑶　ただし、憲法改正には、「部分改正」と「全面改正」がある。「部分改正」は、憲法の中の特定の条項を改正するものなので、部分改正であれば、この章の「補則」条項の多くはそのまま残るものが多いと思われ、また、その改正した条項を執行するに当たっての「補則」が付け加えられることもあるだろう。

　しかし、現行憲法になってからの「補則」は、明治憲法の補則とは全く異なり、現行憲法を執行するための準備手続、経過措置規定となっている。

　なお、この『国民のための憲法改正学への勧め』の改正案文について、その一部ないし数カ条ずつ改正するとなれば、この「第十一章　補則」の規定もほぼそのまま残ることになろうが、もし、本書が提案するように、ほとんどすべてについて改正するとなれば、それは、「全面改正」となるので、その場合は、その新憲法の補則も、全面的に書き換えられることになろう。

▽　ともかく、以下に、現行憲法の「第十一章　補則」の四カ条を列記しておく。

第一〇〇条〔憲法施行期日、準備手続〕

現憲法の条文

第一〇〇条〔憲法施行期日、準備手続〕

①　この憲法は、公布の日から起算して六箇月を経過した日（昭和二二・五・三）から、これを施行する。

② この憲法を施行するために必要な法律の制定、参議院議員の選挙及び国会召集の手続並びにこの憲法を施行するために必要な準備手続は、前項の期日よりも前に、これを行うことができる。

第一〇一条〔経過規定――参議院未成立の間の国会〕

現憲法の条文

第一〇一条〔経過規定――参議院未成立の間の国会〕

この憲法施行の際、参議院がまだ成立していないときは、その成立するまでの間、衆議院は、国会としての権限を行う。

第一〇二条〔同前――第一期の参議院議員の任期〕

現憲法の条文

第一〇二条〔同前――第一期の参議院議員の任期〕

この憲法による第一期の参議院議員のうち、その半数の者の任期は、これを三年とする。その議員は、法律の定めるところにより、これを定める。

第一〇三条〔同前――公務員の地位〕

現憲法の条文

第一〇三条〔同前――公務員の地位〕

この憲法施行の際現に在職する国務大臣、衆議院議員及び裁判官並びにその他の公務員で、その地位に相応する地位がこの憲法で認められている者は、法律で特別の定をした場合を除いては、この憲法施行のため、当然にはその地位を失うことはない。但し、この憲法によって、後任者が選挙又は任命されたときは、当然その地位を失う。

あとがき

私は、思わぬ経緯から「憲法改正学」に取り組んで、実に四十余年となる。その切っ掛けは、岸信介元総理の指示によるものである。なぜか？ 私自身、これは前世の因縁と思うよりほかないが、読者の皆さんも、その点、疑問を持たれると思うので、その経過について記しておく。

私は、まだ戦後混乱期の昭和二十七年に早稲田大学に入ったが、卒業論文で書いた『第二次世界大戦原因論』が勝村茂・助教授に認められ、大学院に進学することになった。そのころの日本は経済復興が課題であったので希望して、当時、アメリカのドラッガー教授が説く『イノベーション』（技術革新）の翻訳で知られた中島正信商学部長兼大学院商学研究科長に付いた。

そして、修士課程を経て博士課程の二学年の秋、亡父と交際があった五坪茂雄元衆議院議員が西武グループ創立者・堤康次郎衆議院議員（元衆議院議長）の顧問となっており、その五坪顧問から、堤康次郎会長が総師秘書を求めているので、ならないかとの勧めがあり、私も、これまで研究した「世界経済学」を活かせるのではないかと考え、堤康次郎邸に隣接する会長秘書室に入ったのが、昭和三十四年秋であった。

その当時は、岸信介内閣で、岸総理が、日本も経済発展のめどがついたので、国際会議場を関西につくる方針を打ち出し、これに応じたのが、当時の政界の有力者・河野一郎衆議院議員で京都の宝ケ池を推し、堤は郷里滋賀県の琵琶湖畔・皇子山を推した。そのため、堤はその陳情のため総理官邸に出向いたが、岸総理は、衆議院議長も務めた堤康次郎議員なので、総理執務室へ招かれた。その際、私は皇子山の図面を広げてご覧にいれるため、堤に随行した。

また、堤康次郎衆議院議員は、安保騒動が激しくなった昭和三十四年秋に、この国家の激動期に当たって、日頃尊敬していた吉田茂元総理と岸信介現職総理が密接に会談する必要があると考え、間に入って、このお二人を、月に一回程度ということで、堤が経営するホテルにお招きして、三者会談することを提案され、お二人もこれに同意された。

その会談場所は、警備の都合もあって、箱根の「湯の花ホテル」を定宿にすることになり、ほぼ月に一度お招きし、「清談会」ということで、食事を伴にし、三者会談をされたが、その折、私は、堤会長から随行を命じられたので、吉田茂元総理と岸信介現職総理の謦咳に接する機会があった。

翌年の昭和三十五年七月、岸信介総理は退陣され、清談会は終了したが、その秋、私は微熱が続くので、医師に診察してもらったところ肋膜炎をおこしていることが分かった。想えば、西武での秘書時代は、激務も激務、毎日、四時間とは眠れなかった。そこで、やむなく退職を申し出たところ、堤は、病気のことは言うなといわれたが、のちに、大番頭の川島さんから、当時としては多額の退職金をいただいた。

肋膜炎も結核の類型であり、当時は、結核で死ぬ人が多かったので、私は、都内板橋区内に、小さいアパートを買い、その室を貸しながら、自分もその中に住んで、養生に務めた。そうした経緯から、私は、以後は、秘書役は、絶対やらないことにしている。

そして、病気を治しながら、図書館に出向き、当初は、西武在職時代、西武と東急との間で、いわゆる「箱根山戦争」があり、その体験から、法律知識が必要だと痛感していたので、法律の勉強をした。その後、自分の性格は調整役向きで、裁判で争いの矢面に立つ仕事は向かないと考え、学生時代から関心を持った哲学の勉強へと移り、その研究成果を『相対的価値観養成教育への勧め』と題して出版社に持ち込んだところ、「哲学書は売れませんよ」、と断られた。

そこで、哲学を具現化するのは教育だと思い、その研究をし、その成果を『この教育をどうする！』との題名を付けて、教育書出版で有名な第一法規へ持ち込んだところ出版してくれた。そして、同社が教育評論家として売り込んでくれたので、私は、まず哲学者・教育評論家として世に出ていた次第である。

『この教育をどうする！』は結構評判になり、当時、民社党の竹本孫一衆議院議員や自民党の千葉三郎元労働大臣等々が、議員会館会議室に呼んで下さって、その内容について講話をさせていただいた。

すると、当初出版を断られた前記『相対的価値観養成教育への勧め』について、第一法規が出版してくれるという。ただ、題名は『人づくり世直しを考える！』にしてくれというのでお任せした。この書には前著『この教育をどうする！』に賛意を寄せて下さった錚々たる方々、例えば、櫻田武日経連会長、御手洗毅キヤノン㈱会長、高田元三郎毎日新聞最高顧問等々が、推薦人になって下さり、特に、報道界の大物・岡村二一（財）新聞通信調査会理事長は「これは私が多年待ち望んでいた救世の快著である」とまで書評を書いて下さり、私としては、大層光栄に思い、今でも感謝している。

こうして、私は、教育評論家ならびに哲学者として世に出たのであるが、昭和五十三年秋に、私の著書の読者であった植竹春彦元郵政大臣、千葉三郎元労働大臣、小島徹三元法務大臣等々から、「岸信介元総理が、来年の総選挙には出馬せず、以前から岸信介会長が設立されていた『財団法人　協和協会』を活性化したいと言われ、その実務執行者を捜しておられるので、君を推薦したい」と言われる。

そこで、そうした方々に伴われ、新橋と虎ノ門の間にある日本石油本館三階の「岸信介事務所」に参上し、岸信介元総理にお目にかかった。そして御挨拶のあと、私が「岸先生が総理の際、私は堤康次郎西武グループ総帥・元衆議院議長の秘書室におり、堤先生のお供で、総理官邸執務室へも参りましたし、箱根湯の花ホテルでの『清談会』にも随行し、御謦咳に接しております」と申し上げると、「あぁ、そうか、その時は苦労を掛けたネ」とねぎらって下さった。

そこで、私が「『財団法人　協和協会』という法人はどういう活動をするのですか?」とうかがうと、「政党・派閥・利害・打算の次元を超えて、国家的課題を追求する」といわれる。その構成メンバーについてうかがうと、「戦前、戦中、戦後に活動した指導者・体験者に集まってもらいたい。そして、日本が戦争に負けた原因は何かを検討するとともに、これからの日本はどうあるべきかを検討したい」とおっしゃる。

私はびっくりして、「私は、まだ四十歳台で、私には荷が重すぎます」とお断りをしたが、岸先生は、これも縁だ、やってくれ、といわれ、お引き受けすることになった。それから私は、各界の指導者経験のある方々を駆け回り、翌昭和五十四年一月十六日に、約八十余名の方々に議員会館の大会議室に集まっていただき、発会式を行うことができた。

すると、その月の末か二月初めだったか、岸信介会長からお呼びがあり、「私は、知っての通り、憲法改正を終生の念願としている。私はいま、自主憲法期成議員同盟会長とそれを支援する自主憲法制定国民会議会長をしている。君に、その議員同盟の事務局長と、国民会議の常務理事兼事務局長をしてもらいたい」とおっしゃる。私は驚いて「昨年、任命された『(財)協和協会』の活動でいま手一杯です」と御辞退申し上げたが、岸会長は「君ならできるよ、私が後ろ楯になる。引き受けてくれ。事務所は、私が会長をしている『自民党総合政策研究所』の室が、衆議院第一議員会館の一階にある。憲法改正は自民党の党是だ、そこを事務所にしてくれ、いま植竹さん(植竹春彦元郵政大臣)に案内してもらおう」とのお言葉。お断りできる情況ではなかった。

そこで、会館内の事務室に行き、植竹春彦先生にいろいろうかがってみると、「昭和四十四年以降、五月三日(憲法記念日)に、国民大会を開催してきているが、近年は、約二百人足らずで明治神宮の社務所内の会議室で開催している」といわれ、「それはどうしてですか?」という私の質問に、あまりお応えにならない。

困った私は、次の協和協会月例会の終わりだったか、岸信介会長に率直に「私は、十年位前から、新聞記事で、岸先生を会長に、五月三日に武道館で一万人もの人を集め、国民大会を開催されていると思っておりましたが、植竹先生のお話で近年はずっと二百人足らずの社務所付属会議室で開催とうかがってびっくりしました。どうしてそういうことになったのでしょうか？」とうかがった。

すると、(これからの岸会長の御発言は、本文の序章にも記してあるので、ここでは要約すると)、岸会長は、改憲運動に熱心な教祖からの要請で、昭和四十四年に、自主憲法期成議員同盟を民間から支えるということで設立された『自主憲法制定国民会議』の会長となった。

ところが、数年経って、その教祖がぜひお会いしたいというので会うと、その教祖が「私は、現行憲法無効・明治憲法復元を信念として、信者の方たちにそうした運動を指導してきている。ところが、ここ数年の五月三日の国民大会において、岸先生は、その冒頭御挨拶で現行憲法無効・明治憲法復元をおっしゃって下さらない。次の国民大会では、必ずおっしゃっていただきたい」という。

これに対して、岸先生は、「それはできない。いまの憲法ができて十年程度であれば、それも可能であったろうが、すでに二十年以上も経ったいま、もし現行憲法無効・明治憲法復元をしたら、再審請求を提起されて、日本は大混乱に陥るよ、と説明したのだが、その教祖はこの意味を理解できなかったようで、その場は和やかに分かれたのだが、次の五月三日の国民大会には、案内状も寄越さなかった。そこで、私は、現行憲法有効・合理的合法的改正の立場で、僅かなメンバーしか集まらなくても、私の信念に立ち、明治神宮社務所内で、開催してきているのだ。ところで、君は『再審請求』とは何か、分かるかネ」とおっしゃる。

そこで、私は、「それは、法的安定性と再審請求との兼ね合いの問題ですね。岸先生がおっしゃるように、いまの憲法ができて二十年以上にもなるのに、現行憲法無効・明治憲法復元となったら、その二十年余の間の憲法が無効となるのですから、その無効の憲法に基づいてつくられた立法府による法律、政府の政令、裁判所の裁判までもが、すべて、改めて審議し直してくれという再審請求を提起されてもやむをえないので、日本国は大混乱に陥るでしょう。

法制度には、法的安定性という原則があり、例え悪法といえども、長い年月、それが執行されていれば、それは有効となります。また、法制度には、効力不遡及という原則もあるので、実行の時に有効とされていたものを、後日、覆すことはできないという原則もあります。

したがって、岸先生のおっしゃることは正論だと思います」とお応えすると、岸先生はニッコリとされ、「そこまで分かっていれば、安心だ。『自主憲法』は、君に任せるから、私の精神（現行憲法有効・合理的合法的改正）を堅持して、なんとか、憲法改正を実現してもらいたい」とおっしゃるので、私も決心して、その日以降、自主憲法期成議員同盟事務局長と自主憲法制定国民会議の常務理事兼事務

局長を、お引き受けした。（現在は、後者の会長）

しかし、そのあとが大変で、そうとなれば、岸会長と同じ考えに立つ学者を捜して、憲法改正の研究会を開く必要があると考え、当時、憲法学者として名のある方々に、講師となっていただきたい、とお願いして廻った。ところが、そうした学者にはみな断られた。その理由は、「自分は、現行憲法の解釈学で、学者としての地位を築いた。著書も売れている。それなのに、いま改めて、改正学をやる冒険は冒したくない」ということであった。

また、憲法を研究している学会も訊ねたが、同じような解答だった。ただ一つ「憲法学会」を訊ねると、川西誠理事長、相原良一常務理事、竹花光範事務局長の三名の憲法学者がおられ、私のお願いを聞き、引き受けて下さった。

そこで、毎月一回、国会の議員会館の会議室にて、「自主憲法研究会」（のちに「新しい憲法をつくる研究会」とも称する）を、昭和五十四年の秋から開始した。この研究会は、自主憲法期成議員同盟会員の国会議員と自主憲法制定国民会議の有志とが参加する合同会で、前半は国会議員が国会情況の報告を行い、後半は学者の憲法学者が講義する、ことを基本としてきた。この研究会は、以来、四十余年、毎月一回開催し、その間、たくさんの憲法改正案をつくって発表してきている。

なお、前述した岸信介先生の方針に基づく「自主憲法制定国民大会」（＝新しい憲法をつくる国民大会）も、毎年五月三日（憲法記念日）の午後から開催してきており、令和元年五月三日には、その半世紀目の「第五十回　新しい憲法をつくる国民大会」を執行している。

しかし、当「自主憲法」の団体が、国会へ働きかけ、平成十二年一月から国会内で「憲法に関する調査特別委員会」が始まり、そして、それが平成十七年九月に「憲法調査会」となり、さらに、平成十九年八月から、衆議院と参議院とに「憲法審査会」ができたが、国民有志の期待に反して、なかなか納得のいく改憲案ができず、近年では、その「憲法審査会」も休業状態のありさまである。

われわれ岸信介創立会長の意志を継いだ熱心な同志や学者も、しびれを切らしたまま、逝去して行かれる事態が続き、また、国民の中には、諦めムードが広がり、もうこのままでも仕方がないといった空気もある。特に、宗教団体の中には、岸信介先生の方針に反する、前述した「現憲法無効・明治憲法復元」に傾く団体も多くなり、そうした団体は、昔の明治憲法に戻すことを目的とするので、現行憲法の改正を研究しようとするわけではない。そして、国会議員も、そうした宗教団体の票を期待することから、憲法改正に本気で取り組もうとする意欲が薄れている。

学界でも、本文の中で詳論したように、日本では、法学部ばかりではなく、政治学部の中にも憲法学をおいており、その政治学部の憲法学は、法学理論よりも、立法論的に考えるので、日本国憲法はこのまま変えなくてもよいとか、あるいは、現行憲法無効・明治憲法復元に与（くみ）する学者が多いようだ。

また、本来の法学部の憲法学も、戦前の日本の法学は、「上位法・下位法の原則」「効力不遡及の原則」「構成要件該当→違法性→責任性の法的三段論法」等々の法原理を尊ぶドイツをはじめとする大陸法系の考えが普通で、法学は極めて法理論的であったが、第二次世界大戦で敗戦しアメリカに占領されたことから、ドイツ流の法理論よりも、最高裁判所をはじめとする裁判所の判例を重視する英米法系に支配されたことから、日本の法学の試験も、近年は法理論ではなく、ますます判例を暗記する暗記物となってしまっている。私は、法学は理論を重視する大陸法を基本としたうえでの、裁判所の判例をも尊重する英米法を加えるのが、正しいと考えるので、その点、法学部の憲法学の先生方にぜひ奮起していただきたい、と念じている。

なお、学界でも、例えば社会科学的な公法学会なども、憲法改正をいうと学界の幹部にさせてもらえないといった空気が強く、そのために、法学者は、憲法改正論を引っ込めて表に出さないといわれている。こうした、学界の空気も、改めていただきたい。

ところで、岸信介元総理は、内閣憲法調査会を実施した体験から、「日本の学者はやさしいことでも、ことさら難しい表現で書くが、当団体では、国民が読んで分かりやすい表現で書いてもらいたい」と言われていたことに思いをいたし、本書では極力、そのように心掛けた。

以上述べた政界の空気、学界の風潮を憂え、私は、四十余年にわたって研究した憲法改正学に基づき、この『**国民のための憲法改正学への勧め**　現行憲法の全条文の解説・問題点』を、ここに、世に問う次第である。

なお、岸信介先生から、御委嘱を受けてはや四十余年、どうしてこう長い年月がかかったか不審に思われる方も多いと思うが、私は、前述したように、この『自主憲法』と同じく昭和の時代に、岸信介先生が創設されたシンクタンク『(財)協和協会』や『時代を刷新する会』の執行を仰せつかり、これら団体の維持・継続にも心血を注いで運営して来ているので、これまで書いた憲法改正に関する五〜六冊の著書は、土・日を中心に執筆してきたために、今日まで時間がかかったことを、お断りしておく。

ともかく、岸信介なる人物については、安保騒動のころに書かれた攻撃本が種本となり、今日でも「右翼」「軍国主義者」「悪運」「悪徳」「妖怪」などといった言葉を冠した書籍が出廻っているが、私が、岸信介元総理の晩年十年間に接したその人物像は、日本国始まって以来の大激動期に、その時々の地位において、全智全能を傾けて日本国に尽くした傑出した人物であり、岸信介ほど、誤って伝えられている人物はいないと思っている。

私は、そうした偉大なる人物に接することができたことは、最高の誇りであり、人生最大の喜びである。近年、昭和天皇が、昭和六十二年八月七日、岸信介元総理逝去の報に接するや、その逝去を悼む御製三首をお詠みになっていることが、報道で明らかにされたが、昭和天皇が元首相の逝去を悼んで御製を詠まれたことは、ほとんど例がないことであり、英邁（えいまい）な昭和天皇はよく人物をご覧になっておられる、と感銘しありがたく、うれしく思っている。

その御製は、平成三十一年一月元旦に、朝日新聞がその一面トップで、「昭和天皇　直筆原稿見つかる――晩年の歌252首　推敲の跡も」との大見出しで掲載され、それから数日、各紙も掲載しているので、ご覧になった方も多いと思うが、そこで明らかになった「岸首相の死去（八月七日の夕）」と題をつけてお書きになられた三首を、ここに掲げさせていただくと（文字はそのまま）、

國の為　務めたる君は　秋またで
　世をさりにけり　いふべさびしく
その上に　きみのいひたる　ことばこそ
　おもひふかけれ　のこしてきえしは
その上に　深き思ひを　こめていひし
　ことばのこして　きみきえにけり

上記の御製三首をご覧になって、昭和天皇が、岸信介なる人物とその言葉に、いかに信頼をおかれていたか、お分かりいただけたと思う。私が、御生前うかがったお話でも、それは、戦前からであり、また、晩年「陛下から御召しがあったので、次の月例会は延期してほしい」と、うれしそうにお電話があったことなど、懐かしく思いおこされる。

いま、この著書を出版するにあたり「永年かかってやっとできたか」と、岸信介先生からお叱りを受けるかもしれないが、ここに、謹んで、岸信介先生の御魂に、この著書を献呈させていただく。

さて、読者の皆さんも、この著書を読んでいただければ、憲法改正は、政党・派閥の次元を超えた国家的課題であることを痛感され、国民の権利であると同時に義務でもある『憲法改正』へと、声を挙げ、立ち上がって下さることを、ひたすら念じつつ、擱筆（かくひつ）させていただく。

令和三年四月一日

清原　淳平

附録　清原淳平の改正案と現行憲法の対比表

【清原淳平による改正案】

前文

太平洋上に連なるわが日本列島は、海の幸に恵まれ、水も豊かで果実はじめ農作物に恵まれ、春夏秋冬四季に応じて、風光明媚な平野と森林と山岳を有する。

有史以前の日本は、一万年も前の縄文式時代から環濠集落ごとに、共同生活をし平穏に暮らしていたことが、数々の遺跡の発掘により、明らかになっている。

さらに、弥生式時代になると、稲作が取り入れられ、米を中心とする経済が生まれ、また、集落ごとに物々交換することによる、交流・親睦の風習が生まれた。

その結果、すでに古代から、比較的平穏に、天皇家を中心とする中央集権国家が成立し、天皇は、国民と対立することなく、国民を慈しみ、国民もまた、天皇を尊敬する関係が形成された。これは、世界稀にみる政治体制と言ってよい。

中世からは、政治の執行は関白ないし将軍に移るが、なお、国家代表権と権威とは、天皇が有していた。歴史を繙（ひもど）くと、将軍といえども、悪政があれば、他の武将が天皇の名において討つというケースが見られ、天皇による健全な中央集権制度が機能していたといえる。

長年の将軍政治も、領地を分け与えられた領主が圧政を行えば改易されたことから、領民を慈しむ政治を心掛けた。そのお蔭で、中世は、外国に比べ、平穏な時代となり、したがって、日本特有の優れた技能、芸術、文化が興隆したことを誇りに思う。

近世には、諸外国からの圧力があったが、結局、外国を排斥するよりも、その制度を取り入れることに努め、アジアで稀にみる近代的独立主権国家を形成した。

しかし、欧米化を急ぐあまり、軍国主義に傾き、国家未曾有の敗戦の苦難を負ったが、天皇の聖断と国民の努力により平和を回復し、世界有数の先進国家を実現した。

【現行憲法】

前文

日本国民は、正当に選挙された国会における代表者を通じて行動し、われらとわれらの子孫のために、諸国民との協和による成果と、わが国全土にわたつて自由のもたらす恵沢を確保し、政府の行為によつて再び戦争の惨禍が起ることのないやうにすることを決意し、ここに主権が国民に存することを宣言し、この憲法を確定する。そもそも国政は、国民の厳粛な信託によるものであつて、その権威は国民に由来し、その権力は国民の代表者がこれを行使し、その福利は国民がこれを享受する。これは人類普遍の原理であり、この憲法は、かかる原理に基くものである。われらは、これに反する一切の憲法、法令及び詔勅を排除する。

日本国民は、恒久の平和を念願し、人間相互の関係を支配する崇高な理想を深く自覚するのであつて、平和を愛する諸国民の公正と信義に信頼して、われらの安全と生存を保持しようと決意した。われらは、平和を維持し、専制と隷従、圧迫と偏狭を地上から永遠に除去しようと努めている国際社会において、名誉ある地位を占めたいと思ふ。われらは、全世界の国民が、ひとしく恐怖と欠乏から免かれ、平和のうちに生存する権利を有することを確認する。

われらは、いづれの国家も、自国のことのみに専念して他国を無視してはならないのであつて、政治道徳の法則は、普遍的なものであり、この法則に従ふことは、自国の主権を維持し、他国と対等関係に立たうとする各国の責務であると信ずる。

日本国民は、国家の名誉にかけ、全力をあげてこの崇高な理想と目的を達成することを誓ふ。

日本国民は、西欧が、専制君主の圧政に苦しみ、住民が立ち上がり、人間には本来、侵すべからざる基本的人権があり、その人権を確保するためには、専制君主との間で契約（憲法）を締結し、また、それを実効あらしめるために、専制君主が独占していた立法権、行政権、裁判権に、国民側が参加する権利があるとして、永年の苦労の末に獲得した、この分立した三権への国民参加方式を、取り入れることにした。

　かくして、わが国は、そうした西欧の基本的人権尊重主義に基づく民主主義・自由主義制度、また、そこから生まれた近代福祉国家思想を取り入れ、日本国を一層発展させることを決意した。

　今後とも、日本国民は、こうした東西の歴史体験を尊重して、一層の努力をすることを、ここに、誓う。

第一章　天皇

第一条〔天皇の地位〕

　天皇は、古代より、国民と一体であり、天皇もまた国民であり、国民統合と権威の象徴であって、外国に対して、日本国を代表する。

第二条〔皇位の継承〕

① 皇位は、世襲のものとし、皇室自律に基づく皇室典範の序列に従い、皇統に属する皇族が、継承する。

② 皇位の継承に際しては、元号を定める。

第三条〔天皇の国事行為についての原則〕

① 天皇は、憲法の定める国事に関する行為を行う。

② 天皇は、国事に関する行為を行うにあたって、内閣の助言を受ける。

③ 天皇の国事に関する行為については、内閣が責任を負う。

④ 天皇は、皇室典範の定めるところにより、国事に関する行為を世嗣の資格を有する皇族に、委任することができる。

第四条　削除

第一章　天皇

第一条〔天皇の地位・国民主権〕

　天皇は、日本国の象徴であり日本国民統合の象徴であって、この地位は、主権の存する日本国民の総意に基く。

第二条〔皇位の継承〕

　皇位は、世襲のものであって、国会の議決した皇室典範の定めるところにより、これを継承する。

第三条〔天皇の国事行為に対する内閣の助言と承認〕

　天皇の国事に関するすべての行為には、内閣の助言と承認を必要とし、内閣が、その責任を負う。

第四条〔天皇の権能の限界、天皇の国事行為の委任〕

① 天皇は、この憲法の定める国事に関する行為のみを行い、国政に

第五条〔摂政〕

① 天皇が、成年に達しない場合、もしくは、外国訪問、疾病により執務がむずかしい場合は、資格を有する世嗣をもって、摂政とする。

② 摂政は、天皇の名において、国事に関する行為を行う。

③ 摂政による国事行為は、前条の規定を準用する。

第六条〔天皇の任命権〕

① 天皇は、国会の指名に基づいて、内閣総理大臣を任命する。

② 天皇は、国会の指名に基づいて、最高裁判所の長たる裁判官を任命する。

③ 天皇は、国会の指名に基づいて、憲法裁判所の長たる裁判官を任命する。

第七条〔天皇の認証行為〕

天皇は、象徴として、次に定める認証に関する行為を行う。

一 外国の大使および公使ならびに領事を接受し、信任状を受領すること。

二 内閣の指名と国会の承認に基づいて、全権委任状ならびに大使および公使の信任状に親署し、これを授与すること。

三 批准書および法律の定めるその他の外交文書を認証し、条約を公布すること。

四 憲法改正、法律・政令を公布すること。

五 国会を召集すること。

六 衆議院議員の総選挙と参議院議員の通常選挙の施行を公示すること。

七 衆議院の解散を公示すること。

八 国務大臣および法律の定めるその他の公務員の任免を認証すること。

関する権能を有しない。

② 天皇は、法律の定めるところにより、その国事に関する行為を委任することができる。

第五条〔摂政〕

皇室典範の定めるところにより摂政を置くときは、摂政は、天皇の名でその国事に関する行為を行う。この場合には、前条第一項の規定を準用する。

第六条〔天皇の任命権〕

① 天皇は、国会の指名に基いて、内閣総理大臣を任命する。

② 天皇は、内閣の指名に基いて、最高裁判所の長たる裁判官を任命する。

第七条〔天皇の国事行為〕

天皇は、内閣の助言と承認により、国民のために、左の国事に関する行為を行う。

一 憲法改正、法律、政令及び条約を公布すること。

二 国会を召集すること。

三 衆議院を解散すること。

四 国会議員の総選挙の施行を公示すること。

五 国務大臣及び法律の定めるその他の官吏の任免並びに全権委任状及び大使及び公使の信任状を認証すること。

六 大赦、特赦、減刑、刑の執行の免除及び復権を認証すること。

七 栄典を授与すること。

八 批准書及び法律の定めるその他の外交文書を認証すること。

九 外国の大使及び公使を接受すること。

十 儀式を行うこと。

九　栄典を授与すること。
十　大赦、特赦、減刑、刑の執行の免除および復権を認証すること。
十一　儀式を行うこと。

第七条の二〔天皇の準国事行為〕
前条に規定する国事行為の他、天皇が、象徴として、対外的に日本国を代表し、ならびに、日本国の伝統・文化・学問・芸術の振興、および、戦時中の慰霊、その他、国内災害などの慰霊・慰労のための行動ならびに集会への参加については、国事行為に準ずるものとする。

第八条〔皇室の財産〕
① 日本国の象徴としての天皇の地位に伴って必要な皇居、継承者たる皇太子はじめ皇族のための赤坂御所、さらに、京都御所はじめ各地の御用邸・御用地の土地建物は国庫に属する。
② 陵墓その他、皇室に関わる歴史的由緒ある不動産ないし動産も国庫に属する。
③ 外国交際のための儀礼上の贈呈ないし受贈についても、国費にて行う。
④ 右の管理責任者は宮内庁長官とする。
⑤ 皇居、東宮御所、御用邸など公務に伴う資産は相続税ほか税の対象外とする。
⑥ 国は、皇室に関わる費用を予算に計上し、国会の議決を経なければならない。
⑦ その他、皇室財産に関しては、皇室典範ないし皇室経済法の規定による。
⑧ 天皇皇后および皇族は、右のほか、私的立場の所有を妨げられない。

第二章　基本原則

第九条の一〔古来からの天皇制の維持〕
① 日本国は、古代から、天皇は国民の幸せを願い、国民は天皇を慕

第八条〔皇室の財産授受〕
皇室に財産を譲り渡し、又は皇室が、財産を譲り受け、若しくは賜与することは、国会の議決に基かなければならない。

う、天皇と国民を一体とする政治制度を有し、世界希な統一国家を形成してきた。

② 日本国は、古代から、法律に基づく律令国家制度をとり、権力は、太政大臣や将軍に委ねても、権威は天皇が保有してきた点で、現代の主要西欧諸国の政治制度を早くから実現していたと言える。

③ そうした仁慈に基づく政治が根底にあったお蔭で、世界に比べて、日本社会の平穏な時期は長く、高度の文化・芸術・技術を有してきた。

④ したがって、わが国永年の天皇制は、日本国の国柄を象徴するものとして、日本国は、引き続き天皇制を維持するものとする。

第九条の二〔基本的人権尊重主義・自由主義・民主主義・社会福祉国家の原則〕

① 日本国は、西欧諸国が、専制君主国家の圧政に苦しみ、抑圧された国民が立ち上がって、人間には、天賦の基本的人権があり、この人権は尊重されなければならないとし、苦労の末獲得した「人権尊重」思想を、受け入れる。

② 日本国は、その「基本的人権」思想の属性というべき、「個人の自由を尊重・擁護し、国家の干渉をできるだけ少なくすることが、社会の発展を促すとする自由主義」の思想を取り入れる。

③ 日本国は、その「基本的人権」思想の属性というべき、「国政は、国家の構成員である国民の意思を尊重して行われなければならない」とする「民主主義」の思想を取り入れる。

④ 日本国は、その「基本的人権」思想をより積極的に推進するべく、「身体的・精神的な障害者、生活困窮者などを支援・救済することは、社会構成上必要である」とする「社会福祉国家」の思想を取り入れる。

第九条の三〔立法、行政、裁判の三権分立、政党政治、議院内閣制の採用〕

① 日本国は、西欧諸国の国民が、「基本的人権」を保障する制度として獲得した「君主と国民との契約である憲法」による国家運営方式（立憲主義）を採用する。

② 日本国は、その「立憲主義」を保障するために考え出された国家運営を、「立法、行政、裁判」の三権に分立する方式を採用し、そ

の三権に国民が参加することの合理性を理解し、この方式を採用する。

③ 日本国は、その立法に当たっては、複数の政党政治による国会運営を認め、「日本国憲法」の条規に則り、国民から選挙された国会議員にて構成する国会の審議を経て成立した法律に基づくものとする。

④ 日本国は、行政の執行にあたっては、国民による選挙の結果選ばれた多数政党が、内閣を構成して執行にあたる「議院内閣制」を採用する。その内閣は、国家公務員によって構成される所管庁の独立性を認めつつ、指揮監督する。

第九条の四〔三審制による裁判の保障、憲法裁判所の設置〕

① 日本国民の基本的人権を守る最後の砦ともいうべき裁判所については、第一審判決に不服の場合は第二審、その判決も不服であれば第三審、という三審制を採用する。

② そうした一般裁判所の基本は、地方裁判所、高等裁判所、そして最終審は「最高裁判所」とする。

③ 日本国民は、右の一般裁判所に限らず、訴訟の地域や内容により、簡易裁判所、あるいは、家庭裁判所、少年裁判所などを置く。

④ なお、特殊な事件、例えば海上交通に関する事件には海難審判所、特許に関する事項については特許審判所などを置く。

⑤ 社会の複雑化に伴い、その他、必要に応じて、行政裁判所を置くこともできる。

⑥ さらに、時代の変化に伴い憲法問題については、憲法裁判所を置く。

第九条の五〔本章の基本原則については、改正について要件を加重する〕

① 本章の各条に掲げた事項は、日本国憲法の基本となる原則であるので、その改正には、以下のように、改正要件を加重する。

② 本章に掲げた基本原則を改正するには、国会議員の出席議員の三分の二以上の賛成で、国会がこれを発議し、国民に提案してその承認を得なければならない。なお加えて、憲法裁判所裁判官の三分の

二以上の賛成を必要とする。

③　この承認には、特別の国民投票または国会の定める選挙の際行われる投票において、投票権を有する国民の過半数の賛成を必要とする。

④　この基本原則条項に関する憲法改正について、前項の承認を経たときは、天皇は、国民の名で、この憲法と一体を成すものとして、これを公布する。

⑤　なお、基本原則外の憲法条項に関する改正は、国民投票を要せず、出席国会議員の過半数の賛成ならびに、憲法裁判所裁判官の過半数の同意を得て、成立する。

（※現行日本国憲法第九条は削除。第九条は、第十章の解説・２９２頁以下参照）

第三章　国民が有する基本的人権

第一節　基本的人権保障の大原則

第十条〔国民の要件〕

①　日本国籍を有する者を、日本国民とする。

②　国籍取得の要件は、国籍法でこれを定める。

第十一条〔基本的人権の享有〕

①　すべて国民は、生まれながらにして基本的人権を有し、社会の成員として尊重される。

②　すべて国民は、他人の基本的人権を尊重し、その権利を害してまで、自己の権利を主張することはできない。

③　この憲法が保障する権利の外国人に対する適用は、法律でこれを定める。

第二章　戦争の放棄

第九条〔戦争の放棄、軍備及び交戦権の否認〕

①　日本国民は、正義と秩序を基調とする国際平和を誠実に希求し、国権の発動たる戦争と、武力による威嚇又は武力の行使は、国際紛争を解決する手段としては、永久にこれを放棄する。

②　前項の目的を達するため、陸海空軍その他の戦力は、これを保持しない。国の交戦権は、これを認めない。

第三章　国民の権利及び義務

第一〇条〔国民の要件〕

日本国民たる要件は、法律でこれを定める。

第一一条〔基本的人権の享有〕

国民は、すべての基本的人権の享有を妨げられない。この憲法が国民に保障する基本的人権は、侵すことのできない永久の権利として、現在及び将来の国民に与えられる。

第二節　自由権、社会権、平等権の原則

第十二条〔生命・身体の自由、公共の福祉による制約〕

① すべて国民は、生命・身体の自由を保障される。

② 国民は、裁判所の裁判に拠らないで生命を奪われることはなく、また合法的な理由ないし裁判に拠らないで、身体を拘束されることはない。

③ 国民相互間においても、合法的理由なくして拘束を受けない。

④ 国民は、自由権を濫用してはならず、常に公共の福祉のために、これを利用する責任を負う。

第十三条〔社会生活基本権〕

① すべての国民は、社会の構成員として尊重される。

② 国民の福祉をはじめとするこの社会生活基本権は、法律による合理的制約ないし裁判による制約を除いて、立法、行政、裁判において、尊重される。

③ 国民は、この社会生活基本権を濫用してはならず、常に他人の基本的権利の存在をも考え、また公共の福祉のために、活用する責務を負う。

第十四条〔平等原則、法の前の平等〕

① すべて国民は、法の前に平等であって、人種、信条、性別、社会的身分または門地により、政治的、経済的または社会的関係において、差別されない。

② 精神ないし身体に障害がある者を、社会福祉の見地から、社会的弱者として保護し、不合理な差別をしてはならない。

③ 各分野において日本国に貢献した者には、褒章、勲章などの栄典を授与される。しかし、栄典の授与は、現にこれを有し、または将来これを受ける者の一代に限り、その効力を有する。

④ 法律で定めた年金の給付制度については、社会福祉の見地から、平等原則に反するものではない。

第三節　立法・行政・裁判に関与する権利

第一二条〔自由・権利の保持の責任とその濫用の禁止〕

この憲法が国民に保障する自由及び権利は、国民の不断の努力によって、これを保持しなければならない。又、国民は、これを濫用してはならないのであって、常に公共の福祉のためにこれを利用する責任を負う。

第一三条〔個人の尊重と公共の福祉〕

すべて国民は、個人として尊重される。生命、自由及び幸福追求に対する国民の権利については、公共の福祉に反しない限り、立法その他の国政の上で、最大の尊重を必要とする。

第一四条〔法の下の平等、貴族の禁止、栄典〕

① すべて国民は、法の下に平等であって、人種、信条、性別、社会的身分又は門地により、政治的、経済的又は社会的関係において、差別されない。

② 華族その他の貴族の制度は、これを認めない。

③ 栄誉、勲章その他の栄典の授与は、いかなる特権も伴わない。栄典の授与は、現にこれを有し、又は将来これを受ける者の一代に限り、その効力を有する。

第十五条〔基本的人権の内容としての参政権〕
① 法律により成人に達した国民は、国会議員および地方議員を選挙するため、投票する参政権を有する。
② 法律の定めにより、国民は被選挙資格を有する。
③ すべて選挙における投票の秘密は、これを侵してはならない。選挙人は、その選択に関し、公的にも私的にも責任を問われない。
④ 内閣総理大臣はじめ公務員は、全体の奉仕者であって、一部の奉仕者ではない。

第十六条〔基本的人権の内容としての参政権に伴う請願権〕
① 国民は、法律・命令・規則の制定、あるいはその改正ないし廃止その他の事項について、国会ないし地方議会に対し、請願法に基づき、平穏に請願する権利を有する。
② 多数がプラカードを持って集会し行進するいわゆるデモも、平穏に行われるときは、民主主義の意思表示の手段として、合法と認められ処罰を受けない。
③ ただし、その集会・行進に、凶器を持参し、爆発物・毒物を所持し、暴力を伴うときは、規制の対象となり、さらには、犯罪の対象となりうる。

第十七条〔国および公共団体の賠償責任〕
国民は、公務員の不法行為により、損害を受けたときは、国家賠償法はじめ法律の定めるところにより、国または地方公共団体に、その賠償を求めることができる。

第四節　生命・身体・思想、信教の自由
第十八条〔奴隷的拘束および苦役からの自由〕
国民は、犯罪に対する処罰として適法に有罪判決を受けた場合を除いて、国から、その意に反していかなる奴隷的拘束ないし苦役を科されない。

第十九条〔思想・良心など内心の自由の保障〕

第一五条〔公務員の選定及び罷免の権、公務員の本質、普通選挙の保障、秘密投票の保障〕
① 公務員を選定し、及びこれを罷免することは、国民固有の権利である。
② すべて公務員は、全体の奉仕者であって、一部の奉仕者ではない。
③ 公務員の選挙については、成年者による普通選挙を保障する。
④ すべて選挙における投票の秘密は、これを侵してはならない。選挙人は、その選択に関し公的にも私的にも責任を問われない。

第一六条〔請願権〕
何人も、損害の救済、公務員の罷免、法律、命令又は規則の制定、廃止又は改正その他の事項に関し、平穏に請願する権利を有し、何人も、かかる請願をしたためにいかなる差別待遇も受けない。

第一七条〔国及び公共団体の賠償責任〕
何人も、公務員の不法行為により、損害を受けたときは、法律の定めるところにより、国又は公共団体に、その賠償を求めることができる。

第一八条〔奴隷的拘束及び苦役からの自由〕
何人も、いかなる奴隷的拘束も受けない。又、犯罪に因る処罰の場合を除いては、その意に反する苦役に服させられない。

第一九条〔思想及び良心の自由〕

思想および良心など内心の自由は、これを侵してはならない。

第二十条〔信教の自由の原則、政教分離の原則〕

① 国は、何人に対しても、信教の自由を保障する。

② 国およびその機関は、特定の宗派を、国教として振興し、またはこれを弾圧してはならない。

③ いかなる宗教団体も、国から特権を受け、または政治上の権力を行使してはならない。

第五節　社会活動における自由の保障

第二十一条〔表現の自由〕

① 公共の利益に反しない限り、集会の自由を保障する。また、法律に定める結社の自由を認め、これに、法人格を与える。

② すべての国民、および法律が認める法人格を有する結社に対し、言論、出版、映像、電波表示、その他一切の表現の自由を保障する。

③ 郵便、電話、映像、動画、電子通信など、通信の秘密は、これを侵してはならない。検閲は、これをしてはならない。

④ 国家は、国内外からの電波攻撃に対し、国民を守る努力を怠ってはならない。

第二十二条〔居住・移転の自由、外国移住および国籍離脱の自由〕

① 居住、移転の自由は、これを保障する。

② ただし、法律により、自然災害・大事故・国家非常事態における退避、生活困窮者、伝染病罹患者、および法律による留置・収監者、青少年非行者、犯罪累犯者、性的犯罪者などについては、これを制約することができる。

③ 国民は、外国に移住し、または国籍を離脱する自由を有する。

第二十三条〔職業選択の自由、自由を剥奪する場合の例外〕

① 日本国民は、職業、職場および養成施設を、自由に選択する権利を有する。

思想及び良心の自由は、これを侵してはならない。

第二〇条〔信教の自由〕

① 信教の自由は、何人に対してもこれを保障する。いかなる宗教団体も、国から特権を受け、又は政治上の権力を行使してはならない。

② 何人も、宗教上の行為、祝典、儀式又は行事に参加することを強制されない。

③ 国及びその機関は、宗教教育その他いかなる宗教的活動もしてはならない。

第二一条〔集会・結社・表現の自由、通信の秘密〕

① 集会、結社及び言論、出版その他一切の表現の自由は、これを保障する。

② 検閲は、これをしてはならない。通信の秘密は、これを侵してはならない。

第二二条〔居住・移転及び職業選択の自由、外国移住及び国籍離脱の自由〕

① 何人も、公共の福祉に反しない限り、居住、移転及び職業選択の自由を有する。

② 何人も、外国に移住し、又は国籍を離脱する自由を侵されない。

第二三条〔学問の自由〕

学問の自由は、これを保障する。

② 職業内容は、法律により、または法律の根拠に基づいて、合理的に規律することができる。

③ 強制労働は、裁判所で命ぜられる自由剥奪の場合に限り、認められる。

第二十四条〔結婚および家族間における個人の尊厳と両性の平等〕

① 成人の男女は、人種、国籍、または宗教による制限なしに、結婚し、家族を形成する権利を有する。

② 成人の男女はその合意に基づいて結婚することができる。結婚当事者の双方ないしその片方が未成年者の場合は、親権者の同意を要する。

③ 夫婦は、同等の権利を有し、相互の協力により、その家庭を維持し、その家族を保護する努力をしなければならない。

④ 夫婦は、住居の選定、子供が生まれて家族を構成した場合の関係、財産権、そして離婚する場合等々については、個人の尊厳と両性の本質的平等を根拠とする法律に、よらなければならない。

⑤ 家庭・家族は、社会の自然かつ基礎的な単位であり、社会および国による保護を受ける権利を有する。

第六節　公衆衛生、社会福祉・社会保障を受ける権利

第二十五条〔公衆衛生、社会福祉、社会保障を受ける権利〕

① すべて国民は、できるかぎり健康で文化的な生活を求めることができる。ただし、国民は、他の国民の利益を害したり、公共の利益に反することはできない。

② 国は、国民のために、公衆衛生の向上をはじめ、社会福祉および社会保障の向上発展に努めなければならない。

第二十六条〔学問の自由、教育を受ける権利と責務〕

① 学問の自由は、これを保障する。

② すべて国民は、法律の定めるところにより、その能力に応じて、ひとしく教育を受ける権利を有する。

③ すべて国民は、法律の定めるところにより、その保護する子女に

第二四条〔家族生活における個人の尊厳と両性の平等〕

① 婚姻は、両性の合意のみに基いて成立し、夫婦が同等の権利を有することを基本として、相互の協力により、維持されなければならない。

② 配偶者の選択、財産権、相続、住居の選定、離婚並びに婚姻及び家族に関するその他の事項に関しては、法律は、個人の尊厳と両性の本質的平等に立脚して、制定されなければならない。

第二五条〔生存権、国の社会的使命〕

① すべて国民は、健康で文化的な最低限度の生活を営む権利を有する。

② 国は、すべての生活部面について、社会福祉、社会保障及び公衆衛生の向上及び増進に努めなければならない。

第二六条〔教育を受ける権利、教育の義務〕

① すべて国民は、法律の定めるところにより、その能力に応じて、ひとしく教育を受ける権利を有する。

② すべて国民は、法律の定めるところにより、その保護する子女に普通教育を受けさせる義務を負う。義務教育は、これを無償とする。

普通教育を受けさせる責務を負う。義務教育は、これを無償とする。
④ 専門高等学校あるいは短期大学、理工科大学、医科大学など専門大学、および大学院、大学院大学などの高等教育については、国家予算の許す範囲で、授業料等を無料とすることができる。

第二十七条〔勤労の権利および責務、勤労条件の基準、児童酷使の禁止〕
① すべて国民は、勤労の権利を有し、責務を負う。
② 賃金、就業時間、休息その他の勤労条件に関する基準は、法律でこれを定める。
③ 児童は、これを酷使してはならない。

第二十八条〔勤労者の労働三権の保障、団体を作っての団結権・交渉権・行動権〕
① 勤労者の団結権、団体交渉権、団体行動権（争議権）は、これを保障する。
② 労働三権の行使に当たっては、公共の利益に配慮することを必要とする。

第二十九条〔私有財産権の保障と公共の福祉による制約〕
① 私有財産権は、これを保障する。
② 財産権の内容は、公共の福祉に適合するように、法律でこれを定める。
③ 私有財産は、正当な補償の下に、これを公共のために用いることができる。

第七節　国民の責務

要新設の一条〔国民が得た各種権利の反面としての責務の原則〕
① 国民は、国権を執行する立法府、行政府、裁判所の三権に対し、法律の定める諸権利を行使できる権利を有するとともに、その反面として責務を負う。権利と責務とは、いわば盾の両面である。
② 国民は、この憲法に定める各種の権利を行使できるが、他人の正当な権利を害してまではその権利を主張することはできず、また公

第二七条〔勤労の権利及び義務、勤労条件の基準、児童酷使の禁止〕
① すべて国民は、勤労の権利を有し、義務を負う。
② 賃金、就業時間、休息その他の勤労条件に関する基準は、法律でこれを定める。
③ 児童は、これを酷使してはならない。

第二八条〔勤労者の団結権〕
勤労者の団結する権利及び団体交渉その他の団体行動をする権利は、これを保障する。

第二九条〔財産権〕
① 財産権は、これを侵してはならない。
② 財産権の内容は、公共の福祉に適合するように、法律でこれを定める。
③ 私有財産は、正当な補償の下に、これを公共のために用いることができる。

共の福祉に反してまではその権利を行使できない。

③　国民は、この憲法に定める各種の権利を行使するに当たり、日本国が批准した国連憲章、世界人権宣言、国際条約、二国間の条約、協定、その他の外交取り決め、そして、日本国憲法およびこの憲法に基づいて制定された法律、そして政令、省令、規則、条例に、反しないよう、努めなければならない。

要新設の二条〔現行憲法第三〇条　国民の納税の責務〕

①　国民は、国から保障された諸権利に応え、税金を支払う責務を有する。

②　税には、国に支払う国税、地方自治体に支払う地方税があり、また、所得税、法人税、消費税など、各種の租税がある。なお、国民に特定の役務を提供する対価として徴収される料金・手数料を支払う責務がある。

要新設の三条〔文化財・公共財を保持・振興する責務〕

①　国民は、文化財その他の公共財を、毀損しないよう保守する責務を有する。

②　国は、科学、芸術、その他の文化の振興に努めるものとする。

要新設の四条〔環境保護に関する権利および責務〕

①　国は、国民のため、公衆衛生をはじめ良好な環境の維持および改善に努めなければならない。

②　国民は、良好な環境を享受する権利を有するとともに、良好な環境を保持し、かつわれわれに続く世代に、それを引き継いでゆく責務を有する。

要新設の五条〔自然大災害、人為大災害などの緊急事態下における協力の責務〕

①　すべて国民は、地震・山崩れ、火山噴火・火石流、大火事・山林火災、大津波、大洪水・大土石流など、大自然災害の発生にあたり、国から非常事態が宣言された場合には、内閣の指示に従い、これに

第三〇条〔納税の義務〕

国民は、法律の定めるところにより、納税の義務を負う。

協力する責務を負う。

② すべて国民は、原子力発電所事故・火力発電所大事故・天然ガス大爆発事故、重油や石油の貯蔵とその精製工場の大事故、その他、大規模工場の大事故が発生し、国から非常事態が宣言された場合には、内閣の指示に従い、これに協力する責務を負う。

③ 本条については、後掲の国家非常事態対処の章が併せ適用される。

要新設の六条〔外国からの攻撃・侵略など、国家非常事態における協力の責務〕

① 日本国が、他国から不当に攻撃・侵略を受けた時は、独立主権国家として、内閣は、これに対処すべく、国家安全保障上の「国家非常事態」を宣言し、国民に対し、内閣の指示に従うよう指示することができる。

② 国民は、日本国を防衛するため、内閣の指示に応ずる責務を負う。

第八節　立法権、行政権、裁判権の三権分立原則における立法権への参加

要新設の七条〔国民の立法権への参加〕

① 国民は、法律に基づく正当な選挙を経て、国会議員に立候補することができる。

② 当選した国会議員は、日本国およびその国民のため、立法はじめそれに関する職務を忠実に審議し法制化する。

③ 国民は、国政に立候補した候補者につき、その思想・信条・政見・活動力を判断し、投票する権利を有する。また、この投票権は国民の責務である。

④ 国民は、投票する国会議員を、合法的に支援する権利を有し、またその活動を監視する責務を有する。

要新設の八条〔政党の結成とその活動の保障〕

① 国民は、正当な選挙を経た国会における代表を通じて、国政に参与する。

② 政党の結成は、国民の政治的意思の集約、形成、および国政への

反映を図り、もって健全なる議会制民主主義を実現するものとして、これを保障する。
③ 政党の要件は、法律でこれを定める。
④③ 政党は、その資金の出所および用途について、ならびにその財産について、公的に報告しなければならない。
⑤ 政党で、日本国の存立を危うくすることを目指すものは、違憲である。

要新設の九条〔地方自治体の議員に立候補する権利、投票する権利〕
① 国民は、この憲法の「第四章　国会」および「第八章　地方公共団体」の各章、およびその下位の地方公共団体法をはじめとする関係法規に基づき、地方議会議員に立候補する権利を有する。
② ①項に伴い、選挙権を有する国民は、その居住する地域の地方議会の候補者に投票する権利を有する。
③ 国民は、その地域の選出議員を、合法的に支援する権利を有し、またその活動を監視する責務を有する。

第九節　三権分立原則における行政権への参加
要新設の十条〔国民が、国家公務員ないし地方公務員になる権利〕
① 国民は、立憲主義の内実である立法・行政・裁判の三権分立原則の中の行政権へ、前節の立法権に基づいて立候補する権利、投票する権利のほかに、次項以下に記す公務員となることができる。
② 国民は、国家公務員法をはじめとする法律の定めるところにより、資格を得て国家公務員として行政に参与することができる。
③ 国民は、地方公務員法をはじめとする法律の定めるところにより、資格を得て地方公務員として地方行政に参加することができる。

要新設の十一条〔議院内閣制の採用、国民の間接的参加〕
① 日本国は、これまでの歴史的経緯に従い、議院内閣制を採用する。すなわち、国民は、国民の代表として選出された国会議員の中から選出される内閣の構成員となって、日本国の行政権を担当する。
② したがって、国民は、まず国会議員を選出することにより、その

国会議員を中心として構成される行政権（内閣）へ、間接的ながら参与することができる。

要新設の十二条〔国家公務員ないし地方公務員の職務に対する心得〕

国家公務員は、国民全体の奉仕者として、公共の利益のために勤務し、かつ、職務遂行に当たっては、全力を挙げてこれに専念しなければならない。したがって、一般職国家公務員は、職務につき政治的中立を要求される。地方公務員もその職務の範囲内において、同様、政治的中立を要求される。

第十節　三権分立原則における裁判権への国民参加

要新設の十三条〔国民は、裁判官・検察官・弁護士となる権利を有する〕

国民は、立法府の定める法律、および最高裁判所の定める規則・手続に従い、資格を得て、裁判官、検察官、弁護士になり、裁判に関与することができる。

要新設の十四条〔裁判を受ける権利、大陸法系の法的三段論法理論、英米法系判例も尊重〕

① 何人も、裁判所において裁判を受ける権利を奪われない。
② 何人も、適正な法律の定める手続によらなければ、その生命もしくは自由を奪われ、またはその他の刑罰を科せられない。
③ 特に刑事事件においては、法的三段論法、すなわち構成要件該当→違法性→責任性の三段にわたる判断を基準とする。
④ 右のほか、事例に応じ、英米法系に基づく判例をも尊重する。

要新設の十五条〔裁判所の構成、裁判官の兼職禁止〕

① 裁判所の構成は、憲法（最高）裁判所を頂点とし、高等裁判所、地方裁判所、簡易裁判所、家庭裁判所などを置く。

第三一条〔法定の手続の保障〕

何人も、法律の定める手続によらなければ、その生命若しくは自由を奪われ、又はその他の刑罰を科せられない。

第三二条〔裁判を受ける権利〕

何人も、裁判所において裁判を受ける権利を奪われない。

② 裁判に関する事項は、法律のほか、最高裁判所が制定する規則による。

③ 裁判官は、公正を保障するため、在任中、国会議員、地方議員となり、および職務上、政治運動をすることはできない。また、在任中、商業を営み、その他金銭上の利益を目的とする業務を行うことはできない。

第三十三条　削除

（※第三十三条〜第四十条は、現行刑事訴訟法に同一の条文があるので、削除する）

第三十四条　削除

第三十五条　削除

第三十六条　削除

第三三条〔逮捕の要件〕

何人も、現行犯として逮捕される場合を除いては、権限を有する司法官憲が発し、且つ理由となつている犯罪を明示する令状によらなければ、逮捕されない。

第三四条〔抑留・拘禁の要件、不法拘禁に対する保障〕

何人も、理由を直ちに告げられ、且つ、直ちに弁護人に依頼する権利を与えられなければ、抑留又は拘禁されない。又、何人も、正当な理由がなければ、拘禁されず、要求があれば、その理由は、直ちに本人及びその弁護人の出席する公開の法廷で示されなければならない。

第三五条〔住居の不可侵〕

① 何人も、その住居、書類及び所持品について、侵入、捜索及び押収を受けることのない権利は、第三十三条の場合を除いては、正当な理由に基いて発せられ、且つ捜索する場所及び押収する物を明示する令状がなければ、侵されない。

② 捜索又は押収は、権限を有する司法官憲が発する各別の令状により、これを行ふ。

第三六条〔拷問及び残虐刑の禁止〕

公務員による拷問及び残虐な刑罰は、絶対にこれを禁ずる。

第三十七条　削除

第三十八条　削除

第三十九条　削除

第四十条　削除

第四章　国会

（※の条文は、一院制を採用した場合は、削除される。本文参照）

第四十一条〔国会の地位、立法権〕

国会は、国民代表の府であり、立法権を行使し、予算案を議決し、国政を監督し、その他この憲法および法律の定める権限を行う。

第三七条〔刑事被告の権利〕

① すべて刑事事件においては、被告人は、公平な裁判所の迅速な公開裁判を受ける権利を有する。

② 刑事被告人は、すべての証人に対して審問する機会を充分に与えられ、又、公費で自己のために強制的手続により証人を求める権利を有する。

③ 刑事被告人は、いかなる場合にも、資格を有する弁護人を依頼することができる。被告人が自らこれを依頼することができないときは、国でこれを附する。

第三八条〔自己に不利益な供述、自白の証拠能力〕

① 何人も、自己に不利益な供述を強要されない。

② 強制、拷問若しくは脅迫による自白又は不当に長く抑留若しくは拘禁された後の自白は、これを証拠とすることができない。

③ 何人も、自己に不利益な唯一の証拠が本人の自白である場合には、有罪とされ、又は刑罰を科せられない。

第三九条〔遡及処罰の禁止・一事不再理〕

何人も、実行の時に適法であった行為又は既に無罪とされた行為については、刑事上の責任を問われない。又、同一の犯罪について、重ねて刑事上の責任を問われない。

第四〇条〔刑事補償〕

何人も、抑留又は拘禁された後、無罪の裁判を受けたときは、法律の定めるところにより、国にその補償を求めることができる。

第四章　国会

第四一条〔国会の地位・立法権〕

国会は、国権の最高機関であって、国の唯一の立法機関である。

第四十二条〔両院制〕※
国会は、衆議院および参議院の両議院でこれを構成する。

第四十三条〔両議院の組織〕※
① 両議院は、全国民を代表する選挙された議員でこれを組織する。
② 両議院の議員の定数は、法律でこれを定める。

第四十四条〔選挙人・投票者の資格〕
① 国会議員選挙における選挙人の資格は、法律でこれを定める。ただし、普通選挙・平等選挙の保障により、人種、信条、性別、社会的身分、門地、教育、財産または収入により差別してはならない。
② 投票の方法は、秘密選挙の原則を保障する。

第四十四の二条〔被選挙資格とその制限〕
① 国会議員の選挙において、候補者となり当選人となりうる資格は、法律でこれを定める。
② 刑事法上、有罪の確定判決を受けた者、ならびに民事法上、偽造、詐欺、横領、背任、および詐欺的破産などで有罪の確定判決を受けた者は、議員としての被選挙権を有しない。
③ 選挙に関して、買収、強要、脅迫などの腐敗行為を行い、有罪の確定判決を受けた候補者は、その犯罪の行われた選挙区から選出される権利を永久に失い、他の選挙区からは五年間、立候補できないものとする。
④ 候補者の選挙責任者が、前項の行為を行った場合は、その候補者は当該選挙区から選出される資格を五年間失うものとする。

第四十四条の三〔国会議員当選者の就任宣誓義務〕
① 両議院の議員は、その就任に際し、左の宣誓を行わなければならない。
「私（氏名）は、憲法および法律を尊重擁護し、何人からも職務に関して贈与を受けずまたは不正の約束もせず、常に全力を尽くし、日本国の発展と国民の利福の増進に努めることを誓います。」

第四二条〔両院制〕
国会は、衆議院及び参議院の両議院でこれを構成する。

第四三条〔両議院の組織〕
① 両議院は、全国民を代表する選挙された議員でこれを組織する。
② 両議院の議員の定数は、法律でこれを定める。

第四四条〔議員及び選挙人の資格〕
両議院の議員及びその選挙人の資格は、法律でこれを定める。但し、人種、信条、性別、社会的身分、門地、教育、財産又は収入によって差別してはならない。

② 右の宣誓を行うことを拒否し、または条件付の宣誓を行う場合は、議員の地位を放棄したものと見なす。
（※一院制を採用すると、「国会議員は」となる）

第四十四条の四〔国会議員の欠格事由〕
① 国会議員は、次に掲げる事由により、その地位を失う。
一 直接間接に、公有財産を購入または賃借すること。
二 直接間接に、国またはその機関と、土木請負契約、物品納入契約またはその他法律が禁ずる契約を結ぶこと。
三 国またはその機関と契約関係にある営利企業の役員または法律顧問となること。
四 国またはその機関を相手とする訴訟事件において、訴訟代理人または弁護人となること。
五 第三者の利益を図るために、国またはその機関の事務の負担となるべき交渉をなし、または交渉をなさしめること。
六 正当な理由なくして、会期中、三分の一以上欠席すること。

第四十四条の五〔国会議員の選挙に関する事項、および第三者機関の設置〕
① 選挙区、投票方法、その他国会議員の選挙に関する事項は、法律でこれを定める。
② なお、選挙法の原案を作成するため、法律の定めるところにより、公平な第三者機関を設置しなければならない。

第四十五条〔衆議院議員の任期、非常事態発生の場合の国会の機能〕※
① 衆議院議員の任期は、五年とする。
② 衆議院議員の任期は、衆議院議員の総選挙を行うに適しない非常の事態が発生した場合においては、国会の可決で、非常の事態の継続中、これを延長することができる。
③ 衆議院議員の任期満了後、または衆議院の解散後、総選挙を行うに適しない非常の事態が発生した場合には、新国会が成立するまで、前国会が引き続きその権限を行う。

第四五条〔衆議院議員の任期〕
衆議院議員の任期は、四年とする。但し、衆議院解散の場合には、その期間満了前に終了する。

第四十六条〔参議院議員の任期〕※
参議院議員の任期は、六年とし、三年ごとに議員の半数を改選する。

第四十七条〔選挙に関する事項〕
① 選挙区、投票の方法その他両議院の議員の選挙に関する事項は、民主主義の原則により、普通選挙、平等選挙、秘密選挙を原則とする。
② また、直接に民意を反映する直接選挙を原則とするが、選挙情況によっては間接選挙をも採用することができる。
③ その他の詳細は、公職選挙法など法律でこれを定める。
（※一院制を採用すると、傍線部は「国会議員の」となる）

第四十八条〔両議院議員の兼職禁止〕※
何人も、同時に両議院の議員たることはできない。

第四十九条〔議員の歳費〕
① 国会議員は、法律の定めるところにより、国庫から相当額の歳費を受ける。
② 給与の額は、国会の議決でこれを増減することができる。ただし、増額の議決は、出席議員の三分の二以上の多数の賛成を必要として、かつ、国会の総選挙を経て、次の国会の議員から効力を生ずるものとする。

第五十条〔議員の不逮捕特権〕
① 国会議員は、法律の定める場合を除いては、国会の会期中逮捕されない。
② 会期前に逮捕された議員は、国会の要求があれば、会期中これを釈放しなければならない。

第五十一条〔議員の発言・表決の無責任〕
両議院の議員は、議院で行った演説、討論または表決について、院外で責任を問われない。

第四六条〔参議院議員の任期〕
参議院議員の任期は、六年とし、三年ごとに議員の半数を改選する。

第四七条〔選挙に関する事項〕
選挙区、投票の方法その他両議院の議員の選挙に関する事項は、法律でこれを定める。

第四八条〔両議院議員兼職の禁止〕
何人も、同時に両議院の議員たることはできない。

第四九条〔議員の歳費〕
両議院の議員は、法律の定めるところにより、国庫から相当額の歳費を受ける。

第五〇条〔議員の不逮捕特権〕
両議院の議員は、法律の定める場合を除いては、国会の会期中逮捕されず、会期前に逮捕された議員は、その議院の要求があれば、会期中これを釈放しなければならない。

第五一条〔議員の発言・表決の無責任〕
両議院の議員は、議院で行った演説、討論又は表決について、院外で責任を問われない。

（※一院制を採用すると、主語は、「国会議員」となる）

第五十二条〔通常国会の二回制。会期制、その延長または短縮〕
① 通常国会は、毎年二回、これを召集する。
② 前期の通常国会は、一月の第四週から三月の末日までとし、後期の通常国会は、九月の第三週から十一月の末日までとする。
③ ただし、右会期は、国会の可決をもって、延長しまたは短縮することを妨げない。

第五十三条〔臨時国会の召集〕
① 内閣は、国会の臨時国会の召集を決定することができる。
② 前項の場合のほか、国会の在籍議員の四分の一以上の要求があったときには、内閣は、臨時国会の召集を決定しなければならない。

第五十四条〔国会の解散・特別国会〕
① 国会が解散されたときは、解散の日から四十日以内に、国会の総選挙を行い、その選挙の日から三十日以内に、特別国会を召集しなければならない。
② 国に緊急の事態が生じたときは、内閣がこれに対処する。ただし、その内閣の措置は、臨時のものなので、特別国会を召集したのち、十日以内に、国会の同意を得る必要がある。もし、同意が得られない場合は、その効力を失う。
③ 「特別国会」は、前述の「通常国会」と併せて召集することもできる。

第五十五条〔資格争訟の審査〕
① 国会は、所属する議員の資格に関する争訟を審査する。
② 国会議員の議席を失わせるには、出席議員の三分の二以上の多数による可決を必要とする。

第五十六条〔定足数、表決〕
① 国会は、在籍議員の三分の一以上の出席がなければ、議事を開き

第五二条〔常会〕
国会の常会は、毎年一回これを召集する。

第五三条〔臨時会〕
内閣は、国会の臨時会の召集を決定することができる。いずれかの議院の総議員の四分の一以上の要求があれば、内閣は、その召集を決定しなければならない。

第五四条〔衆議院の解散・特別会、参議院の緊急集会〕
① 衆議院が解散されたときは、解散の日から四十日以内に、衆議院議員の総選挙を行い、その選挙の日から三十日以内に、国会を召集しなければならない。
② 衆議院が解散されたときは、参議院は、同時に閉会となる。但し、内閣は、国に緊急の必要があるときは、参議院の緊急集会を求めることができる。
③ 前項但書の緊急集会において採られた措置は、臨時のものであって、次の国会開会の後十日以内に、衆議院の同意がない場合には、その効力を失う。

第五五条〔資格争訟の裁判〕
両議院は、各々その議員の資格に関する争訟を裁判する。但し、議員の議席を失わせるには、出席議員の三分の二以上の多数による議決を必要とする。

第五六条〔定足数、表決〕
① 両議院は、各々その総議員の三分の一以上の出席がなければ、議

議決することができない。
② 国会の議事は、この憲法に特別の定めある場合を除いては、在籍議員の過半数でこれを決し、可否同数のときは、議長の決するところによる。

第五十七条〔会議の公開、議事録、表決の記載〕
① 国会の議事は、公開とする。
② 前項にかかわらず、出席議員の三分の二以上の多数で可決したときは、秘密会を開くことができる。
③ 国会は、その議事の記録を保存し、また、秘密会の記録の中で特に秘密を要すると認められるものを除き、これを公表し、かつ一般に頒布しなければならない。
④ 出席議員の五分の一以上の要求があれば、議員の表決は、これを議事録に記載しなければならない。

第五十八条〔役員の選任、議院規則・懲罰〕
① 国会は、議長を選任し、その他の役員を選任する。
② 議事その他の手続、および国会内部の規律に関する規則を定める。
③ 国会内の秩序を乱し、あるいは刑事裁判において有罪が確定した議員について、これを懲罰することができる。
④ 前項の場合、議員を除名するには、出席議員の三分の二以上の多数による可決を必要とする。

第五十九条〔法律案の発案権、議決権、衆議院の優越〕
① 法律案の発案権は、各議院の議員はもちろん、内閣からも提起できる。
② ただし、租税に関する法律および予算を伴う法律の発案権は、内閣に属する。
③※法律案は、この憲法に特別の定めある場合を除いては、両議院で可決したときに法律となる。
④※衆議院で可決し、参議院でこれと異なった議決をした法律案は、衆議院で在籍議員の過半数の賛成で再び可決したときは、法律とな

事を開き議決することができない。
② 両議院の議事は、この憲法に特別の定のある場合を除いては、出席議員の過半数でこれを決し、可否同数のときは、議長の決するところによる。

第五七条〔会議の公開、会議録、表決の記載〕
① 両議院の会議は、公開とする。但し、出席議員の三分の二以上の多数で議決したときは、秘密会を開くことができる。
② 両議院は、各々その会議の記録を保存し、秘密会の記録の中で特に秘密を要すると認められるもの以外は、これを公表し、且つ一般に頒布しなければならない。
③ 出席議員の五分の一以上の要求があれば、各議員の表決は、これを会議録に記載しなければならない。

第五八条〔役員の選任、議院規則・懲罰〕
① 両議院は、各々その議長その他の役員を選任する。
② 両議院は、各々その会議その他の手続及び内部の規律に関する規則を定め、又、院内の秩序をみだした議員を懲罰することができる。但し、議員を除名するには、出席議員の三分の二以上の多数による議決を必要とする。

第五九条〔法律案の議決、衆議院の優越〕
① 法律案は、この憲法に特別の定のある場合を除いては、両議院で可決したとき法律となる。
② 衆議院で可決し、参議院でこれと異なった議決をした法律案は、衆議院で出席議員の三分の二以上の多数で再び可決したときは、法律となる。
③ 前項の規定は、法律の定めるところにより、衆議院が、両議院の協議会を開くことを求めることを妨げない。
④ 参議院が、衆議院の可決した法律案を受け取った後、国会休会中

る。

⑤※前項の規定は、法律の定めるところにより、衆議院が、両議院の協議会を開くことを求めることを妨げない。

⑥※参議院が、衆議院の可決した法律案を受け取った後、国会休会中の期間を除いて六十日以内に、議決しないときは、衆議院は、参議院がその法律案を否決したものとみなすことができる。

（※一院制を採用すると、③〜⑥は削除。また、条題から衆議院の優越を削除。）

第六十条〔年度内に予算不成立の場合の対処規定――新設〕

①※予算案は、さきに衆議院に提出しなければならない。

②※予算案について、参議院で衆議院と異なった議決をした場合は、法律の定めるところにより、両議院の協議会を開いても意見が一致しないとき、または参議院が、衆議院の可決した予算案を受け取った後、国会休会中の期間を除いて三十日以内に、議決しないときは、衆議院の可決を国会の可決とする。

③　会計年度の終了までに、次年度の予算案が成立しない場合には、内閣は、予算が成立するまでの間、左の目的のために必要な一切の支出をなすことができる。

一　法律によって設置された施設を維持し、ならびに法律によって定まっている行為を実行するため。

二　法規上、国に属する義務を履行するため。

三　前年度の予算で、すでに承認を得た範囲内で、建築、調達、およびその他の事業を継続し、またはこれらの目的に対して補助を継続するため。

（※一院制を採用すると、①、②は削除）

第六十一条〔条約の承認に関する衆議院の優越〕※

条約の締結に必要な国会の承認については、前条の規定を準用する。

第六十二条〔議院の国政調査権〕

の期間を除いて六十日以内に、議決しないときは、衆議院は、参議院がその法律案を否決したものとみなすことができる。

第六〇条〔衆議院の予算先議、予算議決に関する衆議院の優越〕

①　予算は、さきに衆議院に提出しなければならない。

②　予算について、参議院で衆議院と異なった議決をした場合に、法律の定めるところにより、両議院の協議会を開いても意見が一致しないとき、又は参議院が、衆議院の可決した予算を受け取った後、国会休会中の期間を除いて三十日以内に、議決しないときは、衆議院の議決を国会の議決とする。

第六一条〔条約の承認に関する衆議院の優越〕

条約の締結に必要な国会の承認については、前条第二項の規定を準用する。

第六二条〔議院の国政調査権〕

両議院は各々国政に関する調査を行い、これに関して、証人の出頭および証言ならびに記録の提出を要求することができる。
（※一院制を採用すると、条題は「国会の」となり、傍線部は「国会は」となる。）

第六十三条〔閣僚の議院出席の権利と義務〕
① 内閣総理大臣その他の国務大臣は、国会に議席を有すると有しないとにかかわらず、何時でも議案について発言するため国会に出席することができる。
② 内閣総理大臣その他の国務大臣は、答弁または証言のため、国会に出席を求められたときは、法律の定める場合を除き、出席しなければならない。
（※一院制を採用すると、条題は「国会出席」となる。）

第六十四条〔弾劾裁判所〕
① 国会は、罷免の訴追を受けた裁判官を裁判するため、両議院の議員で組織する弾劾裁判所を設ける。
② 弾劾に関する事項は、法律でこれを定める。
（※一院制を採用すると、傍線部は「国会議員」となる。）

第五章　内閣

第六十五条〔内閣の地位・行政権〕
① 日本国は、立法府（国会）、行政府（政府）、司法府（裁判所）、の三権分立制をとりつつ、行政府（政府）存立を国会の信任に依存する議院内閣制をとる。
② 行政権の行使は、内閣に属する。
③ 内閣は、立法府（国会）が制定した法律に基づき、その法律を執行する。

第六十六条〔内閣の組織、国会に対する連帯責任〕
① 内閣は、法律の定めるところにより、内閣総理大臣およびその他の国務大臣でこれを組織する。

両議院は各々国政に関する調査を行い、これに関して、証人の出頭及び証言並びに記録の提出を要求することができる。

第六三条〔閣僚の議院出席の権利と義務〕
内閣総理大臣その他の国務大臣は、両議院の一に議席を有すると有しないとにかかわらず、何時でも議案について発言するため議院に出席することができる。又、答弁又は説明のため出席を求められたときは、出席しなければならない。

第六四条〔弾劾裁判所〕
① 国会は、罷免の訴追を受けた裁判官を裁判するため、両議院の議員で組織する弾劾裁判所を設ける。
② 弾劾に関する事項は、法律でこれを定める。

第五章　内閣

第六五条〔行政権〕
行政権は、内閣に属する。

第六六条〔内閣の組織、国会に対する連帯責任〕
① 内閣は、法律の定めるところにより、その首長たる内閣総理大臣及びその他の国務大臣でこれを組織する。

② 内閣総理大臣は、国務大臣を統率する。
③ 内閣総理大臣およびその他の国務大臣は、現に国防軍に属する者であってはならない。
④ 内閣は、行政権の行使について、国会に対し連帯して責任を負う。
⑤ 内閣の決定は過半数決とする。反対の意見を有する国務大臣は、辞職しない限り、内閣の決定に賛成したものとみなす。

第六十七条〔内閣総理大臣の指名〕
内閣総理大臣は、国会議員の中から国会の決議でこれを指名する。この指名は、新国会の組織構成後、最初に行う。

第六十八条〔国務大臣の任命および罷免〕
① 内閣総理大臣は、国務大臣を任命する。
② ただし、国会議員外から選任することもできるが、その員数は三名までとする。
③ 内閣総理大臣は、任意に国務大臣を罷免することができる。

第六十九条〔内閣不信任決議の効果〕
① 内閣は、衆議院で不信任の議決案を可決し、または信任の議決案を否決したときは、十日内に衆議院が解散されない限り、総辞職しなければならない。
② 内閣に対する信任または不信任の議決は、それが国会に提出されてから、四十八時間を経過した後でなければ、これを行うことができない。

第七十条〔内閣総理大臣の不存在、新国会の召集と内閣総辞職〕
内閣総理大臣が欠けたとき、または衆議院議員総選挙の後に初め

---

② 内閣総理大臣その他の国務大臣は、文民でなければならない。
③ 内閣は、行政権の行使について、国会に対し連帯して責任を負う。

第六七条〔内閣総理大臣の指名、衆議院の優越〕
① 内閣総理大臣は、国会議員の中から国会の議決でこれを指名する。この指名は、他のすべての案件に先だって、これを行う。
② 衆議院と参議院とが異なった指名の議決をした場合に、法律の定めるところにより、両議院の協議会を開いても意見が一致しないとき、又は衆議院が指名の議決をした後、国会休会中の期間を除いて十日以内に、参議院が、指名の議決をしないときは、衆議院の議決を国会の議決とする。

第六八条〔国務大臣の任命及び罷免〕
① 内閣総理大臣は、国務大臣を任命する。但し、その過半数は、国会議員の中から選ばれなければならない。
② 内閣総理大臣は、任意に国務大臣を罷免することができる。

第六九条〔内閣不信任決議の効果〕
内閣は、衆議院で不信任の議決案を可決し、又は信任の決議案を否決したときは、十日以内に衆議院が解散されない限り、総辞職しなければならない。

第七〇条〔総理の欠缺・新国会の召集と内閣の総辞職〕
内閣総理大臣が欠けたとき、又は衆議院議員総選挙の後に初めて

て国会の召集があったときは、内閣は、総辞職しなければならない。

第七十一条〔総辞職後の内閣〕

① 第六十九条一項および第七十条の場合には、内閣は、あらたに内閣総理大臣が任命されるまで、引き続き憲法に定める職務を行う。

② 前項の場合、内閣は、国会を解散することができない。

第七十二条〔内閣総理大臣の職務〕

① 内閣総理大臣は、内閣を代表して予算案および法律案はじめ、その他の議案を国会へ提出し、また、一般国務および外交関係について、国会へ報告する。

② 内閣総理大臣は、行政各部を指揮監督する。

第七十三条〔内閣の職務〕

内閣は、他の一般行政事務のほか、左の事務を行う。

一 法律を誠実に執行し、行政事務を統括管理すること。

二 外交関係を処理すること。

三 条約を締結すること。ただし、事前に、時宜によっては事後に、国会の承認を経ることを必要とする。

四 法律の定める基準に従い、公務員に関する事務を掌理すること。

五 予算案を作成して国会に提出すること。

六 法律の規定を実施するために、政令を制定すること。ただし、政令には、特にその法律の委任がある場合を除いては、罰則を設けることができない。

七 旧来の減刑、および刑の執行の免除ならびに復権は、内閣ではなく、裁判所の権限とする。

八 栄典の授与を決定すること。

第七十四条〔法律・政令の署名〕

法律および政令には、すべて主任の国務大臣が署名し、内閣総理大臣が連署することを必要とする。

国会の召集があったときは、内閣は、総辞職をしなければならない。

第七一条〔総辞職後の内閣〕

前二条の場合には、内閣は、あらたに内閣総理大臣が任命されるまで引き続きその職務を行う。

第七二条〔内閣総理大臣の職務〕

内閣総理大臣は、内閣を代表して議案を国会に提出し、一般国務及び外交関係について国会に報告し、並びに行政各部を指揮監督する。

第七三条〔内閣の職務〕

内閣は、他の一般行政事務の外、左の事務を行う。

一 法律を誠実に執行し、国務を総理すること。

二 外交関係を処理すること。

三 条約を締結すること。但し、事前に、時宜によっては事後に、国会の承認を経ることを必要とする。

四 法律の定める基準に従ひ、官吏に関する事務を掌理すること。

五 予算を作成して国会に提出すること。

六 この憲法及び法律の規定を実施するために、政令を制定すること。但し、政令には、特にその法律の委任がある場合を除いては、罰則を設けることができない。

七 大赦、特赦、減刑、刑の執行の免除及び復権を決定すること。

第七四条〔法律・政令の署名〕

法律及び政令には、すべて主任の国務大臣が署名し、内閣総理大臣が連署することを必要とする。

第七十五条〔国務大臣の特典〕
国務大臣は、その在任中、内閣総理大臣の同意がなければ、訴追されない。ただし、これがため、訴追の権利は、害されない。

要新設の一〔内閣総理大臣の臨時職務代行者〕
内閣総理大臣は、内閣の成立と同時に、内閣総理大臣に事故のあるとき、または内閣総理大臣が欠けたときに、臨時に内閣総理大臣の職務を行う国務大臣を指定しなければならない。

要新設の二〔国務大臣の就任に際しての宣誓〕
内閣総理大臣およびその他の国務大臣は、就任に際し、次の宣誓を行う。
「私は、日本国の発展と日本国民の利福の増進のため、日本国の憲法および日本国が批准した国際条約・協定、および国会が制定した法律を尊重擁護し、全力をあげて職務に専念することを誓う。」

要新設の三〔国務大臣の行為の制限〕
内閣総理大臣およびその他の国務大臣は、その在任中、国会の章に新設した国会議員の欠格事由の他、品位を損なう行為を行ってはならない。

要新設の四〔国務大臣の欠格事由〕
国務大臣は、次に掲げる事由により、その地位を失う。
一　直接間接に、公有財産を購入または賃借すること。
二　直接間接に、国またはその機関と、土木請負契約、物品納入契約またはその他法律が禁ずる契約を結ぶこと。
三　国またはその機関と契約関係にある営利事業の役員または法律顧問となること。
四　国またはその機関を相手とする訴訟事件において、訴訟代理人または弁護人となること。
五　第三者の利益を図るために、国またはその機関の事務の負担となるべき交渉をなし、または交渉をなさしめること。

第七五条〔国務大臣の特典〕
国務大臣は、その在任中、内閣総理大臣の同意がなければ、訴追されない。但し、これがため、訴追の権利は、害されない。

六　正当な理由なくして、会期中、三分の一以上欠席すること。

要新設の五〔行政情報の公開原則〕

① 行政情報は、基本的に国民の所有に属する。

② 内閣は、次に掲げる場合を除き、その統括する行政各部の情報について、これを公開しなければならない。

一　国家の安全保障を脅かすおそれのあるとき。

二　公共の秩序を害するおそれのあるとき。

三　善良の風俗を害するおそれのあるとき。

四　関係当事者の人格を害し、その私生活上の利益を害するおそれのあるとき。

③ 行政情報の公開に関する手続は、法律でこれを定める。

要新設の六〔自然大災害・人為大災害・疫病大流行への対処〕

① 国は、大地震・大津波、大噴火・土石流、大台風・大雨など、自然大災害の発生に備え、緊急事態対処法制を整備し、また具体的な緊急事態対処の手段・方法を検討・設定するものとする。

② 国は、原子力発電、石油・ガソリン等の精製工場・貯蔵施設、その他、万が一事故発生の場合に、大災害が予想される大工場・貯蔵施設等について、事前に、危機管理法制を整備し、また具体的な緊急事態対処の手段・方法を、検討・設定するものとする。

③ 国は、急速に感染拡大する恐れのあるインフルエンザや新型ウイルスに備え、日ごろからその対処方法の研究を進めるとともに、万が一、発生・拡大した場合のため、医師・検査技師・看護師・介護士等、人員の補充・配置方法を考え、病室の用意、医療機器の増産・確保・管理方法につき検討し、特に医療従事者の感染や院内感染が発生しないよう、機器・設備・医務衣などの整備・補充に心がけ、また、治療薬・薬品の開発・貯蔵・補充につき、具体的な非常事態対処の手段・方法を、設定しておくことを要する。

④ 国は、世界的な経済恐慌・不景気・貨幣価値の大変動・株価の長期的大暴落、または日本国の財政破綻等々、経済的危機に遭遇する場合に備え、その対策について、その国民生活をどうするか、企業

をいかに救済するか、日本経済をどう回復させるかについて、研究し、具体策を練っておく必要がある。

⑤　上記各項の事態が生じた場合、内閣総理大臣は、その情況を勘案・判断して、全国民に対して、「国家非常事態宣言」を発する。

⑥　国民は、この「国家非常事態宣言」が発せられた時は、国が、国民の生命・身体・財産を守るために必要と考えて、非常事態宣言を発したことを認識し、内閣総理大臣の指示・命令に従うものとする。

⑦　国民は、この「国家非常事態宣言」が発せられたことにより、その身体・財産・生活において、何らかの損害が発生しても、日本国憲法が規定する「基本的人権保障」の大原則に基づいて、その全額について損害補償を請求することはできず、国家のために相応なる額を、協力金として受け取るに留めることを承認する。

⑧　国民は、この「国家非常事態」にあたり、内閣総理大臣の指示・命令に違反した場合は、その情況によって、本条に基づいて予め制定された法律に基づいて、身体の拘束、営業活動の停止もあり得るし、また罰金刑などに処せられることもありうることを、認識しなければならない。

⑨　内閣総理大臣によって、上記の「国家非常事態宣言」が発せられた場合は、その総指揮権者は内閣総理大臣であり、また、「国家非常事態宣言」の解除権者も内閣総理大臣である。

⑩　上記各号の場合、内閣総理大臣は、事前または事後に、国会の承認を得て、必要な範囲で、政令により、緊急の財政処分をすることができる。

　ただし、この措置は、その公布後、国会開会中は一週間以内に、国会閉会中または国会解散中の場合は、次の会期において、国会の承認を求めなければならない。

⑪　その大災害の際、内閣総理大臣が欠けている場合ないし新たに内閣総理大臣を指名するいとまがないときは、副総理ないしあらかじめ指名された大臣が、臨時にその職務を行うものとする。

⑫　内閣総理大臣は、被災者の人命救助をはじめ、避難先への輸送、障害物の撤去、災害拡大の防止等々のため、担当大臣および関係大臣に命じて、警察および消防ならびに医療・福祉関係者を動員し、

また、災害発生地の地方自治体へはもちろん、隣接する地方自治体へも、救済のための人員を動員させ、また、救済のための機材・資材・医薬品・食料・衣料・避難先等々につき、命令し指示する権限を有する。また、被害情況に応じて、地方自治体に対し、法律の範囲内で、その権限の一部を委任することができる。

⑬ なお、内閣総理大臣は、災害の状況により、その迅速な救援のため、自衛隊（国防軍）へ出動を命ずることができる。この場合、内閣総理大臣は、この命令を国務大臣に委任することなく、みずから明瞭な方法で命令しなければならない。

要新設の七〔他国からの攻撃・侵略に対する対処〕

① 国が、他国から攻撃・侵略を受けたときは、内閣総理大臣は、既存の安全保障法制に基づき、直ちに会議を開き、国家非常事態の発生を宣言し、これに対処するべく政令を発することができる。この政令は、のちに国会の承認を得なければならない。

② 内閣総理大臣は、直ちに、総司令官として、自衛隊（国防軍）を指揮し、その出動を命ずる。

③ 内閣総理大臣は、そのために、政令を以て緊急の財政処分をすることができる。この財政処分はのちに、国会の承認を経なければならない。

④ 内閣総理大臣は、他国からの攻撃・侵略の状況・態様が重要であると判断したときは、既存の「日本国とアメリカ合衆国との間の相互協力及び安全保障条約」（＝日米安全保障条約）の第五条に基づき、アメリカとの共同防衛に入る。

⑤ また加盟する国際連合の憲章第五十一条に基づき、直ちに、国際連合安全保障理事会に報告する。

⑥ 外国からの攻撃・侵略を受けた際、内閣総理大臣が欠けていた場合に、憲法の規定によって新たに内閣総理大臣を指名するいとまがなく、緊急を要するときは、副総理大臣またはあらかじめ指名された大臣が、臨時にその職務を行うものとする。

⑦ さらに、前項の大臣が欠けたとき、またはあらかじめの指名がなかったときは、緊急の場合に限り、衆議院議長がこれにあたり、衆

議院議長も欠けたときは、参議院議長がこれにあたり、それも欠けたときは、最高裁判所長官がこれにあたる。

第六章　裁判

要新設の一〔裁判所の種類・形態・三審制の原則〕
① 個々の紛争に対して、法的判断を下す権限を有する国家機関を裁判所という。
② 裁判所には、大別して、通常裁判所と特別裁判所とがある。
通常裁判所には、最高裁判所の下に、下位裁判所として次の一から四の通常裁判所がある。
一　簡易裁判所
二　家庭裁判所
三　地方裁判所
四　高等裁判所
五　最高裁判所
③ 国民は、上位法・下位法の原則に基づき、右の一、二、三、の下位裁判所を第一審として、その判断に不満がある時は、その上の、第三審まで、裁判所の判断を求めることができる。
④ 国民または企業は、原則として、その住所地・所在地における管轄裁判所に訴訟を提起する。
要新設の二〔特別裁判所、憲法裁判所〕
① 国は、特別の身分、または特定の種類について、特別の裁判所を設けることができる。

第六章　司法

第七六条〔司法権・裁判所、特別裁判所の禁止、裁判官の独立〕
① すべて司法権は、最高裁判所及び法律の定めるところにより設置する下級裁判所に属する。
② 特別裁判所は、これを設置することができない。行政機関は、終審として裁判を行うことができない。
③ すべて裁判官は、その良心に従い独立してその職権を行い、この憲法及び法律にのみ拘束される。

② 行政上、特別の知識・技術に関する場合に、行政裁判所を置くことができる。

③ 日本国は、世界の趨勢に基づき、憲法裁判所を設置する。

要新設の三〔裁判の公開の原則と例外〕

① 裁判の対審および判決は、公開の法廷でこれを行う。

② 裁判所が、次に掲げる理由により、裁判の公開が適当でないと決定した場合、対審は、公開しないでこれを行うことができる。

一 国家の安全保障を脅かすおそれがあるとき。

二 公共の秩序を害するおそれがあるとき。

三 善良の風俗を害するおそれがあるとき。

四 個人の私生活上の利益を害するおそれがあるとき。

五 企業・団体の利益を著しく害するおそれがあるとき。

要新設の四〔裁判官の独立・身分保障〕

① すべて裁判官は、その良心に従い、独立して自らの職務を行い、この憲法および日本国が批准締結した条約・協定、ならびに国会で成立した法律に拘束される。

② 裁判官は、裁判により、心身の故障のために職務を執ることができないと決定された場合を除いては、公の弾劾によらない限り罷免されない。

③ 裁判官の懲戒処分は、行政機関がこれを行うことができない。

要新設の五〔下級裁判所の裁判官、任期・定年・報酬〕

① 下級裁判所の裁判官は、最高裁判所の長官が任命する。

② 下級裁判所の裁判官は、任期を十年とし、再任されることができる。

③ 下級裁判所の裁判官は、法律の定める年齢に達した時に退官する。

④ 下級裁判所の裁判官は、すべて定期に相当額の報酬を受ける。

要新設の六〔最高裁判所の規則制定権〕

第八二条〔裁判の公開〕

① 裁判の対審及び判決は、公開法廷でこれを行う。

② 裁判所が、裁判官の全員一致で、公の秩序又は善良の風俗を害する虞があると決した場合には、対審は、公開しないでこれを行うことができる。但し、政治犯罪、出版に関する犯罪又はこの憲法第三章で保障する国民の権利が問題となっている事件の対審は、常にこれを公開しなければならない。

第七八条〔裁判官の身分の保障〕

裁判官は、裁判により、心身の故障のために職務を執ることができないと決定された場合を除いては、公の弾劾によらなければ罷免されない。裁判官の懲戒処分は、行政機関がこれを行うことはできない。

第八〇条〔下級裁判所の裁判官・任期・定年・報酬〕

① 下級裁判所の裁判官は、最高裁判所の指名した者の名簿によって、内閣でこれを任命する。その裁判官は、任期を十年とし、再任されることができる。但し、法律の定める年齢に達した時には退官する。

② 下級裁判所の裁判官は、すべて定期に相当額の報酬を受ける。この報酬は、在任中、これを減額することができない。

第七七条〔最高裁判所の規則制定権〕

① 最高裁判所は、法律の定める範囲内で、訴訟に関する手続、弁護士、裁判所の内部規律および司法事務処理に関する事項について、規則を定める権限を有する。
② 検察官は、最高裁判所の定める規則に従わなければならない。
③ 最高裁判所は、下級裁判所に関する規則に定める権限を、下級裁判所に委任することができる。

要新設の七〔最高裁判所の裁判官、定年・報酬〕
① 最高裁判所は、その長たる裁判官および法律の定める員数のその他の裁判官で構成する。
② その長たる裁判官は、最高裁判所裁判官の互選に基づき、国会がこれを指名する。天皇は、第六条によりその者を最高裁判所長官に任命する。
③ 最高裁判所の裁判官は、法律の定める年齢に達した時に退官する。
④ 最高裁判所の裁判官は、すべて定期に相当額の報酬を受ける。

第八十一条　廃止

要新設の一〔憲法裁判所の権限、憲法審査権〕
① 憲法裁判所は、具体的訴訟事件において、最高裁判所もしくは下級裁判所、または行政裁判所から、憲法判断（合憲ないし違憲）を求められた時は、これを審判する。
② 憲法裁判所は、具体的訴訟事件の当事者から、最高裁判所の憲法判断に異議の申し立てがあった場合にも、これを審判する。

---

① 最高裁判所は、訴訟に関する手続、弁護士、裁判所の内部規律及び司法事務処理に関する事項について、規則を定める権限を有する。
② 検察官は、最高裁判所の定める規則に従わなければならない。
③ 最高裁判所は、下級裁判所に関する規則を定める権限を、下級裁判所に委任することができる。

第七九条〔最高裁判所の裁判官、国民審査、定年、報酬〕
① 最高裁判所は、その長たる裁判官及び法律の定める員数のその他の裁判官でこれを構成し、その長たる裁判官以外の裁判官は、内閣でこれを任命する。
② 最高裁判所の裁判官の任命は、その任命後初めて行われる衆議院議員総選挙の際国民の審査に付し、その後十年を経過した後初めて行われる衆議院議員総選挙の際更に審査に付し、その後も同様とする。
③ 前項の場合において、投票者の多数が裁判官の罷免を可とするときは、その裁判官は、罷免される。
④ 審査に関する事項は、法律でこれを定める。
⑤ 最高裁判所の裁判官は、法律の定める年齢に達した時に退官する。
⑥ 最高裁判所の裁判官は、すべて定期に相当額の報酬を受ける。この報酬は、在任中、これを減額することができない。

第八一条〔法令審査権と最高裁判所〕
最高裁判所は、一切の法律、命令、規則又は処分が憲法に適合するかしないかを決定する権限を有する終審裁判所である。

③　憲法裁判所は、国会の創る法律、内閣の発する命令、その他の規則または処分につき、内閣からの申し立て、また在籍国会議員三分の二以上の申し立てにより、違憲の疑いがあるとの申し立てがあった場合には、憲法に適合するか否か、これを審判する。
④　日本国が締結した憲章・条約・協定、またはこれに類する対外的取決めについて、その条項が日本国憲法の条項と矛盾するとの訴えが提起された場合も、これを審判する。
⑤　前項の場合、日本国憲法と矛盾すると判断された場合は、国会および内閣は外国との交渉に入りこれを是正するか、もしくは、日本国憲法の条項の改正手続に入らなければならない。
⑥　日本国が、国際的憲章、あるいは外国との条約・協定またはこれに類する対外的取決めを結ぶに当たっては、それを批准する前に、日本国憲法に抵触するか否か、この憲法裁判所の立法・行政・裁判所の構成員により、「憲法会議」を開き、検討するものとする。

要新設の二〔憲法裁判所の判決の効力〕
①　憲法裁判所が、法律、命令、規則、処分について、憲法に適合しないと決定した場合には、何人もその決定に拘束される。
②　憲法裁判所が、条約・協定、法律、命令、規則、処分に関する判断において、日本国憲法の条文の方を是正すべきであると判断した場合は、まず、立法・行政・裁判の三権から、同数の委員で構成する「憲法会議」を開催し、「憲法改正の案文」を起案するのをはじめ、できるだけ早く、憲法改正の手続に入る。
③　憲法裁判所の判決（違憲ないし合憲）の効力は、その判決を公布した翌日から、その効力を発する。

要新設の三〔憲法裁判所裁判官の定数・任期〕
①　憲法裁判所裁判官の定数は、十五名とする。
②　憲法裁判所裁判官の構成は、国会議長が指名する者を五名、内閣総理大臣が指名する者を五名、最高裁判所長官が指名する者を五名とし、その十五名の裁判官の長たる裁判官は互選に基づき、国会が指名する。互選で決まらない場合は、無記名投票にて有効投票の過

半数を得た者を「憲法裁判所長官」とする。
③ これら十五名の長たる憲法裁判所長官については、天皇が任命する。
④ 憲法裁判所の裁判官は、その就任に際し、職務を忠実に執行する旨、宣誓しなければならない。
⑤ 憲法裁判所の裁判官の任期は十年として、健康の許す限り再任される。ただし、法律の定める年齢に達したときは、退官する。
⑥ 憲法裁判所の裁判官は、すべて定期に、相当額の報酬を受ける。
⑦ 憲法裁判所は、その運営・活動について、必要な事項につき、みずから規則を制定することができる。

要新設の四〔憲法裁判所裁判官の兼職禁止〕
① 憲法裁判所裁判官は、国会議員、国務大臣、他の裁判所の裁判官、その他の公務員を兼ねることができない。
② また、民間の役職も、兼ねることは許されない。

要新設の五〔憲法裁判所裁判官の身分保障〕
① 憲法裁判所裁判官は、裁判により、心身の故障のため職務を執ることができないと決定された場合を除いては、公の弾劾によらなければ罷免されない。
② 憲法裁判所裁判官の懲戒処分は、行政機関がこれを行うことはできない。

第七章　財政

第八十三条〔財政の基本原則〕
① 内閣は、財政に関する案文を起案・作成して国会へ提出し、国会の審議を経て可決されたものを、誠実に執行するものとする。
② 国会ならびに内閣は、財政の健全なる維持および運営に努めなければならない。

第八十四条〔課税〕
国は、あらたに租税を課し、または現行の租税を変更するには、

第七章　財政

第八三条〔財政処理の基本原則〕
国の財政を処理する権限は、国会の議決に基いて、これを行使しなければならない。

第八四条〔課税〕
あらたに租税を課し、又は現行の租税を変更するには、法律又は

法律、または法律の定める条件によらなければならない。

第八十五条〔国費の支出および国の債務負担〕
国は、国費を支出し、または国が債務を負担するには、国会の可決に基づくことを必要とする。

第八十六条〔内閣の予算案の提出と、国会の可決による予算〕
内閣は、毎会計年度の予算案を作成し、国会に提出して、その審議を受け、可決したものを予算とする。

第八十七条〔予備費〕
① 予見し難い予算の費目または費目の金額の不足に充てるため、国会の可決に基づいて予備費を設け、内閣の責任でこれを支出することができる。
② すべて予備費の支出については、内閣は、事後に国会の承諾を得なければならない。

要新設の一〔継続費〕
国は、工事、製造その他の事業で、その完成に数年度を要するものについて、特に必要がある場合においては、経費の総額および年割額を定め、予め国会の議決に懸け、その可決により、数年間にわたって支出することができる。

要新設の二〔予算不成立の場合の対処〕
会計年度の終了までに、次年度の予算が成立しない場合には、内閣は、予算が成立するまでの間、次の目的のため必要な一切の支出をなすことができる。
一 法律によって設立された施設を維持・運営し、ならびに法律によって定まっている行為を実行するため。
二 法規上、国に属する義務を履行するため。
三 前年度の予算で、すでに承認を得た範囲内で、建築、調達、およびその他の事業を継続し、またはこれらの目的に対して補助を

法律の定める条件によることを必要とする。

第八五条〔国費の支出及び国の債務負担〕
国費を支出し、又は国が債務を負担するには、国会の議決に基くことを必要とする。

第八六条〔予算〕
内閣は、毎会計年度の予算を作成し、国会に提出して、その審議を受け議決を経なければならない。

第八七条〔予備費〕
① 予見し難い予算の不足に充てるため、国会の議決に基いて予備費を設け、内閣の責任でこれを支出することができる。
② すべて予備費の支出については、内閣は、事後に国会の承諾を得なければならない。

継続するため。

第八十八条　廃止

第八十九条〔「社会福祉国家」の宣言〕
① 日本国は、現代の「社会福祉国家」の理念に基づき、国民の福祉増進のため、公金から必要な費用を予算化し、または公の資産を提供することができる。
② ただし、信仰・宗教については、国民の自由権として尊重するが、しかし、国は、宗教上の組織もしくは団体のために、公金を支出し、公の資産を提供することはできない。
③ しかし、天皇、皇室に関する行事は、宗教を超えた古代からのしきたりとして、国家予算を充当することができる。

第九十条〔決算検査・会計検査院〕
① 国のすべての収入支出に関する決算案は、会計検査院が毎年これを検査する。
② 内閣は、次の年度に、前項に規定する会計検査院による決算検査と併せ、国のすべての収入支出の決算案を、国会に提出してその承認を得なければならない。
③ 会計検査院の組織および権限は、法律でこれを定める。

第九十一条〔財政状況の報告〕
内閣は、国会および国民に対し、少なくとも毎年一回、定期に、国の財政状況について報告しなければならない。

第八章　地方公共団体

第九十二条〔地方公共団体の基本原則〕
① 地方公共団体は、主権を有する国の指示に従い、また国に協力して、その自治体の住民の生活・福祉の増進に、努めるものとする。

第八八条〔皇室財産・皇室の費用〕
すべて皇室財産は、国に属する。すべて皇室の費用は、予算に計上して国会の議決を経なければならない。

第八九条〔公の財産の支出又は利用の制限〕
公金その他の公の財産は、宗教上の組織若しくは団体の使用、便益若しくは維持のため、又は公の支配に属しない慈善、教育若しくは博愛の事業に対し、これを支出し、又はその利用に供してはならない。

第九〇条〔決算検査、会計検査院〕
① 国の収入支出の決算は、すべて毎年会計検査院がこれを検査し、内閣は、次の年度に、その検査報告とともに、これを国会に提出しなければならない。
② 会計検査院の組織及び権限は、法律でこれを定める。

第九一条〔財政状況の報告〕
内閣は、国会及び国民に対し、定期に、少くとも毎年一回、国の財政状況について報告しなければならない。

第八章　地方自治

第九二条〔地方自治の基本原則〕
地方公共団体の組織及び運営に関する事項は、地方自治の本旨に基いて、法律でこれを定める。

② 地方公共団体の運営および組織に関する事項は、法律でこれを定める。

第九十三条〔地方公共団体の首長、および地方議会議員の直接選挙〕

① 地方公共団体の首長は、その地域の住民が直接選挙により選出する。

② 地方公共団体には、地方公共団体法により、議会を設置する。

③ 地方議会の議員は、その地方公共団体の住民が、直接これを選挙する。

第九十三条の二〔地方公共団体の首長、および地方議会議員の任期ならびに欠格事由〕

① 地方公共団体の首長の任期については、「地方公共団体法」による。

② 地方公共団体の議会の議員の任期については「地方公共団体法」による。

③ 地方公共団体の首長および地方議会の議員に対しては、この憲法の第四十四条の四〔国会議員の欠格事由〕を準用する。

第九十四条〔地方公共団体の権能〕

① 地方公共団体の議会は、地方公共団体法の規定に従い、条例を制定する。

② 地方公共団体の首長はじめ行政部は、その条例を誠実に執行することはもちろん、団体の財産を管理し、行政を執行し、その他の事務を行う。

第九十五条〔特定の地方公共団体にのみ適用されるための法律が必要な場合の手続〕

① 特定の地方公共団体にのみ適用される法律が必要と考えられる場合には、その地方公共団体の首長ならびにその地方議会の議長は、法律の定めるところにより、その議会が議決した明確な理由を付した要請書を持参し、国会に対して、その特別法を創ることを要請することができる。

第九三条〔地方公共団体の機関、その直接選挙〕

① 地方公共団体には、法律の定めるところにより、その議事機関として議会を設置する。

② 地方公共団体の長、その議会の議員及び法律の定めるその他の吏員は、その地方公共団体の住民が、直接これを選挙する。

第九四条〔地方公共団体の権能〕

地方公共団体は、その財産を管理し、事務を処理し、及び行政を執行する権能を有し、法律の範囲内で条例を制定することができる。

第九五条〔特別法の住民投票〕

一の地方公共団体のみに適用される特別法は、法律の定めるところにより、その地方公共団体の住民の投票においてその過半数の同意を得なければ、国会は、これを制定することができない。

② 国会は、その内容を審査し、合理的理由ありと認めるときは、その地域だけに適用する特別法を創ることができる。

③ 国会が、特定の地方公共団体の右要請書を否決するときは、遅滞なく、その理由を付した回答書を、その地方公共団体の首長に送付しなければならない。

要新設〔地方公共団体による内閣の国家非常事態宣言下における対処規定〕

内閣の章の要新設の六〔国家非常事態〕に規定される国家非常事態が宣言された場合、この憲法および法律の定めるところにより、地方公共団体は、内閣の指示の範囲内で、内閣の指揮下に入るものとする。

第九章　憲法改正

第九十六条の一〔憲法改正の提出権者〕

① 国会議員は、その在籍議員の三分の一以上の署名をもって、憲法改正案を提出できる。

② 内閣も、閣僚全員の署名をもって、憲法改正案を国会へ提出できる。

③ 国民も、その有権者五十万人を超す署名をもって、憲法改正案を国会へ提出できる。

④ 憲法裁判所の裁判官も、必要と認めるときは、憲法改正案を国会へ提出することができる。

⑤ ①項の場合、第二章の基本原則を改正する場合は、在籍国会議員の三分の二以上に加重する。

第九十六条の二〔日本国憲法の基本原則についての改正要件〕

① わが国の基本原則は次のとおり

一　天皇制の維持・存続

二　基本的人権の尊重、自由主義・民主主義体制の尊重

三　社会福祉国家主義、社会保障制度

四　立法・行政・裁判の三権分立制度、政党政治の存在、議院内閣

第九章　改正

第九六条〔改正の手続、その公布〕

① この憲法の改正は、各議院の総議員の三分の二以上の賛成で、国会が、これを発議し、国民に提案してその承認を経なければならない。この承認には、特別の国民投票又は国会の定める選挙の際行われる投票において、その過半数の賛成を必要とする。

② 憲法改正について前項の承認を経たときは、天皇は、国民の名で、この憲法と一体を成すものとして、直ちにこれを公布する。

制の採用、三審制の裁判の保障、憲法裁判所の設置

② 前項に掲げる基本原則を改廃するためには、その要件を次のように加重する。

③ 改廃には、国会の出席議員三分の二以上の賛成で、国会がこれを発議する。

次いで、この発議は、憲法裁判所の審議にかけて、その憲法裁判所裁判官の三分の二以上の賛成を必要とする。

④ その上で、内閣は、その改憲案を、国民に提案し承認を経なければならない。

⑤ この承認には、特別の国民投票または国会の定める選挙の際に行われる投票において、その過半数の賛成を必要とする。

⑥ この基本原則条項に関する憲法改正について、前項の承認を経たときには、天皇は、国民の名で、この憲法と一体を成すものとして、これを公布する。

⑦ なお、日本国の主権が制限されている間、および国家非常事態宣言が布告されている間は、この憲法を、改正することはできない。

第九十六条の三〔前条の基本原則外の条項についての改正要件〕

① 基本原則規定外の条項についての改正は、国会において在籍議員の三分の二以上の出席の上で、その出席議員の過半数以上の賛成を得ることを要する。

② 本件は、次いで、憲法裁判所の審議にかけ、その憲法裁判所の裁判官の過半数の同意を要する。

③ その憲法改正案について、右の手続を経たときは、天皇は、国民の名で、この憲法と一体を成すものとして、これを公布する。

④ なお、日本国の主権が制限されている間、および国家非常事態宣言が布告されている間は、この憲法を、改正することはできない。

第十章　国家非常事態対処規定

第十章　最高法規

第九七条〔基本的人権の本質〕

この憲法が日本国民に保障する基本的人権は、人類の多年にわたる自由獲得の努力の成果であって、これらの権利は、過去幾多の試

▽新設の一〔自然大災害・人為大災害・疫病大流行への非常事態対処〕

① 国は、大地震・大津波、大噴火・土石流、大台風・大雨など、自然大災害の発生に備え、国家非常事態対処法制を整備し、また具体的な緊急対処の手段・方法を検討・設営するものとする。

② 国は、原子力発電、石油・ガソリン等の精製工場・貯蔵施設、その他、万が一事故発生の場合に、大災害が予想される大工場・貯蔵施設等について、事前に、危機管理法制の整備につとめ、また具体的な緊急事態対処の手段・方法を検討・設営するものとする。

③ 国は、急速に感染拡大する恐れのあるインフルエンザや新型ウイルスに備え、日頃からその対処方法の研究を進めるとともに、もし、発生・拡大した場合を想定し、医師・検査技師・看護師・介護士はじめ医療従事者について、人員の補充・配置方法を考え、病室の用意、医療機器の増産・確保・管理方法につき検討し、特に医療従事者の感染や院内感染が発生しないよう、機器・設備・医務衣などの確保・補充に心がけ、また、治療薬・薬品の開発・貯蔵・補充につき、具体的な非常事態対処の手段・方法を、設定しておくことを要する。

④ もし、新型インフルエンザや新型ウイルスが日本国内で発生した場合には、国は、その感染が拡散しないよう、ただちに対処し、そ

練に堪え、現在及び将来の国民に対し、侵すことのできない永久の権利として信託されたものである。

第九八条〔最高法規、条約及び国際法規の遵守〕

① この憲法は、国の最高法規であって、その条規に反する法律、命令、詔勅及び国務に関するその他の行為の全部又は一部は、その効力を有しない。

② 日本国が締結した条約及び確立された国際法規は、これを誠実に遵守することを必要とする。

第九九条〔憲法尊重擁護の義務〕

天皇又は摂政及び国務大臣、国会議員、裁判官その他の公務員は、この憲法を尊重し擁護する義務を負う。

の検査、隔離、入院、治療に、全力を上げるものとする。

⑤　国は、世界的な経済恐慌・不景気・貨幣価値の大変動・株価の長期的大暴落、または日本国の財政破綻等々、経済的危機に遭遇する場合に備え、その対策について、国民生活をどうするか、企業をいかに救済するか、日本経済をどう回復させるかについて研究し、具体策を練っておくことを要する。

⑥　上記各項の事態が生じた場合、内閣総理大臣は、その情況を勘案・判断して、全国民に対して、「国家非常事態宣言」を発する。

⑦　国民は、この「国家非常事態宣言」が発せられた時は、国が、国民の生命・身体・生活・財産を守るために必要と考えて、その「国家非常事態宣言」を発令したことを認識し、内閣総理大臣の指示・命令に従うものとする。

⑧　内閣総理大臣の「国家非常事態宣言」が発せられない前は、日本国憲法が規定する「基本的人権保障」の大原則により、国民は、もし、国から、生命・身体・生活・財産などの基本的人権を制約された場合には、その全額の補償を国に求めることができる。

⑨　内閣総理大臣により、この「国家非常事態宣言」が発令されたのちには、その指示・命令により、国民が、その生命・身体・生活・財産につき、何らかの損害が生じても、その全額の補償を国に請求することはできず、国家全体の危機への対処として、国民は、国からその全額ではなく、相当額を「協力金」として受け取るに留まる。

⑩　国民は、この「国家非常事態宣言」が発令された場合、内閣総理大臣の指示・命令に違反した時は、その情況により、本条に基づいて予め制定された法律に基づき、身体の拘束、営業停止、あるいは罰金刑などに処せられることがありうる。

⑪　内閣総理大臣によって、上記の「国家非常事態宣言」が発せられた場合は、その総指揮権者は内閣総理大臣であり、また、「国家非常事態宣言」の解除権者も内閣総理大臣である。

⑫　内閣総理大臣は、「国家非常事態宣言」を発令するに当たり、事前または事後に、国会の承認を得て、必要な範囲で、政令により、緊急の財政処分をすることができる。

　ただし、この措置は、その公布後、国会開会中は一週間以内に、国会の承認を得なければならない。

なお、国会閉会中または国会解散中の場合は、次の会期において、国会の承認を求めなければならない。

⑬　内閣総理大臣は、被災者の人命救助をはじめ、避難先への輸送、障害物の除去、災害拡大の防止等々のため、担当大臣および関係大臣に命じて、警察および消防ならびに医療・福祉関係を動員し、また、災害発生地の地方自治体へはもちろん、隣接する地方自治体へも、救済のための人員を動員させ、救済のための機材・資材・医薬品・食料・衣料・避難先等々につき、命令し指示することができる。
また、被害情況に応じて、地方自治体に対し、法律の範囲内で、その権限の一部を委任することができる。

⑭　なお、内閣総理大臣は、災害の状況により、その迅速な救援のため、自衛隊（国防軍）へ出動を命ずることができる。この場合、内閣総理大臣は、この命令を国務大臣に委任することなく、みずから明瞭な方法で命令しなければならない。

⑮　その大災害発生にあたり、内閣総理大臣が欠けている場合ないし新たに内閣総理大臣を指名するいとまがない時は、副総理ないしまたはあらかじめ指名された大臣が、臨時にその職務を行うものとする。

▽新設の二〔外国からの攻撃・侵略があった場合の対処〕

①　国に、外国から軍事的攻撃・侵略を受けた時は、内閣総理大臣は、既存の安全保障法制に基づき、直ちに会議を開き、国家非常事態の発生を宣言し、これに対処するに必要な政令を発することができる。この政令は、のちに国会の承認を得なければならない。

②　内閣総理大臣は、直ちに、総指揮官として、自衛隊（国防軍）を指揮し、その出動を命ずる。また、専門家である自衛隊（国防軍）の指揮官（将軍）に、戦略的・戦術的な現場の指揮をとることを、委嘱することができる。

③　内閣総理大臣は、そのために、政令を以て、緊急の財政処分をすることができる。この財政処分はのちに、国会の承認を経なければならない。

④　内閣総理大臣は、外国からの攻撃・侵略の状況・態様が重要であると判断した時は、既存の「日本国とアメリカ合衆国との間の相互協力および安全保障条約」（＝日米安全保障条約）第五条に基づき、アメリカ合衆国との共同防衛に入る。

⑤　また加盟する国際連合の憲章第五十一条に基づき、直ちに、国際連合安全保障理事会へ報告する。

⑥　日本国民は、①項の内閣総理大臣による「外国からの軍事攻撃による国家非常事態宣言」が発令されたときは、それが、国民の生命・身体を守るためであることを理解し、行政府による緊急退避命令等々の指示に従うものとする。

また、国民は、侵攻してきた外国軍隊から日本を防衛するため、その権利を有する敷地・家屋内に、自衛隊（国防軍）、あるいは警察官その他公務員が無断で立ち入ることを許容するものとする。

⑦　外国からの軍事的攻撃・侵略を受けた際、内閣総理大臣が欠けていた場合に、憲法の規定によって新たに内閣総理大臣を指名するいとまがなく、緊急を要する時は、副総理大臣または予め指名した大臣が、臨時にその職務を行うものとする。

⑧　さらに、前項の大臣が欠けた時、または予めの指名がなかったときは、緊急の場合に限り、衆議院議長がこれに当たり、衆議院議長も欠けたときは、参議院議長がこれに当たり、それも欠けたときは、最高裁判所長官がこれにあたる。

要新設の一〔独立主権国家として、陸海空軍の保持とその行使〕

①　わが国は独立主権国家として、自衛のため陸海空軍その他の戦力を保持する。

②　わが国は、過去の歴史を踏まえ、他国を侵略する戦争を否認する。

③　わが国の自衛権は、すでに加盟している国際連合憲章第五十一条の規定に従い、個別的自衛権はもちろん集団的自衛権をも保有する。

要新設の二〔内閣総理大臣の陸海空軍指揮権〕

①　内閣総理大臣は、陸海空軍その他の戦力の最高指揮官である。

②　前条の規定により、軍事行動または治安出動が必要になった場合

には、内閣総理大臣は、自己の責任において、陸海空軍その他の戦力を指揮する。

③ 内閣総理大臣は、必要に応じ、担当国務大臣その他軍事専門家に、現地の指揮をとらせることができる。

④ 外国からの攻撃・侵略を受けた際、内閣総理大臣が欠けていた場合に、憲法の規定によって新たに内閣総理大臣を指名するいとまがなく、緊急を要するときは、副総理大臣または予め指名されていた大臣が、臨時にその職務を行うものとする。

⑤ さらに、前項の大臣が欠けたとき、または予めの指名がなかったときは、緊急の場合に限り、衆議院議長がこれにあたり、衆議院議長も欠けたときは、参議院議長がこれにあたり、それも欠けたときは、最高裁判所長官がこれにあたる。

要新設の三〔内乱など治安出動する場合の要件〕

① 陸海空軍その他の戦力が、外国と呼応するとしないとにかかわらず、武器を所持して内乱・反乱を起こす事態が発生した場合に、警察力では対処できないときは、内閣総理大臣は、内乱に加担していない部隊を以て、その内乱の鎮圧を命ずる。

② 緊急止むを得ない場合、内閣総理大臣は、国会の承認を得ずして、陸海空軍を治安あるいは鎮圧のため、出動せしめることができる。
ただし、この場合は、可能な限り速やかに国会を開いて、その承認を得なければならない。

③ なお、内閣総理大臣みずからが、独裁権力を得る意図などから、反乱軍を率いた場合については、前条⑤項の規定を準用する。この場合は、後日、国民投票により、その是非を国民に問わなければならない。

要新設の四〔国際連合からの要請に応ずる義務〕

① 国際連合に加盟している日本国は、国際連合が、再び世界戦争など大規模な戦争に発展しないよう、世界の各地域において武力対立が発生した場合に、国連加盟の独立主権国家は、国連からの要請によって、自国の陸海空その他の軍事力を、その地域に派遣する義務

があることを認識し、日本国も独立主権国家として、国際連合の要請に応ずるものとする。
② 日本国は、国連加盟国の義務として国連からの要請、例えば、停戦の監視、地雷・機雷の除去、その他、監視・巡回、救援・輸送・医療・難民保護などの要請があった場合にも、その要請の範囲で、これに協力するべく、陸海空軍その人員を海外へ派遣するものとする。
③ 国際連合の安全保障理事会が、その多数の表決をもって、特定国を世界の安定を乱す侵略国であると認定し、制裁戦争への参加を要請した場合は、わが国とその特定国との関係に配慮した上で、国際連合の要請に応じ、宣戦を布告し、停戦を命じ、あるいは講和を結ぶことができる。
なお、この場合は、事前または事後に、国会の承認を得なければならない。

要新設の五〔他国からの攻撃・侵略があった場合の対処〕
① 日本国が、他国から攻撃・侵略を受けたときは、内閣総理大臣は、わが国の自衛権に基づき、これに対処するため、全国民に向け、国家非常事態宣言を発令する。
② 内閣総理大臣は、既存の安全保障法制に基づき、直ちに安全保障会議を開き、事態に対処するため必要な政令を発することができる。この政令は、のちに国会の承認を得なければならない。
③ 内閣総理大臣は、また、既存の法制ないし新たな政令を以て、緊急の財政処分をすることができる。この財政処分はのちに、国会の承認を得なければならない。

第十一章 補則

第一〇〇条〔憲法施行期日、準備手続〕
① この憲法は、公布の日から起算して六箇月を経過した日（昭和二二・五・三）から、これを施行する。
② この憲法を施行するために必要な法律の制定、参議院議員の選挙及び国会召集の手続並びにこの憲法を施行するために必要な準備手

続は、前項の期日よりも前に、これを行うことができる。

第一〇一条〔経過規定――参議院未成立の間の国会〕

この憲法施行の際、参議院がまだ成立していないときは、その成立するまでの間、衆議院は、国会としての権限を行う。

第一〇二条〔同前――第一期の参議院議員の任期〕

この憲法による第一期の参議院議員のうち、その半数の者の任期は、これを三年とする。その議員は、法律の定めるところにより、これを定める。

第一〇三条〔同前――公務員の地位〕

この憲法施行の際現に在職する国務大臣、衆議院議員及び裁判官並びにその他の公務員で、その地位に相応する地位がこの憲法で認められている者は、法律で特別の定をした場合を除いては、この憲法施行のため、当然にはその地位を失うことはない。但し、この憲法によって、後任者が選挙又は任命されたときは、当然その地位を失う。

清原淳平（きよはら　じゅんぺい）

東京都出身。昭和33年早稲田大学大学院修士課程修了。博士課程の３年目に、西武グループ創立者・堤康次郎会長（元衆議院議長）の総帥秘書室勤務。その際、時の岸信介総理の面識を得たご縁もあり、昭和53年秋より、逐次、岸信介元総理が創立をされた財団法人　協和協会はじめ４団体の事務局長、常務理事、専務理事など執行役員を委託される。

憲法関係では、昭和54年１月、岸信介会長より「自主憲法期成議員同盟」事務局長、「自主憲法制定国民会議」（＝新しい憲法をつくる国民会議とも併称）常務理事に任命され、後者はのち、常務理事～専務理事～会長代行を経て、平成23年以降は会長を務め、40年以上にわたり、岸信介先生の志を遵守して、憲法改正運動を継続している。

本書は、憲法関係としては第８冊目の著書で、現行憲法の冒頭から最後の103条の各条文すべてにわたって、問題点を上げ、詳しく解説した、生涯をかけての作品である。

詳細は、本書の「あとがき」ないし、http://kiyohara-junpei.jp/ 参照。

【編著書】

『なぜ憲法改正か!?』（日本図書館協会選定図書）
『岸信介元総理の志　憲法改正』
『集団的自衛権・安全保障法制』
『国民投票のための憲法改正学』
『現憲法に欠落の「緊急事態」新設を！』
（いずれも善本社刊）

国民のための憲法改正学への勧め

令和三年五月三日　初版発行

著者　清原淳平
発行者　手塚容子
印刷所　善本社製作部
〒101-0051　東京都千代田区神田神保町二―十四―一〇三
発行所　株式会社　善本社
TEL　（〇三）五二一三―四八三七
FAX　（〇三）五二一三―四八三八

ISBN978-4-7939-0486-8　C0032